큐브
수학
실력

|진도북|

6·1

구성과 특징

진도북 3단계 학습법

STEP 1 개념 완성하기

알차게 구성한 개념 정리와 개념 확인 문제로 개념을 완벽하게 익힙니다.
기본 유형 문제로 다양한 유형 학습을 준비합니다.

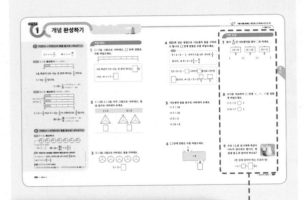

STEP 2 실력 다지기

학교 시험에 잘 나오는 문제와 다양한 유형의 문제를 유형 확인 강화 의 3단계로 학습하여 실력을 키웁니다.

약점 체크 틀리기 쉬운 문제를 집중적으로 학습합니다.

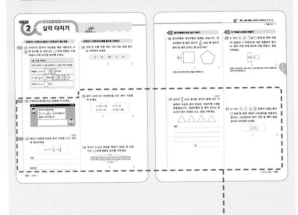

매칭북 1:1 매칭 학습

STEP 1 한번더 개념 완성하기

STEP1의 기본 유형 문제를 **한 번 더** 공부하여 개념을 완성합니다.

STEP 2 한번더 실력 다지기

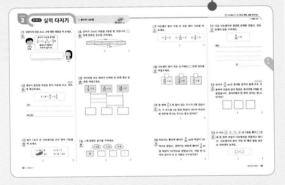

STEP2의 확인, 강화 문제를 **한 번 더** 공부하여 실력을 다집니다.

큐브수학 실력 무료 스마트러닝

첫째 QR코드 스캔하여 1초 만에 바로 강의 시청

둘째 최적화된 강의 커리큘럼으로 학습 효과 UP!

서술형 문제 풀이 강의
서술형 풀이를 쓰기 어려울 때 문제 해결 전략 강의를 통해 서술형 풀이를 체계적으로 완성합니다.

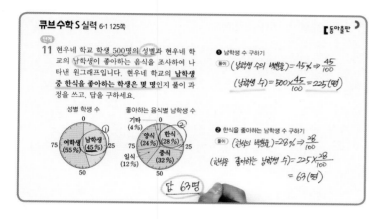

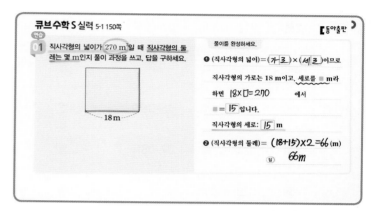

큐브수학 실력 초등수학 6학년 강의 목록

구분	단원명	학습 내용		공부한 날		동영상 확인
서술형 강의	1. 분수의 나눗셈	서술형 해결하기	024쪽	월	일	▶ ⬜
		서술형 해결하기	025쪽	월	일	▶ ⬜
		서술형 해결하기	026쪽	월	일	▶ ⬜
		서술형 해결하기	027쪽	월	일	▶ ⬜
	2. 각기둥과 각뿔	서술형 해결하기	046쪽	월	일	▶ ⬜
		서술형 해결하기	047쪽	월	일	▶ ⬜
	3. 소수의 나눗셈	서술형 해결하기	076쪽	월	일	▶ ⬜
		서술형 해결하기	077쪽	월	일	▶ ⬜
		서술형 해결하기	078쪽	월	일	▶ ⬜
		서술형 해결하기	079쪽	월	일	▶ ⬜
	4. 비와 비율	서술형 해결하기	098쪽	월	일	▶ ⬜
		서술형 해결하기	099쪽	월	일	▶ ⬜
	5. 여러 가지 그래프	서술형 해결하기	122쪽	월	일	▶ ⬜
		서술형 해결하기	123쪽	월	일	▶ ⬜
		서술형 해결하기	124쪽	월	일	▶ ⬜
		서술형 해결하기	125쪽	월	일	▶ ⬜
	6. 직육면체의 부피와 겉넓이	서술형 해결하기	152쪽	월	일	▶ ⬜
		서술형 해결하기	153쪽	월	일	▶ ⬜
		서술형 해결하기	154쪽	월	일	▶ ⬜
		서술형 해결하기	155쪽	월	일	▶ ⬜

큐브수학 초등수학 6학년 **학습 계획표**

학습 계획표를 따라 차근차근 수학 공부를 시작해 보세요.
큐브수학과 함께라면 수학 공부, 어렵지 않습니다.

단원	회차	진도북	매칭북	공부한 날	
1단원	1회	006~011쪽	01쪽	월	일
	2회	012~015쪽	02~03쪽	월	일
	3회	016~019쪽	04쪽	월	일
	4회	020~023쪽	05~06쪽	월	일
	5회	024~027쪽	07~08쪽	월	일
	6회	028~030쪽		월	일
	7회		46~48쪽	월	일
2단원	8회	034~039쪽	09쪽	월	일
	9회	040~043쪽		월	일
	10회	044~045쪽	10~12쪽	월	일
	11회	046~047쪽	13쪽	월	일
	12회	048~050쪽		월	일
	13회		49~51쪽	월	일
3단원	14회	054~059쪽	14쪽	월	일
	15회	060~065쪽	15~17쪽	월	일
	16회	066~069쪽	18쪽	월	일
	17회	070~075쪽	19~21쪽	월	일
	18회	076~079쪽	22~23쪽	월	일
	19회	080~082쪽		월	일
	20회		52~54쪽	월	일

단원	회차	진도북	매칭북	공부한 날	
4단원	21회	084~091쪽	24쪽	월	일
	22회	092~095쪽		월	일
	23회	096~097쪽	25~27쪽	월	일
	24회	098~099쪽	28쪽	월	일
	25회	100~102쪽		월	일
	26회		55~57쪽	월	일
5단원	27회	104~109쪽	29쪽	월	일
	28회	110~113쪽	30~31쪽	월	일
	29회	114~117쪽	32쪽	월	일
	30회	118~121쪽	33~34쪽	월	일
	31회	122~125쪽	35~36쪽	월	일
	32회	126~128쪽		월	일
	33회		58~60쪽	월	일
6단원	34회	132~137쪽	37쪽	월	일
	35회	138~143쪽	38~40쪽	월	일
	36회	144~147쪽	41쪽	월	일
	37회	148~151쪽	42~43쪽	월	일
	38회	152~155쪽	44~45쪽	월	일
	39회	156~158쪽		월	일
	40회		61~63쪽	월	일

큐브수학 실력의 특징

❶ 유형 학습 하나의 주제에 대한 필수 문제의 **3단계 입체적 유형 학습**

❷ 매칭 학습 진도북의 각 코너를 1:1 매칭시킨 매칭북을 통해 **한 번 더 복습**

❸ 서술형 강화 수학 핵심 역량의 접목/풀이 과정을 자연스럽게 익히면서 쓸 수 있는 **3단계 서술형 학습법**

STEP 3 서술형 해결하기

풀이 과정을 자연스럽게 익히면서 쓸 수 있는 체계적인 (연습) (단계) (실전) 의 3단계 학습으로 서술형을 완벽하게 대비합니다.

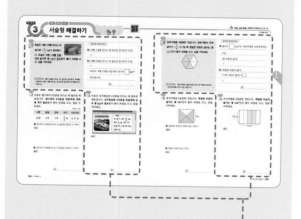

단원 마무리

한 단원을 마무리하는 단계로 해당 단원을 잘 공부했는지 확인하여 실력을 점검합니다.

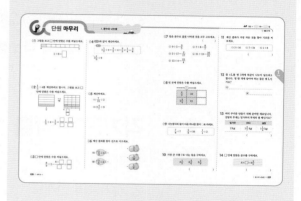

STEP3 한 번 더 서술형 해결하기

STEP3의 연습, 실전 문제를 **한 번 더** 공부하여 서술형을 해결합니다.

단원 평가

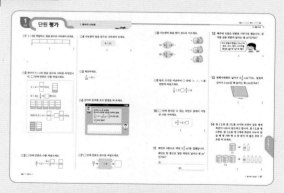

단원별로 실력을 최종 점검합니다.

차례

1 분수의 나눗셈

학습 계획표

공부할 날짜를 적고 〈진도북〉과 〈매칭북〉의 쪽수를 찾아 공부하세요.

학습 내용	계획 및 확인				매칭북		
	진도북				매칭북		
STEP 1 개념 완성하기	008~011쪽 ➡	월	일		01쪽 ➡	월	일
STEP 2 실력 다지기	012~015쪽 ➡	월	일		02~03쪽 ➡	월	일
STEP 1 개념 완성하기	016~019쪽 ➡	월	일		04쪽 ➡	월	일
STEP 2 실력 다지기	020~023쪽 ➡	월	일		05~06쪽 ➡	월	일
STEP 3 서술형 해결하기	024~027쪽 ➡	월	일		07~08쪽 ➡	월	일
단원 마무리	028~030쪽 ➡	월	일		46~48쪽 ➡	월	일

개념 완성하기

1 (자연수)÷(자연수)의 몫을 분수로 나타내기 (1)

$$1 \div \blacktriangle = \frac{1}{\blacktriangle} \qquad \bullet \div \blacktriangle = \frac{\bullet}{\blacktriangle}$$

예제 1 **1÷5 계산하기** → 1÷(자연수)

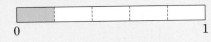

1을 똑같이 5로 나눈 것 중의 하나는 $\frac{1}{5}$이므로

1÷5는 $\frac{1}{5}$입니다.

$$1 \div 5 = \frac{1}{5} \quad \substack{\rightarrow \text{나누어지는 수} \rightarrow \text{분자} \\ \rightarrow \text{나누는 수} \rightarrow \text{분모}}$$

예제 2 **3÷5 계산하기** → (자연수)÷(자연수)

같은 색으로 색
칠한 부분: $\frac{3}{5}$

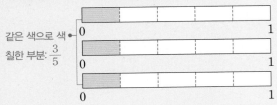

$1 \div 5 = \frac{1}{5}$이고 3÷5는 $\frac{1}{5}$이 3개이므로 $\frac{3}{5}$입니다.

$$3 \div 5 = \frac{3}{5} \quad \substack{\rightarrow \text{나누어지는 수} \rightarrow \text{분자} \\ \rightarrow \text{나누는 수} \rightarrow \text{분모}}$$

2 (자연수)÷(자연수)의 몫을 분수로 나타내기(2)

예제 **7÷4 계산하기**

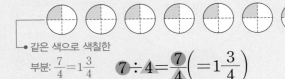

같은 색으로 색칠한
부분: $\frac{7}{4} = 1\frac{3}{4}$ $7 \div 4 = \frac{7}{4}\left(=1\frac{3}{4}\right)$

중요 **자연수의 나눗셈을 이용하여 몫을 분수로 나타내기**

$7 \div 4 = 1 \cdots 3$이고, 나머지 3을 4로 나누면 $\frac{3}{4}$입니다.

➡ $7 \div 4 = 1\frac{3}{4} = \frac{7}{4}$

참고 (자연수)÷(자연수)에서
• (자연수)<(자연수) ➡ (몫)<1   • (자연수)>(자연수) ➡ (몫)>1

개념 확인

1 1÷7을 그림으로 나타내고, ☐ 안에 알맞은 수를 써넣으세요.

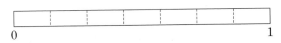

1을 똑같이 7로 나눈 것 중의 하나는 ☐ 입니다. ➡ $1 \div 7 = $ ☐

2 1÷3과 2÷3을 각각 그림으로 나타내고, 몫을 분수로 나타내어 보세요.

1÷3	2÷3

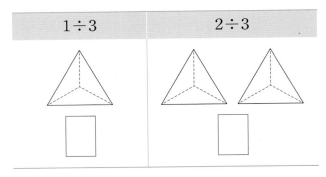

3 5÷3을 그림으로 나타내고, 몫을 구하세요.

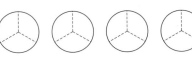

$5 \div 3 = $ ☐

4 보기 와 같은 방법으로 나눗셈의 몫을 구하려고 합니다. □ 안에 알맞은 수를 써넣으세요.

보기

$9 \div 4 = 2 \cdots 1$, 나머지 1을 4로 나누면 $\dfrac{1}{4}$

입니다. ➡ $9 \div 4 = 2\dfrac{1}{4} = \dfrac{9}{4}$

$12 \div 5 = 2 \cdots \boxed{}$, 나머지 $\boxed{}$를 5로 나누면

$\boxed{}$ 입니다. ➡ $12 \div 5 = 2\dfrac{\boxed{}}{5} = \dfrac{\boxed{}}{5}$

5 나눗셈의 몫을 분수로 나타내어 보세요.

(1) $1 \div 18$

(2) $7 \div 22$

(3) $5 \div 2$

(4) $19 \div 8$

6 □ 안에 알맞은 수를 써넣으세요.

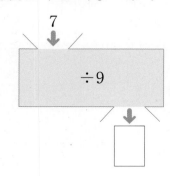

7 몫이 $\dfrac{6}{13}$인 나눗셈식을 찾아 ○표 하세요.

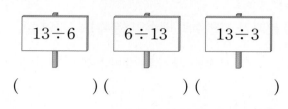

(   ) (   ) (   )

8 크기를 비교하여 ○ 안에 >, =, <를 알맞게 써넣으세요.

(1) $1 \div 2$ ○ 1

(2) $8 \div 7$ ○ 1

9 우유 1 L를 컵 8개에 똑같이 나누어 담으려고 합니다. 한 컵에 몇 L씩 담아야 하나요?

(한 컵에 담아야 하는 우유의 양)

$= 1 \div \boxed{} = \boxed{}$ (L)

개념 완성하기

3 **(분수)÷(자연수) 알아보기**

(1) 분자가 자연수의 배수인 (분수)÷(자연수)

> 분수의 분자를 자연수로 나눕니다.

[예제] $\dfrac{6}{7} \div 2$ 계산하기

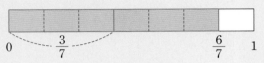

$\dfrac{6}{7}$을 똑같이 2로 나눈 것 중의 하나는 $\dfrac{3}{7}$이므로

$\dfrac{6}{7} \div 2$는 $\dfrac{3}{7}$입니다.

분자를 자연수로 나눕니다.

$$\dfrac{6}{7} \div 2 = \dfrac{6 \div 2}{7} = \dfrac{3}{7}$$

(2) 분자가 자연수의 배수가 아닌 (분수)÷(자연수)

> 분자가 자연수의 배수가 되도록 분수를 바꾼 후 분자를 자연수로 나눕니다.

[예제] $\dfrac{5}{6} \div 3$ 계산하기

① $\dfrac{5}{6} \div 3 = \dfrac{5 \div 3}{6}$에서 $5 \div 3$은 나누어떨어지지 않습니다.

② $\dfrac{5}{6}$의 분자가 3으로 나누어떨어지도록 분수를 바꾸어 계산합니다.

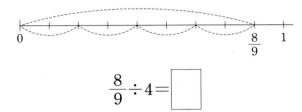

$$\dfrac{5}{6} = \dfrac{5 \times 3}{6 \times 3} = \dfrac{15}{18} \qquad \dfrac{5}{6} \div 3 = \dfrac{15}{18} \div 3$$

$$\dfrac{5}{6} \div 3 = \dfrac{5 \times 3}{6 \times 3} \div 3 = \dfrac{15}{18} \div 3 = \dfrac{15 \div 3}{18} = \dfrac{5}{18}$$

[참고] 분수의 분모와 분자에 0이 아닌 같은 수를 곱해도 크기는 변하지 않습니다.

1 수직선을 보고 □ 안에 알맞은 수를 써넣으세요.

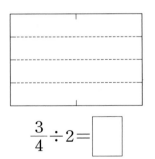

$$\dfrac{8}{9} \div 4 = \boxed{}$$

2 $\dfrac{3}{4} \div 2$의 몫을 그림으로 나타내고, 몫을 분수로 나타내어 보세요.

$$\dfrac{3}{4} \div 2 = \boxed{}$$

3 $\dfrac{4}{5} \div 2$의 몫을 구하려고 합니다. □ 안에 알맞은 수를 써넣으세요.

> $\dfrac{4}{5}$는 $\dfrac{1}{5}$이 □개입니다.
>
> 4를 2로 나누면 □이므로 $\dfrac{4}{5} \div 2$의 몫은
>
> $\dfrac{1}{5}$이 □개입니다.
>
> → $\dfrac{4}{5} \div 2 = \dfrac{4 \div 2}{5} = \boxed{}$

기본 유형

3 보기 와 같이 계산하세요.

보기
$$\frac{2}{3} \div 5 = \frac{2}{3} \times \frac{1}{5} = \frac{2}{15}$$

$\dfrac{4}{5} \div 7$

6 바르게 계산한 것에 ◯표 하세요.

$\dfrac{14}{15} \div 7 = \dfrac{2}{15}$ $\dfrac{10}{7} \div 2 = \dfrac{5}{14}$

(   )   (   )

4 계산하세요.

(1) $\dfrac{1}{8} \div 3$

(2) $\dfrac{5}{13} \div 2$

(3) $\dfrac{8}{5} \div 5$

(4) $\dfrac{11}{9} \div 2$

7 계산 결과가 다른 하나를 찾아 기호를 써 보세요.

㉠ $\dfrac{1}{8} \div 2$ ㉡ $\dfrac{3}{4} \div 4$ ㉢ $\dfrac{3}{2} \div 8$

(   )

5 빈 곳에 알맞은 수를 써넣으세요.

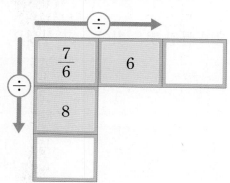

8 소연이는 찰흙 $\dfrac{9}{10}$ kg을 3등분 하여 그중 하나로 그릇을 만들었습니다. 그릇을 만드는 데 사용한 찰흙의 무게는 몇 kg인가요?

(사용한 찰흙의 무게)

$= \dfrac{9}{10} \div \boxed{} = \boxed{}$ (kg)

개념 완성하기

6 (대분수)÷(자연수) 알아보기

대분수를 가분수로 고친 후 (가분수)÷(자연수)
와 같은 방법으로 계산합니다.

예제 $3\frac{1}{4} \div 3$ 계산하기

방법 1 분수의 분자를 자연수로 나누어 계산하기

$$3\frac{1}{4} \div 3 = \frac{13}{4} \div 3 = \frac{39}{12} \div 3$$
$$= \frac{39 \div 3}{12} = \frac{13}{12}\left(=1\frac{1}{12}\right)$$

방법 2 분수의 곱셈으로 나타내어 계산하기

$$3\frac{1}{4} \div 3 = \frac{13}{4} \div 3 = \frac{13}{4} \times \frac{1}{3}$$
$$= \frac{13}{12}\left(=1\frac{1}{12}\right)$$

주의 대분수를 가분수로 고치지 않고 계산하지 않도록 주의합니다.

$$\text{예 } 1\frac{7}{8} \div 3 = \frac{15}{8} \div 3 = \frac{15}{8} \times \frac{1}{3} = \frac{15}{24}\left(=\frac{5}{8}\right)(\bigcirc)$$
$$1\frac{7}{8} \div 3 = 1\frac{7}{8} \times \frac{1}{3} = 1\frac{7}{24}(\times)$$

7 세 수의 곱셈과 나눗셈

자연수의 혼합 계산과 같은 방법으로 계산합니다.

예제 $\frac{3}{10} \times 2 \div 3$ 계산하기

방법 1 앞에서부터 두 수씩 차례로 계산하기

$$\frac{3}{10} \times 2 \div 3 = \frac{6}{10} \div 3$$
$$= \frac{6}{10} \times \frac{1}{3} = \frac{6}{30}\left(=\frac{1}{5}\right)$$

방법 2 세 수를 한꺼번에 계산하기

$$\frac{3}{10} \times 2 \div 3 = \frac{3}{10} \times 2 \times \frac{1}{3} = \frac{6}{30}\left(=\frac{1}{5}\right)$$

개념 확인

1 그림을 보고 □ 안에 알맞은 수를 써넣으세요.

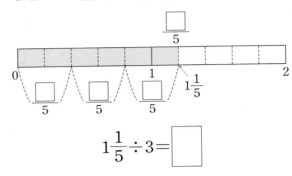

$$1\frac{1}{5} \div 3 = \boxed{}$$

2 $1\frac{1}{2} \div 3$을 2가지 방법으로 계산하려고 합니다.
물음에 답하세요.

(1) 분수의 분자를 자연수로 나누어 계산하세요.

$$1\frac{1}{2} \div 3 = \frac{\boxed{}}{2} \div 3 = \frac{\boxed{} \div 3}{2} = \boxed{}$$

(2) 분수의 곱셈으로 나타내어 계산하세요.

$$1\frac{1}{2} \div 3 = \frac{\boxed{}}{2} \div 3 = \frac{\boxed{}}{2} \times \frac{1}{\boxed{}} = \boxed{}$$

3 계산이 틀린 것을 찾아 ×표 하세요.

$$3\frac{2}{3} \div 5 = 3\frac{2}{3} \times \frac{1}{5} = 3\frac{2}{15}$$

$$5\frac{1}{2} \div 7 = \frac{11}{2} \div 7 = \frac{11}{2} \times \frac{1}{7} = \frac{11}{14}$$

4 계산하세요.

(1) $2\dfrac{3}{4} \div 3$

(2) $4\dfrac{2}{7} \div 5$

(3) $2\dfrac{1}{3} \div 2$

(4) $3\dfrac{1}{5} \div 4$

5 $\dfrac{5}{8} \times 3 \div 2$를 2가지 방법으로 계산하려고 합니다. 물음에 답하세요.

(1) 앞에서부터 두 수씩 차례로 계산하세요.

$$\dfrac{5}{8} \times 3 \div 2 = \dfrac{\boxed{}}{8} \div 2$$

$$= \dfrac{\boxed{}}{8} \times \boxed{} = \boxed{}$$

(2) 세 수를 한꺼번에 계산하세요.

$$\dfrac{5}{8} \times 3 \div 2 = \dfrac{5}{8} \times \boxed{} \times \boxed{} = \boxed{}$$

6 □ 안에 알맞은 수를 써넣으세요.

$$5\dfrac{5}{6} \rightarrow \boxed{\div 7} \rightarrow \boxed{}$$

기본 유형

7 $1\dfrac{1}{4} \div 3$을 2가지 방법으로 계산하세요.

방법 **1** 분수의 분자를 자연수로 나누어 계산하기

방법 **2** 분수의 곱셈으로 나타내어 계산하기

8 크기를 비교하여 ○ 안에 >, =, <를 알맞게 써넣으세요.

(1) $1\dfrac{5}{7} \div 3 \bigcirc \dfrac{3}{7}$

(2) $3\dfrac{3}{5} \div 6 \bigcirc \dfrac{4}{5}$

9 혜란이는 털실 $1\dfrac{5}{9}$ m를 똑같이 5도막으로 잘랐습니다. 털실 한 도막은 몇 m인가요?

(털실 한 도막의 길이)

$$= 1\dfrac{5}{9} \div \boxed{} = \boxed{} \text{(m)}$$

분수의 나눗셈의 계산 방법

유형 **01** 분수의 곱셈으로 나타내어 계산하세요.

(1) $\dfrac{5}{9} \div 7$

(2) $3\dfrac{2}{3} \div 4$

확인 **02** 준희와 현수는 각각 다음과 같이 계산했습니다. 두 사람 중 잘못 계산한 사람의 이름을 쓰고, 바르게 계산했을 때의 몫을 구하세요.

$$\dfrac{6}{7} \div 5 = \dfrac{6}{7} \times \dfrac{1}{5} = \dfrac{6}{35}$$

준희

$$1\dfrac{1}{4} \div 2 = \dfrac{5}{4} \div 2 = \dfrac{5}{4 \div 2} = \dfrac{5}{2}$$

현수

(,   )

강화 **03** 영진이가 $\dfrac{5}{3} \div 5$를 계산한 것입니다. 잘못된 부분을 찾아 그 이유를 써 보세요. [서술형]

$$\dfrac{5}{3} \div 5 = \dfrac{5}{3} \times 5 = \dfrac{25}{3}\text{이니까}$$
$$\text{답은 } \dfrac{25}{3}\text{야.}$$

영진

이유

나눗셈의 몫 구하기 ②

04 몫이 $\dfrac{4}{9}$보다 작은 나눗셈식을 찾아 기호를 써 보세요.

| ㉠ $\dfrac{8}{9} \div 2$ ㉡ $\dfrac{16}{9} \div 8$ ㉢ $\dfrac{7}{3} \div 3$ |

(   )

05 가장 큰 수를 8로 나눈 몫을 구하세요.

| $4\dfrac{2}{5}$ $9\dfrac{3}{8}$ $7\dfrac{1}{4}$ |

(   )

06 나눗셈의 몫이 1보다 작을 때 ☐ 안에 들어갈 수 있는 자연수를 모두 찾아 ◯표 하세요.

$$6\dfrac{2}{5} \div \square$$

(4 , 5 , 6 , 7 , 8)

확인, 강화 문제는 매칭북 **05**쪽에서 한 번 더!

◐ 정답 03쪽

분수의 나눗셈 문장제 ②

07 무게가 똑같은 자두 5개의 무게를 재었더니 $\frac{10}{13}$ kg이었습니다. 자두 한 개의 무게는 몇 kg인가요?

식 _____

답 _____

08 서준이는 자전거를 타고 일정한 빠르기로 8분 동안 $\frac{8}{5}$ km를 달렸습니다. 서준이가 자전거를 타고 3분 동안 달린 거리는 몇 km인가요?

(   )

09 오렌지 주스 $1\frac{1}{7}$ L는 컵 4개에 똑같이 나누어 담고, 포도 주스 $1\frac{1}{8}$ L는 컵 3개에 똑같이 나누어 담았습니다. 오렌지 주스와 포도 주스 중 한 컵에 담긴 양이 더 많은 것은 무엇인가요?

(   )

똑같이 나눌 때 한 부분의 양 구하기

10 옛날 단위 중 하나인 '근'은 고기나 한약의 무게를 잴 때 사용했습니다. 주연이네 가족은 소고기 $3\frac{1}{3}$ 근을 사서 $1\frac{2}{3}$ 근을 먹고, 남은 소고기를 봉지 2개에 똑같이 나누어 담았습니다. 봉지 한 개에 담은 소고기는 몇 근인가요?

┌ 한 근 = 600 g

(   )

11 세영이는 빨간색 물감 $20\frac{1}{3}$ mL와 파란색 물감 $22\frac{1}{3}$ mL를 섞어서 보라색 물감을 만들었습니다. 만든 보라색 물감을 5명이 똑같이 나누어 가졌습니다. 한 명이 가진 보라색 물감은 몇 mL인가요?

(   )

12 과학 시간에 과산화수소 $\frac{7}{3}$ L를 3모둠에 똑같이 나누어 주었더니 $\frac{2}{3}$ L가 남았습니다. 한 모둠에 준 과산화수소는 몇 L인가요?

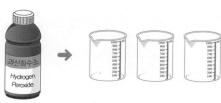

(   )

1 단원

분수와 자연수의 혼합 계산

유형 **13** 보기와 같이 앞에서부터 두 수씩 차례로 계산하세요.

> 보기
> $$\frac{2}{3} \times 4 \div 8 = \frac{8}{3} \div 8 = \frac{8}{3} \times \frac{1}{8} = \frac{8}{24}\left(=\frac{1}{3}\right)$$

$$\frac{10}{9} \times 2 \div 5$$

확인 **14** 계산하세요.

(1) $2\frac{5}{6} \times 2 \div 6$

(2) $\frac{5}{9} \div 5 \times 3$

(3) $\frac{4}{7} \div 4 \div 2$

강화 **15** 빈 곳에 알맞은 수를 써넣으세요.

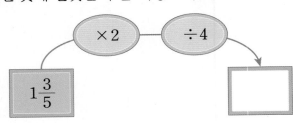

곱셈과 나눗셈의 관계 활용

16 □ 안에 알맞은 수를 구하세요.

$$\boxed{} \times 7 = 4\frac{1}{5}$$

(   )

17 빈 곳에 알맞은 수를 써넣으세요.

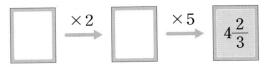

18 1부터 9까지의 자연수 중 □ 안에 들어갈 수 있는 수를 모두 구하세요.

$$18\frac{1}{2} \div \boxed{} > 6$$

(   )

약점 체크 **몫이 가장 작은(큰) 나눗셈식 만들기**

19 분수 상자와 자연수 상자에는 수 카드가 4장 씩 들어 있습니다. 두 상자에서 수 카드를 1장 씩 뽑아 (분수)÷(자연수)를 만들려고 합니다. 몫이 가장 작은 나눗셈식을 만들었을 때의 몫 을 구하세요.

( )

해결 몫이 가장 작은 나눗셈식을 만들려면 나누어지는 수와 나 누는 수에 각각 어떤 수를 놓아야 하는지 알아봅니다.

20 4장의 수 카드를 □ 안에 한 번씩 써넣어 나눗 셈식을 만들려고 합니다. 몫이 가장 크게 되도 록 나눗셈식을 만들고, 몫을 구하세요.

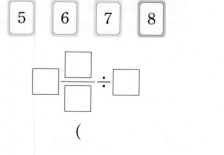

( )

약점 체크 **도형의 넓이를 이용하여 길이 구하기**

21 넓이가 $8\dfrac{1}{3}$ cm²인 삼각형입니다. 이 삼각형의 높이가 3 cm일 때 밑변은 몇 cm인가요?

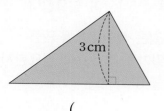

( )

해결 삼각형의 밑변을 □ cm라 하고 넓이 구하는 식을 세워 봅 니다.

22 넓이가 $21\dfrac{2}{3}$ cm²인 사다리꼴입니다. 이 사다 리꼴의 높이는 몇 cm인가요?

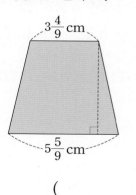

( )

서술형 해결하기

01 똑같은 식빵 5개를 만드는 데 밀가루 $1\frac{1}{4}$ kg이 필요합니다. 똑같은 식빵 2개를 만들려면 밀가루 몇 kg이 필요한지 풀이 과정을 쓰고, 답을 구하세요.

서술형 포인트 식빵 5개를 만드는 데 필요한 밀가루의 무게를 이용하여 식빵 1개를 만드는 데 필요한 밀가루의 무게를 먼저 구합니다.

풀이를 완성하세요.

❶ (식빵 1개를 만드는 데 필요한 밀가루의 무게)

=

❷ (식빵 2개를 만드는 데 필요한 밀가루의 무게)

=

따라서 식빵 2개를 만들려면 밀가루 ☐ kg이 필요합니다.

(답)

---

02 다음은 샌드위치 5인분을 만드는 데 필요한 재료입니다. **샌드위치 4인분을 만들려면 양파 몇 개가 필요**한지 풀이 과정을 쓰고, 답을 구하세요.

(5인분 기준)

식빵	달걀	양파	오이	마요네즈
10장	5개	1개	$\frac{1}{2}$개	6 큰 술

❶ 샌드위치 1인분을 만드는 데 필요한 양파의 수 구하기

(풀이)

❷ 샌드위치 4인분을 만드는 데 필요한 양파의 수 구하기

(풀이)

(답)

---

03 다음은 김치볶음밥 4인분을 만드는 데 필요한 재료입니다. **김치볶음밥 3인분을 만들려면 김치 몇 kg이 필요**한지 풀이 과정을 쓰고, 답을 구하세요.

김치볶음밥(4인분)

재료

밥 4공기, 김치 $\frac{3}{10}$ kg, 참치 $\frac{1}{5}$ kg, 대파 1대, 달걀 2개, 고춧가루 조금, 설탕 조금

(풀이)

(답)

연습

04 정육각형을 6등분한 것입니다. 정육각형의 전체 넓이가 $1\frac{2}{8}$ cm²일 때 <u>색칠한 부분의 넓이는 몇 cm²인지</u> 풀이 과정을 쓰고, 답을 구하세요.

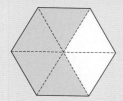

서술형 포인트   정육각형을 6등분하였으므로 한 부분의 넓이는 전체 넓이를 6으로 나눈 값입니다.

풀이를 완성하세요.

❶ 넓이가 [   ] cm²인 정육각형을 6등분하였으므로

(한 부분의 넓이)

=

❷ (색칠한 부분의 넓이)

= (한 부분의 넓이) × [   ]

=

답

1
단원

 단계

05 정사각형을 4등분한 것입니다. **색칠한 부분의 넓이는 몇 cm²인지** 풀이 과정을 쓰고, 답을 구하세요.

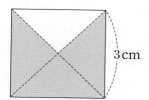

3 cm

❶ 4등분한 것 중 한 부분의 넓이 구하기

풀이

❷ 색칠한 부분의 넓이 구하기

풀이

답

 실전

06 직사각형을 5등분한 것입니다. **색칠한 부분의 넓이는 몇 cm²인지** 풀이 과정을 쓰고, 답을 구하세요.

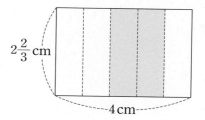

$2\frac{2}{3}$ cm

4 cm

풀이

답

연습
07 어떤 수에 4를 곱했더니 $1\frac{3}{5}$이 되었습니다. 어떤 수를 6으로 나누었을 때의 몫을 구하려고 합니다. 풀이 과정을 쓰고, 답을 구하세요.

서술형 포인트 어떤 수를 ■라 하고 주어진 문제에 맞게 식을 세운 후 ■를 구합니다.

풀이를 완성하세요.

❶ 어떤 수에 4를 곱한 값이 $1\frac{3}{5}$이므로

어떤 수를 ■라 하면 ■ × □ = $1\frac{3}{5}$입니다.

■ =

➜ 어떤 수는 □ 입니다.

❷ (어떤 수를 6으로 나누었을 때의 몫)

=

답

단계
08 어떤 수를 3으로 나누어야 할 것을 잘못하여 3을 곱했더니 22가 되었습니다. **바르게 계산했을 때의 몫은 얼마**인지 풀이 과정을 쓰고, 답을 구하세요.

❶ 어떤 수 구하기

풀이

❷ 바르게 계산했을 때의 몫 구하기

풀이

답

실전
09 어떤 수를 9로 나누어야 할 것을 잘못하여 9를 곱했더니 $\frac{12}{5}$가 되었습니다. **바르게 계산했을 때의 몫은 얼마**인지 풀이 과정을 쓰고, 답을 구하세요.

풀이

답

연습

10 수직선에서 0과 2 사이를 똑같이 7칸으로 나누었습니다. ■와 ▲에 알맞은 분수는 각각 얼마인지 풀이 과정을 쓰고, 답을 구하세요.

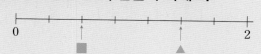

서술형 포인트 수직선에서 ㉠과 ㉡ 사이를 똑같이 ★칸으로 나눌 때 작은 눈금 한 칸의 크기 ➡ (㉡−㉠)÷★

풀이를 완성하세요.

❶ 0과 2 사이를 똑같이 7칸으로 나누었으므로

(작은 눈금 한 칸의 크기)

=

❷ ■는 0에서 오른쪽으로 작은 눈금 [ ]칸 간 수이

므로 ■=

▲는 0에서 오른쪽으로 작은 눈금 [ ]칸 간 수이

므로 ▲=

답 ■ :   , ▲ :

1
단원

단계

11 수직선에서 작은 눈금 한 칸의 크기는 같습니다. ㉮에 알맞은 분수는 얼마인지 풀이 과정을 쓰고, 답을 구하세요.

❶ 수직선의 작은 눈금 한 칸의 크기 구하기
풀이

❷ ㉮에 알맞은 분수 구하기
풀이

답

실전

12 수직선에서 작은 눈금 한 칸의 크기는 같습니다. ㉮에 알맞은 분수는 얼마인지 풀이 과정을 쓰고, 답을 구하세요.

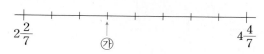

풀이

답

단원 마무리

01 그림을 보고 □ 안에 알맞은 수를 써넣으세요.

$$1 \div 8 = \boxed{}$$

02 $\dfrac{1}{5} \div 4$를 계산하려고 합니다. 그림을 보고 □ 안에 알맞은 수를 써넣으세요.

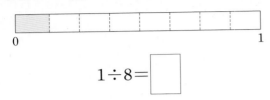

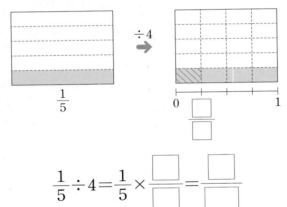

$$\frac{1}{5} \div 4 = \frac{1}{5} \times \frac{\boxed{}}{\boxed{}} = \frac{\boxed{}}{\boxed{}}$$

03 □ 안에 알맞은 수를 써넣으세요.

$$\frac{8}{9} \div 2 = \frac{8 \div \boxed{}}{\boxed{}} = \frac{\boxed{}}{\boxed{}}$$

04 보기 와 같이 계산하세요.

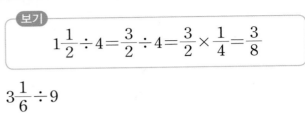

보기
$$1\frac{1}{2} \div 4 = \frac{3}{2} \div 4 = \frac{3}{2} \times \frac{1}{4} = \frac{3}{8}$$

$$3\frac{1}{6} \div 9$$

05 계산하세요.

(1) $\dfrac{7}{15} \div 2$

(2) $2\dfrac{4}{7} \div 9$

06 계산 결과를 찾아 선으로 이으세요.

$$\frac{6}{5}$$

(1)  $\dfrac{2}{3} \div 3$ •

$$\frac{3}{10}$$

(2)  $\dfrac{3}{5} \div 2$ •

$$\frac{2}{9}$$

07 몫을 분수로 잘못 나타낸 것을 모두 고르세요.

( )

① $9 \div 5 = \dfrac{9}{5}$ ② $7 \div 8 = \dfrac{8}{7}$

③ $2 \div 17 = \dfrac{2}{17}$ ④ $21 \div 10 = \dfrac{10}{21}$

⑤ $15 \div 4 = \dfrac{15}{4}$

08 빈 곳에 알맞은 수를 써넣으세요.

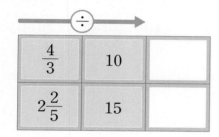

| $\dfrac{4}{3}$ | 10 | |
| $2\dfrac{2}{5}$ | 15 | |

09 나눗셈식의 몫이 다른 하나를 찾아 ○표 하세요.

$\dfrac{7}{8} \div 7$ $\dfrac{5}{8} \div 10$ $\dfrac{1}{4} \div 2$

10 가장 큰 수를 7로 나눈 몫을 구하세요.

$3\dfrac{1}{3}$ $6\dfrac{5}{6}$ $5\dfrac{2}{9}$

( )

11 계산 결과가 가장 작은 것을 찾아 기호를 써 보세요.

㉠ $3 \div 16$ ㉡ $7 \div 24$ ㉢ $1 \div 8$

( )

12 물 4 L를 병 3개에 똑같이 나누어 담으려고 합니다. 병 한 개에 담아야 하는 물은 몇 L인 가요?

식

답

13 버터 쿠키를 만들기 위해 준비한 재료입니다. 설탕의 무게는 밀가루의 무게의 몇 배인가요?

밀가루	버터	설탕
$2\,\text{kg}$	$1\dfrac{2}{7}\,\text{kg}$	$1\dfrac{1}{8}\,\text{kg}$

( )

14 ⬜ 안에 알맞은 분수를 구하세요.

$6 \times \boxed{} = 3\dfrac{3}{5}$

( )

15 수 카드 ②, ⑤, ⑦을 □ 안에 한 번씩 써넣어 (진분수)÷(자연수)를 만들려고 합니다. 몫이 가장 크게 되도록 나눗셈식을 만들고, 몫을 구하세요.

$$\dfrac{\Box}{\Box} \div \Box$$

(   )

16 수직선에서 작은 눈금 한 칸의 크기는 같습니다. ㉮에 알맞은 분수를 구하세요.

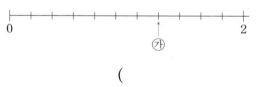

(   )

17 두 도형의 넓이가 같을 때 □ 안에 알맞은 수를 구하세요.

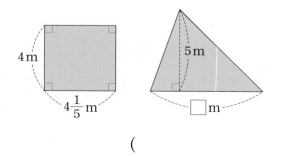

(   )

18 계산이 잘못된 부분을 찾아 이유를 쓰고, 바르게 계산하세요.

$$2\dfrac{4}{5} \div 2 = 2\dfrac{4 \div 2}{5} = 2\dfrac{2}{5}$$

이유 _____

_____

바른 계산 _____

19 □ 안에 들어갈 수 있는 자연수는 모두 몇 개인지 풀이 과정을 쓰고, 답을 구하세요.

$$10\dfrac{2}{3} \div 4 < \Box < 36 \div 7$$

풀이 _____

_____

_____

_____

답 _____

20 어떤 수를 3으로 나누어야 할 것을 잘못하여 3을 곱했더니 $\dfrac{36}{25}$이 되었습니다. 바르게 계산했을 때의 몫은 얼마인지 풀이 과정을 쓰고, 답을 구하세요.

풀이 _____

_____

_____

_____

답 _____

쉬어가기

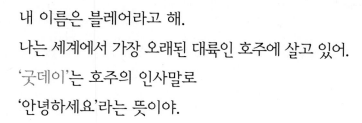

굿데이
(G'day).

내 이름은 블레어라고 해.

나는 세계에서 가장 오래된 대륙인 호주에 살고 있어.

'굿데이'는 호주의 인사말로

'안녕하세요'라는 뜻이야.

호주에서 가장 유명한 관광지인 시드니에는 오페라 하우스가 있어.

오페라 하우스는 공연 예술의 중심지로 2007년에 유네스코 세계문화유산으로 지정되기도

했어. 그리고 호주에서는 세계에서 가장 오래된 지형 중 하나인 아웃백을 볼 수 있어.

오페라 하우스

아웃백

'코알라'는 호주를 상징하는 동물이야.
호주에 오면 나무에 매달려 자고 있는 코알라를
볼 수 있을 거야.

2 각기둥과 각뿔

대표 유형

- 이번 단원에서 꼭 공부해야 할 〈대표 유형〉입니다.

- 학습한 후에 이해가 부족한 유형은 ☐ 안에 ○표 한 후 반복하여 학습하세요.

- ☐ 각기둥 알아보기
- ☐ 각기둥의 특징
- ☐ 각뿔 알아보기
- ☐ 각뿔의 특징
- ☐ 전개도를 접었을 때 만들어지는 입체도형 알아보기
- ☐ 각기둥의 전개도 그리기
- ☐ 각기둥의 구성 요소의 수 구하기
- ☐ 각뿔의 구성 요소의 수 구하기
- ☐ 약점 체크 입체도형 만들기
- ☐ 약점 체크 전개도를 보고 구성 요소의 수 구하기
- ☐ 약점 체크 모든 모서리의 길이의 합 구하기
- ☐ 약점 체크 조건을 만족하는 입체도형 알아보기

개념 완성하기

1 각기둥

(1) 각기둥: 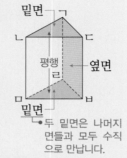 등과 같은 입체도형

(2) **각기둥의 밑면과 옆면**

① 밑면: 서로 평행하고 합동인 두 면
→ 면 ㄱㄴㄷ, 면 ㄹㅁㅂ

② 옆면: 두 밑면과 만나는 면
→ 면 ㄴㅁㅂㄷ, 면 ㄱㄹㅂㄷ, 면 ㄴㅁㄹㄱ

③ 각기둥의 옆면은 모두 직사각형입니다.

밑면

평행 옆면

밑면
└ 두 밑면은 나머지 면들과 모두 수직으로 만납니다.

(3) **각기둥의 이름** → 밑면의 모양이 ■각형인 각기둥 → ■각기둥

각기둥은 밑면의 모양에 따라 이름이 정해집니다.

각기둥	↳삼각형	↳사각형	↳오각형	⋯⋯
이름	삼각기둥	사각기둥	오각기둥	⋯⋯

(4) **각기둥의 구성 요소**

① 모서리: 면과 면이 만나는 선분

② 꼭짓점: 모서리와 모서리가 만나는 점

③ 높이: 두 밑면 사이의 거리

꼭짓점
높이
모서리

중요 ■각기둥의 구성 요소의 수

한 밑면의 변의 수(개)	꼭짓점의 수(개)	면의 수(개)	모서리의 수(개)
■	■×2	■+2	■×3

예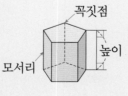
삼각기둥

① (한 밑면의 변의 수)=3개
② (꼭짓점의 수)=3×2=6(개)
③ (면의 수)=3+2=5(개)
④ (모서리의 수)=3×3=9(개)

개념 확인

1 도형을 보고 물음에 답하세요.

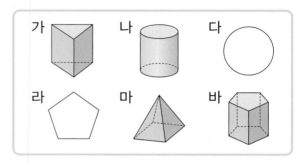

가 나 다
라 마 바

(1) 입체도형을 모두 찾아 기호를 써 보세요.
( )

(2) 위와 아래에 있는 면이 서로 평행하고 합동인 다각형으로 이루어진 입체도형을 모두 찾아 기호를 써 보세요.
( )

(3) (2)와 같은 도형을 무엇이라고 하나요?
( )

2 오른쪽 각기둥을 보고 물음에 답하세요.

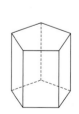

(1) 서로 평행하고 합동인 두 면을 찾아 색칠하세요.

(2) (1)에서 색칠한 면과 만나는 면을 모두 찾아 ○표 하세요.

(3) □ 안에 알맞은 말을 써넣으세요.

서로 평행하고 합동인 두 면은 [ ]이고, 두 밑면과 만나는 면은 [ ]입니다.

기본 유형 문제는 매칭북 09쪽에서 한 번 더!

정답 08쪽

기본 유형

3 각기둥을 보고 밑면의 모양과 각기둥의 이름을 써 보세요.

각기둥	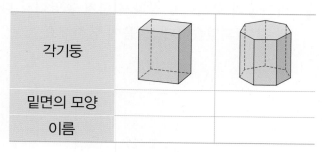	
밑면의 모양		
이름		

6 각기둥을 보고 물음에 답하세요.

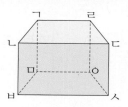

(1) 밑면을 모두 찾아 써 보세요.

_____

(2) 옆면을 모두 찾아 써 보세요.

_____

4 □ 안에 알맞은 말을 써넣으세요.

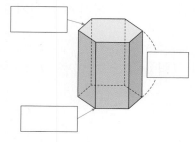

7 각기둥의 높이는 몇 cm인가요?

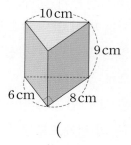

10 cm
9 cm
6 cm
8 cm

(   )

5 각기둥의 겨냥도를 완성하세요.

(1)
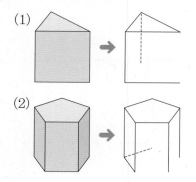

(2)

8 오른쪽 육각기둥의 면, 모서리, 꼭짓점은 각각 몇 개인가요?

면 (   )

모서리 (   )

꼭짓점 (   )

개념 완성하기

2 각기둥의 전개도

(1) **각기둥의** 전개도: 각기둥의 모서리를 잘라서 평면 위에 펼쳐 놓은 그림

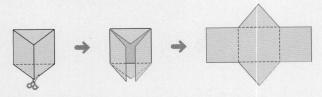

[예제] 각기둥의 전개도가 아닌 경우 알아보기

만나는 선분의 길이가 다른 경우	두 밑면이 서로 합동이 아닌 경우	옆면의 수가 잘못된 경우
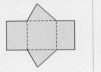		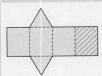

(2) **각기둥의 전개도 그리기** ┌• 모서리를 자르는 방법에 따라 여러 가지 모양이 나올 수 있습니다.

① 서로 만나는 선분의 길이는 같게 그립니다.
② 서로 겹치는 면이 없도록 그립니다.
③ 잘리지 않은 모서리는 점선으로, 잘린 모서리는 실선으로 그립니다.
④ 두 밑면은 서로 합동이 되도록 그립니다.

[예제] 사각기둥의 전개도를 2가지 방법으로 그리기

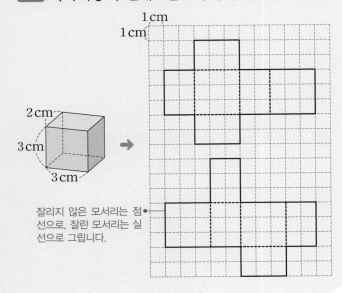

잘리지 않은 모서리는 점선으로, 잘린 모서리는 실선으로 그립니다.

개념 확인

1 각기둥의 모서리를 잘라서 펼쳐 놓았더니 다음과 같이 되었습니다. 물음에 답하세요.

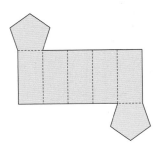

(1) ☐ 안에 알맞은 말을 써넣으세요.

> 각기둥의 모서리를 잘라서 평면 위에 펼쳐 놓은 그림을 각기둥의 ☐ 라고 합니다.

(2) 밑면의 모양은 어떤 도형인가요?
( )

(3) 위 그림을 접으면 어떤 각기둥이 되나요?
( )

2 육각기둥의 겨냥도를 보고 육각기둥의 전개도를 완성하세요.

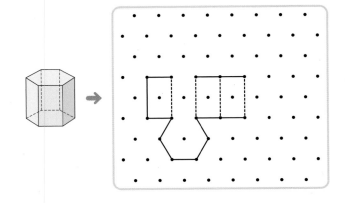

기본 유형

3 현수와 지윤이가 오른쪽 사각기둥을 보고 전개도를 그린 것입니다. 전개도를 잘못 그린 사람을 찾아 이름을 써 보세요.

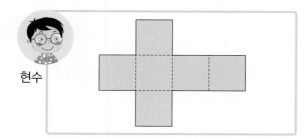

현수

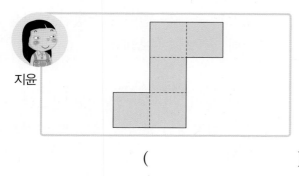

지윤

(   )

4 오른쪽 삼각기둥의 전개도를 완성하세요.

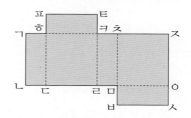

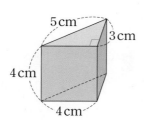

5 사각기둥의 전개도를 보고 물음에 답하세요.

(1) 전개도를 접었을 때 점 ㄴ과 만나는 점을 찾아 써 보세요.

(   )

(2) 전개도를 접었을 때 선분 ㅌㅋ과 맞닿는 선분을 찾아 써 보세요.

(   )

(3) 전개도를 접었을 때 면 ㅊㅁㅇㅈ과 만나는 면을 모두 찾아 써 보세요.

_____

(4) 전개도를 접었을 때 면 ㄱㄴㄷㅎ과 평행한 면을 찾아 써 보세요.

(   )

6 사각기둥을 보고 전개도의 □ 안에 알맞은 수를 써넣으세요.

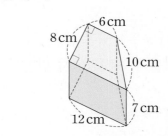

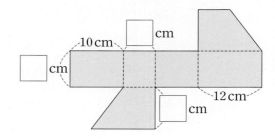

2
단원

개념 완성하기

3 각뿔

(1) 각뿔: , , 등과 같은 입체도형

(2) 각뿔의 밑면과 옆면

① 밑면: 면 ㄴㄷㄹㅁ과 같은 면

② 옆면: 밑면과 만나는 면

➡ 면 ㄱㄴㄷ, 면 ㄱㄷㄹ,
   면 ㄱㅁㄹ, 면 ㄱㄴㅁ

③ 각뿔의 옆면은 모두 삼각형입니다.

(3) 각뿔의 이름 → 밑면의 모양이 ▲각형인 각뿔 ➡ ▲각뿔

각뿔은 밑면의 모양에 따라 이름이 정해집니다.

각뿔	└─삼각형	└─사각형	└─오각형	……
이름	▲삼각뿔	▲사각뿔	▲오각뿔	……

(4) 각뿔의 구성 요소

① 모서리: 면과 면이 만나는 선분

② 꼭짓점: 모서리와 모서리가 만나는 점

③ 각뿔의 꼭짓점: 꼭짓점 중 옆면이 모두 만나는 점

④ 높이: 각뿔의 꼭짓점에서 밑면에 수직인 선분의 길이

중요 ▲각뿔의 구성 요소의 수

밑면의 변의 수(개)	꼭짓점의 수(개)	면의 수(개)	모서리의 수(개)
▲	▲+1	▲+1	▲×2

예
삼각뿔

① (밑면의 변의 수)=3개
② (꼭짓점의 수)=3+1=4(개)
③ (면의 수)=3+1=4(개)
④ (모서리의 수)=3×2=6(개)

1 입체도형을 보고 물음에 답하세요.

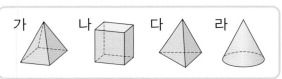

가 나 다 라

(1) 밑에 놓인 면이 다각형인 도형을 모두 찾아 기호를 써 보세요.

( )

(2) 옆으로 둘러싼 면이 삼각형인 도형을 모두 찾아 기호를 써 보세요.

( )

(3) 밑에 놓인 면이 다각형이고 옆으로 둘러싼 면이 삼각형인 도형을 모두 찾아 기호를 써 보세요.

( )

(4) (3)과 같은 도형을 무엇이라고 하나요?

( )

2 오른쪽 각뿔을 보고 물음에 답하세요.

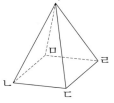

(1) 밑에 놓인 면을 찾아 색칠하세요.

(2) (1)에서 색칠한 면과 만나는 면을 모두 찾아 ○표 하세요.

(3) □ 안에 알맞은 말을 써넣으세요.

면 ㄴㄷㄹㅁ과 같은 면은 ☐이고, 밑면과 만나는 면은 ☐입니다.

기본 유형

3 ☐ 안에 알맞은 말을 써넣으세요.

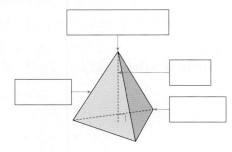

4 각뿔의 높이를 바르게 잰 것의 기호를 써 보세요.

가   나

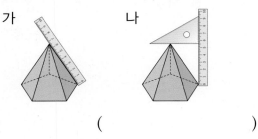

(   )

5 각뿔의 이름으로 알맞은 것을 찾아 선으로 이어 보세요.

(1) 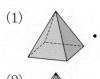   ·   · 오각뿔

(2)   ·   · 팔각뿔

(3)   ·   · 사각뿔

6 각뿔을 보고 물음에 답하세요.

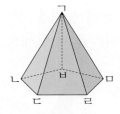

(1) 밑면을 찾아 써 보세요.

(   )

(2) 옆면을 모두 찾아 써 보세요.

_____

_____

7 각뿔에서 옆면의 모양은 어떤 도형인가요?

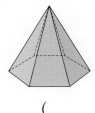

(   )

8 오른쪽 칠각뿔의 면, 모서리, 꼭짓점은 각각 몇 개인가요?

면 (   )

모서리 (   )

꼭짓점 (   )

2 단원

각기둥 알아보기

유형 **01** 각기둥 모양인 물건을 찾아 ○표 하고, 찾은 각기둥의 이름을 써 보세요.

( )

확인 **02** 각기둥의 높이를 잴 수 있는 선분이 아닌 것을 찾아 기호를 써 보세요.

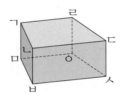

㉠ 선분 ㄱㅁ   ㉡ 선분 ㄴㅂ
㉢ 선분 ㅇㅅ   ㉣ 선분 ㄹㅇ

( )

강화 **03** [서술형] 각기둥이 아닌 도형을 찾아 기호를 쓰고, 그 이유를 써 보세요.

가   나

답

이유

각기둥의 특징

● 빨대처럼 생긴 연결봉과 다양한 모 양의 연결다리로 이루어진 교구

04 민선이와 종현이가 포디프레임을 사용하여 각 기둥을 만들었습니다. 민선이와 종현이 중 바르게 설명한 사람은 누구인가요?

밑면과 옆면이 수직으로 만나.
민선

밑면의 모양이 사각형이니까 사각기둥이야.
종현

( )

05 [서술형] 각기둥의 특징에 대한 설명으로 틀린 것을 찾아 기호를 쓰고, 그 이유를 써 보세요.

㉠ 옆면의 모양은 직사각형입니다.
㉡ 밑면은 1개입니다.
㉢ 옆면의 수는 밑면의 모양에 따라 다릅니다.
㉣ 서로 평행하고 합동인 두 면을 밑면이라고 합니다.

답

이유

각뿔 알아보기

06 각뿔과 각뿔의 이름이 잘못 짝 지어진 것을 찾아 기호를 쓰고, 이름을 바르게 써 보세요.

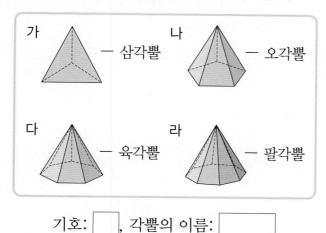

가 — 삼각뿔   나 — 오각뿔

다 — 육각뿔   라 — 팔각뿔

기호: ☐ , 각뿔의 이름: ☐

07 오른쪽 도형이 각뿔이 아닌 이유를 써 보세요.

(서술형)

이유

08 두 각뿔의 높이의 차는 몇 cm인가요?

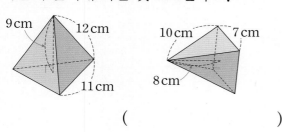

9 cm 12 cm 10 cm 7 cm
11 cm 8 cm

(   )

각뿔의 특징

09 윤진이가 만든 각뿔을 보고 대화를 한 것입니다. 주연, 수현, 윤호 중 바르게 말한 사람의 이름을 모두 써 보세요.

교과 역량

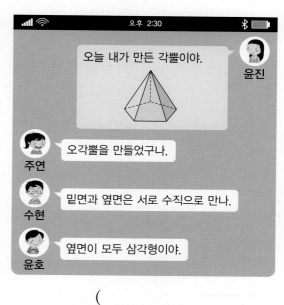

오늘 내가 만든 각뿔이야.
윤진

주연 오각뿔을 만들었구나.

수현 밑면과 옆면은 서로 수직으로 만나.

윤호 옆면이 모두 삼각형이야.

(   )

10 두 입체도형의 공통점과 차이점을 1가지씩 써 보세요.

(서술형)

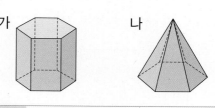

가   나

입체도형	가	나
공통점		
차이점		

쉬어가기

내 이름은 아흐멧이라고 해.

'메르하바'는 터키의 인사말로 '안녕하세요'라는 뜻이야.

터키에 대해서 알아볼까?

터키에서 유명한 장소로 성 소피아 성당과 트로이 목마

가 있어. 성 소피아 성당은 터키 최대의 도시인 이스탄불

에 있고, 현존하는 최고의 비잔틴 건축물이야.

트로이 목마는 트로이 유적지에 있는데 고대 그리스 군이

트로이 목마를 타고 트로이 군을 무찔렀다고 전해져.

메르하바
(Merhaba).

성 소피아 성당

트로이 목마

터키의 관광 명소인 '카파도키아'에서는
열기구를 타 볼 수 있는 체험을 할 수 있어.

특강 평면도형과 입체도형

평면도형

평면도형에는 어떤 도형이 있을까?

삼각형, 사각형, 오각형, 육각형

이름	삼각형	사각형	오각형	육각형
모양	△	□	⬠	⬡
변의 수	3개	4개	5개	6개
꼭짓점의 수	3개	4개	5개	6개

다각형

다각형: 선분으로만 둘러싸인 도형

도형	⬡	⬭	⬢	……
변의 수	6개	7개	8개	……
이름	육각형	칠각형	팔각형	……

➔ 변이 ■개인 다각형의 이름: ■각형

원

원의 중심, 지름, 반지름

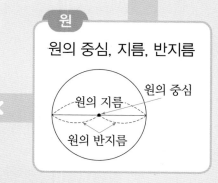

정다각형

정다각형: 변의 길이가 모두 같고, 각의 크기가 모두 같은 다각형

도형	⬡	⬭	⬢	……
변의 수	6개	7개	8개	……
이름	정육각형	정칠각형	정팔각형	……

➔ 변이 ●개인 정다각형의 이름: 정●각형

이제 입체도형을 알아볼까?

각기둥은 밑면의 모양에 따라 이름이 붙여져.

각기둥

각기둥: , 등과 같은 입체도형

각기둥					......
밑면의 모양	▲삼각형	▲사각형	▲오각형	▲육각형	......
이름	▲삼각기둥	▲사각기둥	▲오각기둥	▲육각기둥	......

→ 밑면의 모양이 ▲각형인 각기둥의 이름: ▲각기둥

각기둥의 전개도

각기둥의 전개도: 각기둥의 모서리를 잘라서 평면 위에 펼쳐 놓은 그림

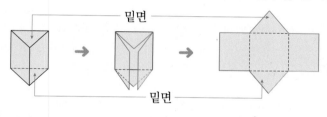

밑면

밑면

각기둥의 전개도는 모서리를 자르는 방법에 따라 여러 가지 모양이 될 수 있어!

각뿔

각뿔: , 등과 같은 입체도형

각뿔					......
밑면의 모양	♥삼각형	♥사각형	♥오각형	♥육각형	......
이름	♥삼각뿔	♥사각뿔	♥오각뿔	♥육각뿔	......

→ 밑면의 모양이 ♥각형인 각뿔의 이름: ♥각뿔

3 소수의 나눗셈

1 (소수)÷(자연수) (1)

자연수의 나눗셈을 이용하여 (소수)÷(자연수) 계산하기

> 자연수의 나눗셈을 계산한 다음 나누어지는 수의 자리에 맞추어 몫에 소수점을 찍습니다.

예제 1 66.9÷3 계산하기 → (소수 한 자리 수)÷(자연수)

① 669÷3을 계산합니다.
$$669÷3=223$$

② 나누어지는 수 66.9의 자리에 맞추어 ①에서 구한 몫에 소수점을 찍습니다.
$$669÷3=223 ➡ 66.9÷3=22.3$$

예제 2 4.82÷2 계산하기 → (소수 두 자리 수)÷(자연수)

① 482÷2를 계산합니다.
$$482÷2=241$$

② 나누어지는 수 4.82의 자리에 맞추어 ①에서 구한 몫에 소수점을 찍습니다.
$$482÷2=241 ➡ 4.82÷2=2.41$$

2 나누어지는 수와 몫의 관계 알아보기

> 나누어지는 수가 $\frac{1}{■}$배가 되면 몫도 $\frac{1}{■}$배가 됩니다.

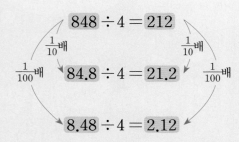

$$848 ÷ 4 = 212$$
$\frac{1}{10}$배 $\frac{1}{10}$배
$\frac{1}{100}$배 $$84.8 ÷ 4 = 21.2$$ $\frac{1}{100}$배
$$8.48 ÷ 4 = 2.12$$

참고 수가 $\frac{1}{10}$배, $\frac{1}{100}$배……가 되면 소수점이 왼쪽으로 각각 한 자리, 두 자리…… 이동합니다.

---

1 분동 3.6 kg을 3접시에 똑같이 나누어 담을 때 한 접시에 담는 분동의 무게를 구하려고 합니다. 물음에 답하세요.

(1) 한 접시에 담는 분동의 무게를 구하는 식을 써 보세요.
$$3.6÷\boxed{}$$

(2) 분동 3.6 kg을 3접시에 똑같이 나누어 담아 보세요.

(3) 한 접시에 담는 분동은 몇 kg인가요?

(   )

2 길이가 8.24 m인 나무 막대를 똑같이 2도막으로 나누었을 때 한 도막의 길이를 구하려고 합니다. □ 안에 알맞은 수를 써넣으세요.

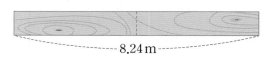

8.24 m

1 m=100 cm이므로 8.24 m=□ cm

□ ÷2=□

나무 막대 한 도막의 길이는 □ cm이므로 □ m입니다.

3 □ 안에 알맞은 수를 써넣으세요.

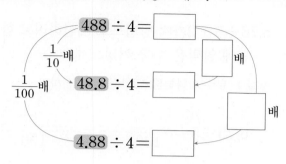

$488 \div 4 = \square$

$\dfrac{1}{10}$배

$\dfrac{1}{100}$배

□배

$48.8 \div 4 = \square$

□배

$4.88 \div 4 = \square$

6 계산 결과를 찾아 선으로 이으세요.

(1) $82.6 \div 2$ ·   · 41.3

(2) $6.93 \div 3$ ·   · 2.21

(3) $8.84 \div 4$ ·   · 2.31

4 $396 \div 3 = 132$를 이용하여 $39.6 \div 3$을 계산하려고 합니다. 주희와 세찬이 중 바르게 말한 사람의 이름을 써 보세요.

$396 \div 3$의 몫인 132에 소수점을 찍으면 $39.6 \div 3$의 몫은 1.32야.

주희

$39.6 \div 3$의 몫은 132의 $\dfrac{1}{10}$배인 13.2야.

세찬

(   )

7 소수를 자연수로 나눈 몫을 구하세요.

| 2 | 2.64 |

(   )

8 물 3.69 L를 물병 3개에 똑같이 나누어 담으려고 합니다. 물병 한 개에 담아야 하는 물은 몇 L인가요?

(물병 한 개에 담아야 하는 물의 양)

$= \square \div 3 = \square$ (L)

5 자연수의 나눗셈을 이용하여 계산하세요.

(1) $628 \div 2 = 314$

$62.8 \div 2 = \square$

$6.28 \div 2 = \square$

(2) $888 \div 4 = 222$

$88.8 \div 4 = \square$

$8.88 \div 4 = \square$

기본 유형

4 자연수의 나눗셈을 이용하여 계산하세요.

(1) $230 \div 2 = \boxed{}$ ➡ $2.3 \div 2 = \boxed{}$

(2) $921 \div 3 = \boxed{}$ ➡ $9.21 \div 3 = \boxed{}$

5 나머지가 0이 될 때까지 계산하세요.

(1)
$$4 \overline{)17.8}$$

(2)
$$15 \overline{)56.1}$$

(3) $11.6 \div 8$

(4) $13.1 \div 5$

6 계산하세요.

(1)
$$7 \overline{)7.49}$$

(2)
$$4 \overline{)12.32}$$

(3) $18.45 \div 9$

(4) $24.18 \div 6$

7 사다리를 타고 내려가 도착한 빈 곳에 알맞게 몫을 써넣으세요.

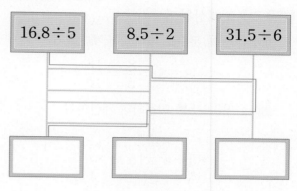

| $16.8 \div 5$ | $8.5 \div 2$ | $31.5 \div 6$ |

8 크기를 비교하여 ◯ 안에 $>$, $=$, $<$를 알맞게 써넣으세요.

(1) $54.27 \div 9 \bigcirc 7$

(2) $12.3 \div 6 \bigcirc 2$

9 털실 32.6 m를 4명에게 똑같이 나누어 주었습니다. 한 명에게 준 털실은 몇 m인가요?

(한 명에게 준 털실의 길이)

$= \boxed{} \div 4 = \boxed{}$ (m)

개념 완성하기

7 (자연수)÷(자연수)

예제 8÷5 계산하기

방법 1 몫을 분수로 나타내어 계산하기

$$8 \div 5 = \frac{8}{5} = \frac{16}{10} = 1.6$$

방법 2 80÷5를 이용하여 계산하기

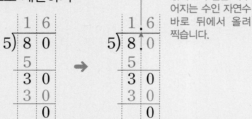

$$80 \div 5 = 16 \rightarrow 8 \div 5 = 1.6$$

방법 3 세로로 계산하기

> 몫의 소수점은 나누어지는 수인 자연수 바로 뒤에서 올려 찍습니다.

```
   1 6          1.6
5) 8 0       5) 8.0
   5            5
   3 0   →      3 0
   3 0          3 0
     0            0
```

참고 자연수는 뒤에 소수점과 0을 붙여 소수로 고칠 수 있습니다.
예 8=8.0=8.00=8.000=8.0000=……

8 몫의 소수점 위치 확인하기

나누어지는 수를 반올림하여 간단한 자연수로 나타낸 후 몫을 어림하면 몫의 소수점 위치가 옳은지 확인할 수 있습니다.

예제 23.7÷3=0.79에서 몫을 바르게 구했는지 확인하기

① 23.7을 24로 반올림하여 몫을 어림합니다.
$$23.7 \div 3 \rightarrow 24 \div 3 = 8$$

② 계산한 몫 0.79와 어림한 몫 8을 비교합니다. 어림셈으로 구한 몫이 8이므로 계산한 몫 0.79는 소수점을 올바른 위치에 찍지 않았습니다.
→ 23.7÷3=7.9

참고 237÷3=79 → 23.7÷3=7.9

개념 확인

1 7÷2의 몫을 분수로 나타낸 다음 소수로 나타내려고 합니다. □ 안에 알맞은 수를 써넣으세요.

$$7 \div 2 = \frac{\boxed{}}{2} = \frac{\boxed{}}{10} = \boxed{}$$

2 □ 안에 알맞은 수를 써넣으세요.

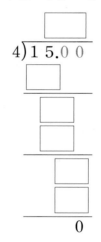

```
        □
4) 1 5.0 0
   □
   □
   □
   □
   □
      0
```

3 **보기**와 같이 소수를 소수 첫째 자리에서 반올림하여 어림한 식으로 나타내어 보세요.

> **보기**
> $$13.51 \div 7 \rightarrow 14 \div 7$$

(1) 18.12÷6

(2) 24.8÷5

(3) 27.45÷9

기본 유형

4 계산하세요.

(1)

$$4\overline{)1\,4}$$

(2)

$$18\overline{)2\,7}$$

(3) $10 \div 8$

(4) $47 \div 20$

5 어림셈하여 몫의 소수점 위치를 찾아 소수점을 찍어 보세요.

(1) | 27.06÷3 |

[어림] ☐ ÷ ☐ → 약 ☐

[몫] 9☐0☐2

(2) | 95.6÷8 |

[어림] ☐ ÷ ☐ → 약 ☐

[몫] 1☐1☐9☐5

6 몫이 3.2인 나눗셈식을 찾아 ○표 하세요.

| 25÷4 | | 28÷8 | | 16÷5 |

(   ) (   ) (   )

7 어림셈을 이용하여 알맞은 식을 찾아 ○표 하세요.

(1)
$$14.21 \div 7 = 203$$
$$14.21 \div 7 = 20.3$$
$$14.21 \div 7 = 2.03$$
$$14.21 \div 7 = 0.203$$

(2)
$$8.55 \div 9 = 9.5$$
$$8.55 \div 9 = 95$$
$$8.55 \div 9 = 950$$
$$8.55 \div 9 = 0.95$$

8 계산 결과가 다른 하나를 찾아 기호를 써 보세요.

ㄱ $13 \div 4$ ㄴ $7 \div 2$ ㄷ $26 \div 8$

(   )

9 방울토마토 $6\,kg$을 5명이 똑같이 나누어 가지려고 합니다. 한 명이 가질 수 있는 방울토마토는 몇 kg인가요?

(한 명이 가질 수 있는 방울토마토의 무게)

= ☐ ÷ 5 = ☐ (kg)

(소수)÷(자연수)의 몫 구하기 ②

유형 **01** 몫의 소수 첫째 자리 숫자가 0인 나눗셈식을 찾아 기호를 써 보세요.

$$\bigcirc\ 23.1÷6 \qquad \bigcirc\!\!\!\!\!\bigcirc\ 32.4÷8$$

( )

확인 **02** 두 나눗셈식의 몫의 차를 구하세요.

$$65.4÷12$$ $$48.4÷8$$

( )

강화 **03** 재인이네 모둠 학생들의 검지 길이를 잰 것입니다. 재인이네 모둠 학생들의 검지 길이의 평균은 몇 cm인가요?

이름	재인	승호	준희	민호
검지 길이 (cm)	6.3	6.6	6.4	6.9

( )

(자연수)÷(자연수)의 몫을 소수로 나타내기

04 가운데의 수를 바깥의 수로 나누어 몫을 빈 곳에 써넣으세요.

÷4   ÷8   34   ÷5

05 □ 안에 알맞은 소수를 구하세요.

$$8×\square=18$$

( )

06 다음 나눗셈식의 몫은 5의 몇 배인가요?

$$35÷4$$

( )

나눗셈식의 몫 어림하기

07 몫을 어림해 보고, 실제로 계산한 값을 구하세요.

나눗셈식	어림한 몫	계산한 값
38.7÷3		
5.88÷6		
23.68÷8		

08 몫을 어림하여 몫이 1보다 작은 나눗셈식을 모두 찾아 색칠하세요.

2.94÷3	10.72÷8	7.75÷5

6.58÷7	12.36÷12	9.36÷13

09 현정, 민우, 재영이가 18.36÷9의 몫을 어림한 것입니다. 잘못 말한 사람의 이름을 쓰고, 그 이유를 써 보세요.　[서술형]

[현정] 몫은 약 2라고 어림할 수 있어.
[민우] 나눗셈식의 몫은 2보다 작을 거야.
[재영] 나눗셈식의 몫을 18÷9로 어림할 수 있어.

(이름)

(이유)

(소수)÷(자연수)의 문장제 ②

10 민수네 집에서 은행까지의 거리는 민수네 집에서 병원까지의 거리의 몇 배인가요?

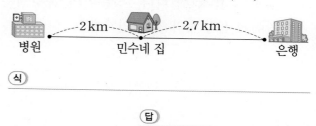

(식)

(답)

11 지훈이와 선영이가 원 모양의 피자를 만들었습니다. 지훈이가 만든 피자의 반지름은 선영이가 만든 피자의 반지름의 2배입니다. 지훈이가 만든 피자의 반지름이 22.1 cm라면 선영이가 만든 피자의 반지름은 몇 cm인가요?

지훈　　　　　선영

(　　　　　　　　)

12 고구마 5개의 무게는 1.7 kg이고, 감자 8개의 무게는 3.36 kg입니다. 고구마 한 개와 감자 한 개 중 어느 것이 더 무거운가요? (단, 고구마와 감자는 한 개의 무게가 각각 같습니다.)

(　　　　　　　　)

(자연수)÷(자연수)의 문장제

유형 **13** 성준이의 몸무게는 54 kg이고, 태연이의 몸무게는 45 kg입니다. 성준이의 몸무게는 태연이의 몸무게의 몇 배인가요?

( )

확인 **14** 선주가 일정한 빠르기로 공원을 6바퀴 도는 데 1시간 15분이 걸렸습니다. 공원을 한 바퀴 도는 데 걸린 시간은 몇 분인지 소수로 나타내어 보세요.

( )

강화 **15** 바닥의 가로가 67 m, 세로가 52 m인 직사각형 모양의 강당이 있습니다. 한 변이 4 m인 정사각형 모양의 장판을 겹치지 않게 사용하여 강당의 바닥을 빈틈없이 덮으려고 합니다. 바닥 전체를 덮으려면 장판은 적어도 몇 장 필요한지 풀이 과정을 쓰고, 답을 구하세요. (단, 잘라 내고 남은 장판은 사용하지 않습니다.)

[서술형]

풀이

답

낱개의 무게(두께) 구하기

16 색종이 20장의 무게를 재었더니 44.8 g이었습니다. 색종이 한 장은 몇 g인가요?

( )

17 연필 한 타의 무게를 재었더니 다음과 같았습니다. 윤수, 재은, 지우, 주은이가 연필 한 자루의 무게를 어림한 것입니다. 가장 잘 어림한 사람은 누구일까요?

123g

윤수	재은	지우	주은
약 20 g	약 10 g	약 1.1 g	약 1 g

( )

18 자를 사용하여 A4 용지 200장의 두께를 재었더니 30 mm였습니다. A4 용지 한 장의 두께는 몇 mm인가요?

[도전 수학]

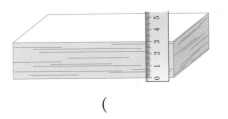

( )

입체도형에서 모서리의 길이 구하기

19 다음 오각기둥은 모든 모서리의 길이가 같습니다. 모든 모서리의 길이의 합이 52.5 cm일 때 한 모서리의 길이는 몇 cm인가요?

( )

20 모든 모서리의 길이가 같은 삼각뿔이 있습니다. 모든 모서리의 길이의 합이 48.42 cm일 때 한 모서리의 길이는 몇 cm인가요?

( )

21 조건을 모두 만족하는 도형의 한 모서리의 길이는 몇 m인가요?

조건
- 위와 아래에 있는 면이 서로 평행하고 합동인 기둥 모양의 입체도형입니다.
- 밑면의 모양은 사각형입니다.
- 모든 모서리의 길이가 같습니다.
- 모든 모서리의 길이의 합은 15 m입니다.

( )

■등분하였을 때 부분의 길이(넓이) 구하기

22 길이가 18.24 m인 색 테이프를 6등분한 것입니다. □ 안에 알맞은 소수를 구하세요.

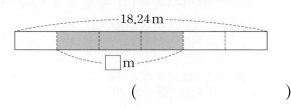

( )

23 직사각형을 15등분한 것입니다. 색칠한 부분의 넓이는 몇 cm²인가요?

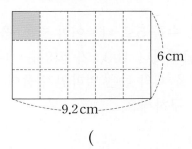

6 cm

9.2 cm

( )

24 2와 4 사이를 똑같이 8등분한 것입니다. 화살표(↑)가 가리키는 곳의 수를 소수로 나타내어 보세요.

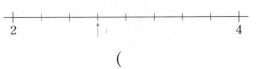

( )

약점체크 어떤 수 구하기

유형 25 어떤 수를 14로 나누었더니 몫이 0.75로 나누어떨어졌습니다. 어떤 수를 2로 나눈 몫을 구하세요.

(   )

해결 어떤 수를 □라 하고 식을 세운 후 곱셈과 나눗셈의 관계를 이용하여 어떤 수를 구합니다.

확인 26 [서술형] 어떤 수를 5로 나누어야 할 것을 잘못하여 5를 곱했더니 100.5가 되었습니다. 바르게 계산했을 때의 몫은 얼마인지 풀이 과정을 쓰고, 답을 구하세요.

풀이

답

약점체크 나눗셈 퍼즐 풀기

27 나눗셈식에서 ★, ▲가 조건을 모두 만족할 때 [교과역량] ★에 알맞은 수를 구하세요.

> • ★, ▲는 한 자리 수이고, 각각 같은 수를 나타냅니다.
> • ★, ▲는 서로 다른 수입니다.
> • ★은 2보다 크고, 6보다 작은 수입니다.

(   )

주의 ★, ▲를 구한 후 주어진 나눗셈식에 수를 넣고 계산하여 잘못된 부분이 없는지 확인합니다.

28 나눗셈식에서 같은 기호는 같은 수를 나타냅니다. 나눗셈식 중 기호에 알맞은 수를 구할 수 없는 것에 ×표 하세요. (단, ㉠, ㉡, ㉢, ㉣, ㉤, ㉥은 한 자리 수입니다.)

$$\begin{array}{r} 0.3 \\ ㉠\overline{)1.5} \\ ㉡\ ㉠ \\ \hline 0 \end{array}$$

$$\begin{array}{r} 0.6 \\ ㉢\overline{)㉣.3} \\ ㉣\ 3 \\ \hline 0 \end{array}$$

$$\begin{array}{r} 0.㉤ \\ 9\overline{)㉥.6} \\ ㉥\ 6 \\ \hline 0 \end{array}$$

▶ 정답 17쪽

약점체크 · 두 지점 사이의 거리 구하기

29 길이가 191.8 m인 똑바른 도로 한쪽에 같은 간격으로 깃발을 29개 꽂았습니다. 도로의 처음과 끝에 모두 깃발을 꽂았다면 깃발과 깃발 사이의 거리는 몇 m인가요?(단, 깃발의 두께는 생각하지 않습니다.)

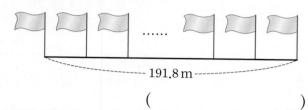

(   )

주의 깃발 수와 간격 수 사이의 관계에 주의하여 문제를 해결합니다.

약점체크 · 몫이 가장 큰(작은) 나눗셈식 만들기

31 수 카드 ④, ⑥, ⑧, ⑨ 를 □ 안에 한 번씩 써넣어 몫이 가장 큰 나눗셈식을 만들고, 만든 나눗셈식의 몫을 구하세요.

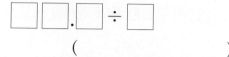

(   )

해결 나눗셈식에서 나누어지는 수가 클수록, 나누는 수가 작을수록 몫은 큽니다.

30 길이가 102 m인 똑바른 길의 한쪽에 같은 간격으로 가로등을 25개 세우려고 합니다. 길의 처음과 끝에 모두 가로등을 세운다면 22번째 가로등은 1번째 가로등으로부터 몇 m 떨어진 곳에 세워야 하나요? (단, 가로등의 두께는 생각하지 않습니다.)

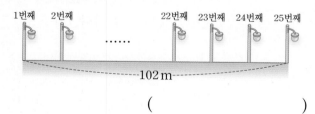

(   )

32 종현이와 수진이가 상자에서 공을 2개씩 꺼낸 후 꺼낸 공의 수를 한 번씩 사용하여 각각 두 자리 수를 만들려고 합니다. 만든 두 수를 이용하여 다음과 같이 나눗셈식을 만들 때 몫이 가장 작을 때의 몫을 구하세요.

(종현이가 만든 수)÷(수진이가 만든 수)

(   )

연습

01 다음은 은진이와 성현이가 물감을 칠한 도화지의 넓이와 사용한 물감의 양입니다. $1 \, cm^2$의 도화지를 칠하는 데 사용한 물감의 양이 더 많은 사람은 누구인지 풀이 과정을 쓰고, 답을 구하세요.

이름	은진	성현
도화지의 넓이(cm^2)	36	25
물감의 양(mL)	90	55

서술형 포인트 ■ cm^2를 칠하는 데 사용한 물감의 양이 ▲ mL 일 때 $1 \, cm^2$를 칠하는 데 사용한 물감의 양 ➡ (▲ ÷ ■) mL

풀이를 완성하세요.

❶ (은진이가 $1 \, cm^2$를 칠하는 데 사용한 물감의 양)

= _____

(성현이가 $1 \, cm^2$를 칠하는 데 사용한 물감의 양)

= _____

❷ 따라서 $1 \, cm^2$를 칠하는 데 사용한 물감의 양이 더 많은 사람은 [＿＿] 입니다.

답 _____

단계

02 노란색 페인트 32.4 L를 사용하여 가로가 4 m, 세로가 3 m인 직사각형 모양의 벽을 칠했습니다. **$1 \, m^2$의 벽을 칠하는 데 사용한 페인트는 몇 L인지** 풀이 과정을 쓰고, 답을 구하세요.

❶ 벽의 넓이 구하기

풀이

❷ $1 \, m^2$의 벽을 칠하는 데 사용한 페인트의 양 구하기

풀이

답 _____

실전

03 다음과 같은 직사각형 모양의 벽을 칠하는 데 페인트 62 L를 사용하였습니다. **$1 \, m^2$의 벽을 칠하는 데 사용한 페인트는 몇 L인지** 풀이 과정을 쓰고, 답을 구하세요.

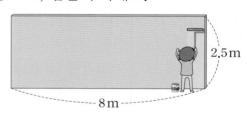

2.5 m
8 m

풀이

답 _____

연습, 실전 문제는 매칭북 **22쪽**에서 한 번 더!

◆ 정답 19쪽

연습

04 똑같은 야구공 6개가 들어 있는 바구니의 무게와 빈 바구니의 무게를 잰 것입니다. 야구공 한 개의 무게는 몇 kg인지 풀이 과정을 쓰고, 답을 구하세요.

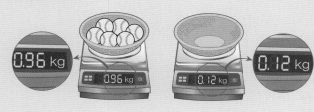

서술형 포인트 빈 바구니의 무게를 생각하여 야구공 한 개의 무게를 구합니다.

풀이를 완성하세요.

❶ (야구공 6개가 들어 있는 바구니의 무게)

= ☐ kg

(빈 바구니의 무게) = ☐ kg

➜ (야구공 6개의 무게)

=

❷ (야구공 한 개의 무게)

=

답

단계

05 똑같은 사전 8권이 들어 있는 상자의 무게와 이 상자에서 사전 3권을 빼냈을 때의 무게를 재었더니 다음과 같았습니다. **사전 한 권의 무게는 몇 kg**인지 풀이 과정을 쓰고, 답을 구하세요.

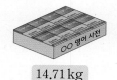 14.71 kg   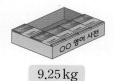 9.25 kg

❶ 사전 3권의 무게 구하기

풀이

❷ 사전 한 권의 무게 구하기

풀이

답

실전

06 사과 10개가 들어 있는 바구니의 무게와 이 바구니에서 사과 5개를 빼냈을 때의 무게를 재었더니 다음과 같았습니다. **사과 한 개의 무게는 몇 kg**인지 풀이 과정을 쓰고, 답을 구하세요.(단, 사과 한 개의 무게는 모두 같습니다.)

풀이

답

3
단원

3 벌 수와 나비 수를 바르게 비교한 것의 기호를 써 보세요.

> ㉠ 나비는 벌보다 3마리 더 많습니다.
> ㉡ 벌 수는 나비 수의 2배입니다.

(   )

4 그림을 보고 □ 안에 알맞은 수를 써넣으세요.

(1) 파란색 구슬 수와 빨간색 구슬 수의 비

➡ 6 : □

(2) 파란색 구슬 수에 대한 빨간색 구슬 수의 비

➡ □ : □

5 □ 안에 알맞은 수를 써넣으세요.

(1) 13 대 16 ➡ □ : □

(2) 20에 대한 15의 비 ➡ □ : □

(3) 12의 25에 대한 비 ➡ □ : □

(4) 10과 30의 비 ➡ □ : □

기본 유형

6 민주의 키는 150 cm이고, 어느 시각 민주의 그림자 길이를 재어 보니 50 cm입니다. 민주의 키와 그림자 길이를 비교하려고 합니다. 물음에 답하세요.

(1) 민주의 키와 그림자 길이만큼 색칠해 보세요.

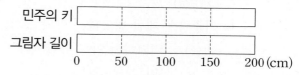

민주의 키

그림자 길이

0   50   100   150   200 (cm)

(2) 민주의 키와 그림자 길이를 나눗셈으로 비교해 보세요.

(   )

7 전체에 대한 색칠한 부분의 비가 3 : 8이 되도록 색칠해 보세요.

8 종현이네 반의 남학생은 10명, 여학생은 8명입니다. 남학생 수와 여학생 수를 2가지 방법으로 비교해 보세요.

방법 **1**	뺄셈으로 비교하기

방법 **2**	나눗셈으로 비교하기

3 비율

- 기준량 ➡ 기호 :의 오른쪽에 있는 수
  비교하는 양 ➡ 기호 :의 왼쪽에 있는 수

  $$\blacksquare : \blacktriangle$$
  비교하는 양 ┘   └ 기준량

- 비율 ➡ 기준량에 대한 비교하는 양의 크기

  $$(비율)=(비교하는 양) \div (기준량)$$
  $$= \frac{(비교하는 양)}{(기준량)}$$

[예제] **빨간색 공 수와 파란색 공 수의 비율 구하기**

4개 ●━ ● ● ● ●   ● ● ● ● ● ━→5개

$$(빨간색 공 수) : (파란색 공 수) = 4 : 5$$
비교하는 양 ●┘   └ 기준량

$$(비율) = 4 \div 5 = \frac{4}{5} \ (또는 \ 0.8)$$

4 비율이 사용되는 경우

[예제 1] 기차를 타고 **3시간** 동안 서울에서 대구까지 약 **300 km**를 갔습니다. 걸린 시간에 대한 간 거리의 비율을 알아보세요.

- 기준량: ┌걸린 시간
  3시간
- 비교하는 양: ┌간 거리
  300 km

➡ (걸린 시간에 대한 간 거리의 비율)
$$= 300 \div 3 = \frac{300}{3} \ (=100)$$
└●(간 거리)÷(걸린 시간)

[예제 2] 어느 마을의 넓이는 **6 km²**, 인구는 **1800명**입니다. 넓이에 대한 인구의 비율을 알아보세요.

- 기준량: ┌넓이
  6 km²
- 비교하는 양: ┌인구
  1800명

➡ (넓이에 대한 인구의 비율)
$$= 1800 \div 6 = \frac{1800}{6} \ (=300)$$
└●(인구)÷(넓이)

개념 확인

1 윤정이는 사탕 25개 중에서 10개를 먹었습니다. 물음에 답하세요.

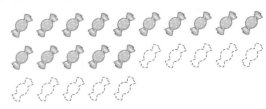

(1) 처음 사탕 수에 대한 먹은 사탕 수의 비를 써 보세요.

$$\boxed{} : \boxed{}$$

(2) □ 안에 알맞은 분수를 써넣으세요.

먹은 사탕 수는 처음 사탕 수의 $\boxed{}$ 배 입니다.

(3) 처음 사탕 수에 대한 먹은 사탕 수의 비율을 분수로 나타내어 보세요.

(   )

2 비를 보고 비교하는 양과 기준량을 찾아 빈칸에 써넣으세요.

비	비교하는 양	기준량
15 : 30		
8과 20의 비		
25에 대한 7의 비		

3 비율을 분수와 소수로 각각 나타내어 보세요.

(1) 1 : 5 ➔ 분수: ☐ , 소수: ☐

(2) 13 : 20 ➔ 분수: ☐ , 소수: ☐

4 관계있는 것끼리 선으로 이어 보세요.

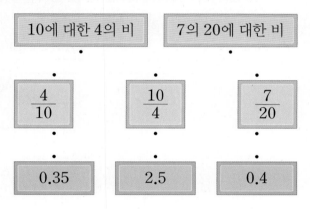

| 10에 대한 4의 비 | 7의 20에 대한 비 |

| $\frac{4}{10}$ | $\frac{10}{4}$ | $\frac{7}{20}$ |

| 0.35 | 2.5 | 0.4 |

5 직사각형 가와 나를 보고 표를 완성하고, 알맞은 말에 ○표 하세요.

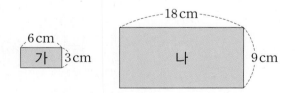

도형	가로(cm)	세로(cm)	세로에 대한 가로의 비율
가			
나			

직사각형 가와 나의 세로에 대한 가로의 비율은 (같습니다 , 다릅니다).

기본 유형

6 어느 자동차가 160 km를 달리는 데 2시간이 걸렸습니다. 자동차가 160 km를 달리는 데 걸린 시간에 대한 달린 거리의 비율을 구하려고 합니다. 물음에 답하세요.

(1) 걸린 시간에 대한 달린 거리의 비율을 구할 때 기준량과 비교하는 양을 각각 찾아 써 보세요.

기준량: ☐ , 비교하는 양: ☐

(2) 걸린 시간에 대한 달린 거리의 비율을 구하세요.

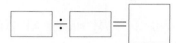
☐ ÷ ☐ = ☐

7 재우가 살고 있는 지역의 넓이는 12 km²이고, 인구는 192000명입니다. 재우가 살고 있는 지역의 넓이에 대한 인구의 비율을 구하세요.

☐ ÷ ☐ = ☐

8 지연이는 물에 오렌지 원액 140 mL를 넣어 오렌지 주스 400 mL를 만들었습니다. 지연이가 만든 오렌지 주스 양에 대한 오렌지 원액 양의 비율을 구하세요.

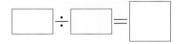
☐ ÷ ☐ = ☐

5 백분율

- 백분율: 기준량을 100으로 할 때의 비율
- 백분율은 기호 %를 사용하여 나타냅니다.

  비율 $\dfrac{45}{100}$ ➡ **쓰기** 45 % **읽기** 45 퍼센트

예제 1 비율 $\dfrac{11}{20}$ 을 백분율로 나타내기

방법 1 $\dfrac{11}{20}$ ➡ $\dfrac{11}{20}=\dfrac{55}{100}$ ➡ 55 %

방법 2 $\dfrac{11}{20}$ ➡ $\dfrac{11}{20}\times100=55$ ➡ $\overline{55\%}$
⌐ 비율에 100을 곱한 후 %를 붙입니다.

예제 2 백분율 34 %를 비율로 나타내기

%를 떼고 100 으로 나눕니다.

34 % ➡ ┌ 분수: $34\div100=\dfrac{34}{100}\left(=\dfrac{17}{50}\right)$

└ 소수: $34\div100=0.34$

6 백분율이 사용되는 경우

예제 1 어느 빵집에서 2500원짜리 빵을 할인하여 2000원에 팔 때 빵의 할인율을 알아보세요.
⌐ 원래 가격에 대한 할인 금액의 비율

① (할인 금액)$=2500-2000=500$(원)

② (할인율)$=500\div2500=\dfrac{500}{2500}=\dfrac{20}{100}$ ➡ 20 %

참고 원래 가격에 대한 할인된 판매 가격의 비율을 구하여 할인율을 구할 수 있습니다.
① (원래 가격에 대한 할인된 판매 가격의 비율)
$=2000\div2500=\dfrac{2000}{2500}=\dfrac{80}{100}$ ➡ 80 %
② 할인율: $100-80=20$ ➡ 20 %

예제 2 소금 50 g을 녹여 소금물 200 g을 만들었습니다. 소금물 양에 대한 소금 양의 비율은 몇 %인지 알아보세요.
⌐ 소금물의 진하기

(소금물 양에 대한 소금 양의 비율)

$=\underset{\underset{\text{(소금 양)}\div\text{(소금물 양)}}{}}{50\div200}=\dfrac{50}{200}=\dfrac{25}{100}$ ➡ 25 %

---

1 우연이는 수학 시험에서 20문제 중 16문제를 맞혔습니다. 물음에 답하세요.

(1) 우연이가 맞힌 문제 수를 그림으로 나타내어 보세요.

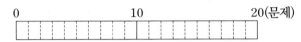

(2) 만약 우연이가 수학 시험에서 100문제를 풀었다면 몇 문제를 맞힌 것인지 □ 안에 알맞은 수를 써넣으세요.

(3) 전체 문제 수에 대한 맞힌 문제 수의 비율을 백분율로 나타내어 보세요.

(   )

2 비율을 백분율로 나타내려고 합니다. □ 안에 알맞은 수를 써넣으세요.

(1) $\boxed{\dfrac{8}{25}}$ ➡ $\dfrac{8}{25}\times\boxed{}=\boxed{}$ (%)

(2) $\boxed{0.76}$ ➡ $0.76\times\boxed{}=\boxed{}$ (%)

3 백분율을 비율로 나타내려고 합니다. □ 안에 알맞은 수를 써넣으세요.

$\boxed{19\,\%}$ ➡ ┌ 분수: $19\div\boxed{}=\boxed{}$

└ 소수: $19\div\boxed{}=\boxed{}$

기본 유형 문제는 매칭북 **24**쪽에서 한 번 더!

○ **정답** 22쪽

4 그림을 보고 전체에 대한 색칠한 부분의 비율을 백분율로 나타내어 보세요.

(1)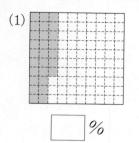

☐ %

(2)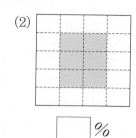

☐ %

5 빈칸에 알맞은 수를 써넣으세요.

분수	소수	백분율(%)
$\dfrac{37}{100}$	0.37	
	0.79	
$\dfrac{29}{50}$		

6 수현이와 지민이 중 잘못 말한 사람의 이름을 써 보세요.

비율 $\dfrac{8}{10}$ 을 백분율로 나타내려면 $\dfrac{8}{10}$ 에 100을 곱한 후 %를 붙이면 돼!

15 %를 소수로 나타내면 1.5야.

수현   지민

( )

7 어느 가게에서 원래 가격이 15000원인 장난감 로봇을 3000원 할인하여 팔 때 할인율을 구하려고 합니다. 물음에 답하세요.

(1) 장난감의 할인율을 구할 때 기준량과 비교하는 양을 각각 찾아 써 보세요.

기준량: ☐ , 비교하는 양: ☐

(2) 장난감의 할인율은 몇 %인가요?

$$\frac{\boxed{}}{\boxed{}} \times 100 = \boxed{} \, (\%)$$

8 성희는 농구공을 골대에 25번 던져 13번 넣었습니다. 성희의 골 성공률은 몇 %인가요?

$$\frac{\boxed{}}{\boxed{}} \times 100 = \boxed{} \, (\%)$$

9 태현이는 '용액의 진하기 실험'을 하기 위해 소금 60 g을 녹여 소금물 500 g을 만들었습니다. 만든 소금물에서 소금물 양에 대한 소금 양의 비율은 몇 %인가요?

$$\frac{\boxed{}}{\boxed{}} \times 100 = \boxed{} \, (\%)$$

4 단원

두 수를 비교하는 방법

유형 **01** 수민이네 학교의 6학년 선생님은 7명, 학생은 210명입니다. 선생님 수와 학생 수를 잘못 비교한 것에 ×표 하고, 바르게 고쳐 보세요.

학생은 선생님보다 203명 더 많습니다.	선생님 수는 학생 수의 30배입니다.

(   )

확인 **02** 서율이와 정희가 두 수를 비교한 것입니다. 표를 완성하고, □ 안에 알맞은 수를 써넣으세요.

서율   한 접시에 배는 2개씩, 귤은 4개씩 놓았더니 귤 수는 항상 배 수의 □배야.

접시 수	1	2	3	4
배 수(개)	2	4	6	
귤 수(개)	4			

정희   올해 나는 13살, 언니는 15살이야. 나는 언니보다 항상 □살이 적어.

	올해	1년 후	2년 후	3년 후
내 나이(살)	13	14	15	
언니 나이(살)	15			

강화 **03** 02에서 서율이가 비교한 방법과 정희가 비교한 방법에는 어떤 차이가 있는지 써 보세요. 〔서술형〕

〔차이점〕

비 알아보기

04 다음 중 비 9 : 1에 대한 설명으로 <u>틀린</u> 것은 어느 것인가요? (   )

① 9 대 1이라고 읽습니다.

② 9와 1의 비라고 읽을 수 있습니다.

③ 9의 1에 대한 비라고 읽을 수 있습니다.

④ 9를 기준으로 하여 1을 비교한 것입니다.

⑤ 9와 1을 나눗셈으로 비교하기 위해 비로 나타낸 것입니다.

05 〔보기〕와 같이 주변에서 비가 사용되는 경우를 찾아 써 보세요.

〔보기〕
수첩의 가로와 세로의 비는 15 : 22입니다.

(   )

06 알맞은 말에 ○표 하여 문장을 완성하고, 그 이유를 써 보세요. 〔서술형〕

12 : 11과 11 : 12는
(같습니다 , 다릅니다).

〔이유〕

비율(백분율) 구하기

07 은행과 서점 사이의 거리에 대한 집과 은행 사이의 거리의 비율을 분수와 소수로 각각 나타내어 보세요.

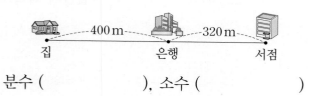

집   은행   서점

분수 (   ), 소수 (   )

08 넓이가 800 cm²인 모눈종이입니다. 모눈종이에 200 cm²만큼 색칠하고, 모눈종이의 넓이에 대한 색칠한 부분의 넓이의 비율을 백분율로 나타내어 보세요.

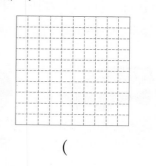

(   )

09 현성이가 타이포그래피를 한 것입니다. ⓛ과 ②의 자음 글자 'ㄱ'에서 바깥쪽의 가로에 대한 세로의 비율을 각각 구하세요.

┌ 글씨체나 글자 배치를 구성하고 표현하는 활동

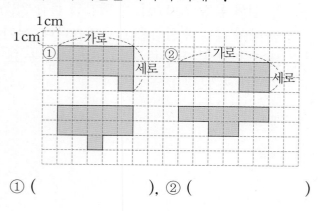

ⓛ (   ), ② (   )

비율의 크기 비교

10 비율의 크기를 비교하여 ○ 안에 >, =, < 를 알맞게 써넣으세요.

$$1\frac{2}{5} \bigcirc 151\%$$

11 비율이 가장 큰 것을 찾아 기호를 써 보세요.

ⓛ $\frac{13}{20}$ ⓛ 9 : 15

ⓓ 64 %   ⓔ 29 : 50

(   )

12 현지, 서준, 재민이가 각각 다음과 같이 비를 만들었습니다. 비율이 가장 작은 비를 만든 사람의 이름을 써 보세요.

현지: 5에 대한 4의 비
서준: 12와 16의 비
재민: 17의 20에 대한 비

(   )

비율이 사용되는 경우

유형
13 전체 타수에 대한 안타 수의 비율을 타율이라고 합니다. 야구 경기에서 종희는 40타수 중 안타를 16개 쳤습니다. 종희의 타율을 소수로 나타내어 보세요.

(   )

확인
14 지도에서 실제 거리(cm)에 대한 지도에서의 거리(cm)의 비율을 축척이라고 합니다. 가와 나 사이의 실제 거리가 400 m일 때 지도의 축척을 분수로 나타내어 보세요.

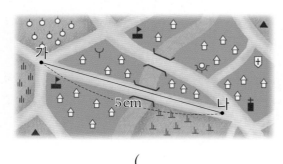

5 cm

(   )

강화
15 치타는 450 m를 달리는 데 15초가 걸리고, 사자는 400 m를 달리는 데 25초가 걸린다고 합니다. 치타와 사자의 걸린 시간에 대한 달린 거리의 비율을 각각 구하세요.

치타 (   )

사자 (   )

비율의 활용

16 ㉮와 ㉯ 지역의 넓이와 인구를 나타낸 것입니다. 두 지역의 넓이에 대한 인구의 비율을 구하여 어느 지역의 인구가 더 밀집한지 써 보세요.

㉮ 지역	㉯ 지역
넓이: 12 km²	넓이: 9 km²
인구: 81600명	인구: 64800명

(   )

17 연료(L)의 양에 대한 주행 거리(km)의 비율을 연비라고 합니다. 가와 나 자동차 중 연비가 더 높은 자동차의 기호를 써 보세요.

가	나
연료: 10 L	연료: 12 L
주행 거리: 110 km	주행 거리: 162 km

(   )

서술형
18 희정이는 흰색 물감 100 mL에 빨간색 물감 25 mL를 섞어 분홍색 물감을 만들었고, 연수는 흰색 물감 150 mL에 빨간색 물감 33 mL를 섞어 분홍색 물감을 만들었습니다. 누가 만든 분홍색 물감이 더 진한지 이름을 쓰고, 그 이유를 써 보세요.

이름

이유

백분율이 사용되는 경우

19 틀린 것을 찾아 기호를 써 보세요.

> ㉠ 어느 공장에서 생산한 휴대전화 200대 중 24대가 불량품일 때 불량품 수의 비율은 12 %입니다.
>
> ㉡ 마라톤 대회에 참가한 사람 1200명 중 180명이 결승점에 도착했다면 결승점에 도착한 사람 수의 비율은 1.5 %입니다.

( )

20 어느 장난감 가게에서 정가가 40000원인 장난감 자동차를 오른쪽과 같이 할인하여 팔고 있습니다. 장난감의 할인율은 몇 %인가요?

특별 할인
~~40000원~~
↓
32000원

( )

21 지윤이네 학교 회장 선거에서 600명이 투표에 참여했습니다. 가와 나 후보의 득표수를 보고 물음에 답하세요.

후보	가	나	무효표
득표수(표)	276	312	

(1) 가와 나 후보의 득표율은 각각 몇 %인가요?

가 후보 ( )

나 후보 ( )

(2) 무효표는 몇 %인가요?

( )

백분율의 활용

22 윤진이와 승준이가 투호를 하였습니다. 윤진이와 승준이의 성공률을 구하여 표를 완성하고, 성공률이 더 높은 사람의 이름을 써 보세요.

└ 화살을 던져 병 속에 넣는 놀이

이름	던진 화살 수(개)	넣은 화살 수(개)	성공률(%)
윤진	20	14	
승준	25	16	

( )

23 어느 게임 사이트에서 회원들을 대상으로 캐릭터에 대한 만족도를 조사하였습니다. 가 캐릭터는 회원 350명 중 231명이 만족하였고, 나 캐릭터는 회원 280명 중 168명이 만족하였습니다. 조사한 회원 수에 대한 만족하는 회원 수의 백분율이 더 높은 캐릭터의 기호를 써 보세요.

( )

24 A 비커와 B 비커에 다음과 같이 소금물을 만들었습니다. 어느 비커에 만든 소금물이 더 진한지 써 보세요. (단, 소금물의 진하기는 소금물 양에 대한 소금 양의 백분율을 비교합니다.)

> • A 비커: 물 80 g에 소금 20 g을 넣었습니다.
> • B 비커: 물 120 g에 소금 40 g을 넣었습니다.

( )

약점체크 **전체에 대한 부분의 비율 구하기**

유형 **25** 정현이네 학교 6학년의 반별 학생 수를 나타낸 표입니다. 6학년 전체 학생 수에 대한 1반의 학생 수의 비율을 분수로 나타내어 보세요.

반	1	2	3	4	5
학생 수(명)	25	26	24	27	28

(   )

해결 먼저 6학년 전체 학생 수를 구한 후 전체 학생 수에 대한 1반 학생 수의 비를 구합니다.

확인 **26** 선현이네 반 학급문고에는 책이 200권 있습니다. 그중에서 과학책은 62권, 역사책은 40권, 소설책은 50권이고, 나머지는 모두 위인전입니다. 위인전 수는 전체 책 수의 몇 %인가요?

(   )

약점체크 **백분율을 이용하여 실생활 문제 해결하기**

27 우리나라의 연도별 최저임금을 나타낸 막대그래프입니다. 2017년과 2018년에는 최저임금이 전년도에 비해 각각 몇 % 올랐는지 차례로 써 보세요.(단, 백분율은 반올림하여 자연수로 나타냅니다.)

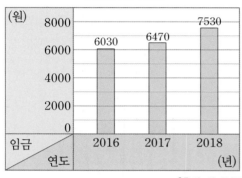

[출처: 최저임금위원회]

(   ), (   )

주의 기준량과 비교하는 양을 찾을 때 헷갈리지 않도록 주의합니다.
• 기준량: 전년도의 최저임금
• 비교하는 양: 전년도에 비해 오른 금액

28 교통 카드를 이용하면 현금으로 낼 때의 요금보다 할인된 요금으로 버스를 이용할 수 있습니다. 교통 카드를 이용할 때 일반 요금과 청소년 요금은 현금으로 낼 때의 요금에 비해 각각 몇 % 할인받는지 차례로 써 보세요.(단, 백분율은 반올림하여 자연수로 나타냅니다.)

버스 요금표

구분	교통 카드 (CARD)	현금 (CASH)
일반	1,200원	1,300원
청소년	720원	1,000원

(   ), (   )

약점 체크 비율을 이용하여 기준량 구하기

29 지원자 수와 합격자 수의 비가 8 : 1인 어린이 극단 오디션이 있습니다. 이 오디션에 지원한 사람이 192명일 때 불합격자는 몇 명인가요?

( )

[해결] (비율)＝(비교하는 양)÷(기준량)
➡ (기준량)＝(비교하는 양)÷(비율)

30 세로에 대한 가로의 비율이 3인 직사각형입니다. 직사각형의 가로가 45 cm일 때 넓이는 몇 cm²인가요?

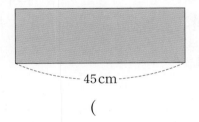

└─ 45 cm ─┘

( )

약점 체크 비율을 이용하여 비교하는 양 구하기

31 예금한 금액에 대한 이자의 비율을 이자율이라고 합니다. 진영이는 1년 동안 이자율이 3 % 인 어느 은행에 200000원을 예금하였습니다. 물음에 답하세요. (단, 이자는 예금한 돈에 대해서만 생깁니다.)

(1) 3 %를 소수로 나타내어 보세요.

( )

(2) 진영이가 1년 뒤에 받을 이자는 얼마인가요?

( )

[해결] (비율)＝(비교하는 양)÷(기준량)
➡ (비교하는 양)＝(기준량)×(비율)

32 신영이는 가족 사진이 너무 커서 처음 변의 길이에 대한 축소한 변의 길이의 비율이 80 % 가 되도록 축소하였습니다. 축소한 사진의 둘레는 몇 cm인가요?

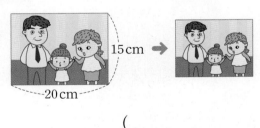

15 cm ➡

└─ 20 cm ─┘

( )

연습

01 영민이네 반과 수정이네 반 학생들이 소풍을 다녀온 후 소풍 장소에 대한 만족도를 조사하여 비로 나타낸 것입니다. 전체 학생 수에 대한 만족하는 학생 수의 비율을 각각 구하고, 두 비율을 비교하여 알 수 있는 점을 써 보세요.

반	전체 학생 수에 대한 만족하는 학생 수의 비
영민이네 반	18 : 24
수정이네 반	14 : 20

서술형 포인트 비를 보고 비율을 각각 구한 후 비율이 의미하는 것이 무엇인지 생각해 봅니다.

풀이를 완성하세요.

❶ • 영민이네 반

전체 학생 수에 대한 만족하는 학생 수의 비

➡ ☐ : ☐ ➡ (비율)＝

• 수정이네 반

전체 학생 수에 대한 만족하는 학생 수의 비

➡ ☐ : ☐ ➡ (비율)＝

알 수 있는 점 ❷ 두 비율을 비교하면

단계

02 대화를 읽고 두 연극의 **좌석 수에 대한 관객 수의 비율**을 각각 구하고, 두 비율을 비교하여 알 수 있는 점을 써 보세요.

'백설공주'는 좌석 120석당 102명이 봤대.

그래? '신데렐라'는 좌석 150석당 123명이 봤다고 들었어.

현우   민지

❶ 좌석 수에 대한 관객 수의 비율 각각 구하기

풀이

❷ 두 비율을 비교하여 알 수 있는 점 쓰기

알 수 있는 점

실전

03 은미네 학교에서 수학여행을 갔습니다. 은미네 모둠 3명은 5인실을 사용했고, 혜선이네 모둠 5명은 8인실을 사용했습니다. **방의 정원에 대한 방을 사용한 사람 수의 비율**을 각각 구하고, 두 비율을 비교하여 알 수 있는 점을 써 보세요.

풀이

알 수 있는 점

연습
04 두 마름모의 긴 대각선에 대한 짧은 대각선의 길이의 비율은 서로 같습니다. 마름모 나의 짧은 대각선의 길이는 몇 cm인지 풀이 과정을 쓰고, 답을 구하세요.

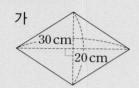
가

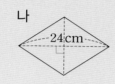
나

서술형 포인트 마름모 가의 긴 대각선에 대한 짧은 대각선의 길이의 비율을 이용하여 마름모 나의 짧은 대각선의 길이를 구합니다.

풀이를 완성하세요.

❶ 마름모 가의 긴 대각선에 대한 짧은 대각선의 길이의 비 ➡ ☐ : ☐

➡ (비율)=

❷ 마름모 나의 긴 대각선에 대한 짧은 대각선의 길이의 비율은 ☐ 이므로

(짧은 대각선의 길이)÷(긴 대각선의 길이)= ☐

➡ (짧은 대각선의 길이)=

답

단계
05 같은 시각에 물체의 길이와 그림자 길이의 비율은 일정합니다. 나무 막대의 길이와 그림자 길이가 다음과 같을 때 **나무의 높이는 몇 cm**인지 풀이 과정을 쓰고, 답을 구하세요.

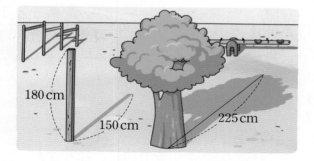

❶ 나무 막대의 길이와 그림자 길이의 비율 구하기
풀이

❷ 나무의 높이 구하기
풀이

답

실전
06 같은 시각에 물체의 길이와 그림자 길이의 비율은 일정합니다. 주연이의 키와 그림자 길이가 다음과 같을 때 **재민이의 그림자 길이는 몇 cm**인지 풀이 과정을 쓰고, 답을 구하세요.

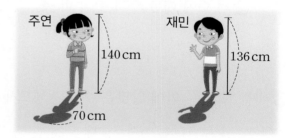

풀이

답

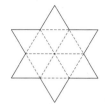

01 그림을 보고 연필 수와 지우개 수를 비교하려고 합니다. □ 안에 알맞은 수를 써넣으세요.

(1) 연필 수는 지우개 수보다 □ 큽니다.

(2) 연필 수는 지우개 수의 □ 배입니다.

02 그림을 보고 □ 안에 알맞은 수를 써넣으세요.

(1) ★의 수와 ♥의 수의 비 ➡ □ : □

(2) ★의 수에 대한 ♥의 수의 비 ➡ □ : □

03 비를 보고 □ 안에 알맞은 수를 써넣으세요.

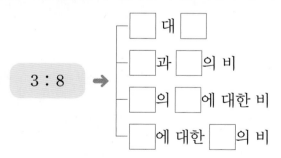

$3 : 8$ ➡
- □ 대 □
- □ 과 □ 의 비
- □ 의 □ 에 대한 비
- □ 에 대한 □ 의 비

04 비율을 소수로 나타내어 보세요.

$9 : 15$ ➡ (   )

05 백분율만큼 색칠하세요.

75 %

06 관계있는 것끼리 선으로 이어 보세요.

(1) 4 대 10 ·   · $\dfrac{4}{10}$ ·   · 2.5

(2) 4에 대한 10의 비 ·   · $\dfrac{10}{4}$ ·   · 0.4

07 표를 보고 꽃병 수에 따른 장미 수와 튤립 수를 2가지 방법으로 비교해 보세요.

꽃병 수(개)	1	2	3	4	……
장미 수(송이)	3	6	9	12	……
튤립 수(송이)	2	4	6	8	……

방법 1 뺄셈으로 비교하기

방법 2 나눗셈으로 비교하기

08 다음 중 비교하는 양이 기준량보다 큰 것을 모두 고르세요. (　　　　)

① 17 : 24
② 8의 11에 대한 비
③ 15에 대한 18의 비
④ 10과 8의 비
⑤ 7 대 9

09 정연이가 100 m 달리기를 하고 있습니다. 정연이는 출발점에서부터 60 m 거리에 있습니다. 전체 거리에 대한 더 달려야 하는 거리의 비를 써 보세요.

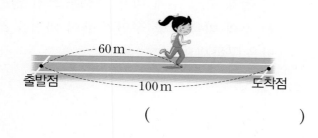

출발점　60 m　100 m　도착점

(　　　　　　　　)

10 비율이 큰 것부터 차례로 기호를 써 보세요.

ⓐ 12와 20의 비　　ⓑ $\frac{13}{25}$
ⓒ 0.74　　　　　　ⓓ 57%

(　　　　　　　　)

11 전체 타수에 대한 안타 수의 비율을 타율이라고 합니다. 수민이는 야구 대회에 참가하여 80타수 중 안타를 28개 쳤습니다. 수민이의 타율을 소수로 나타내어 보세요.

(　　　　　　　　)

12 민선이네 반 학생 25명이 소풍으로 갈 장소를 정하기 위해 투표를 한 결과입니다. 빈칸에 알맞은 수를 써넣으세요.

장소	놀이공원	과학관	유적지
득표수(표)	12	5	
백분율(%)	48		

13 가 버스는 240 km를 가는 데 2시간이 걸렸고, 나 버스는 345 km를 가는 데 3시간이 걸렸습니다. 두 버스의 걸린 시간에 대한 간 거리의 비율을 각각 구하여 ☐ 안에 써넣고, 더 빠른 버스의 기호를 써 보세요.

가　　　　　　나

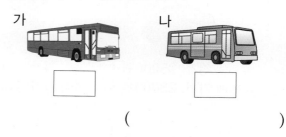

(　　　　　　　　)

14 가 비커와 나 비커의 소금물의 양과 소금물에 녹아 있는 소금의 양입니다. 각 비커의 소금물 양에 대한 소금 양의 비율을 비교하여 어느 비커의 소금물이 더 진한지 써 보세요.

비커	가	나
소금물의 양(g)	300	200
소금의 양(g)	48	40

(　　　　　　　　)

4
단원

15 예금한 금액에 대한 이자의 비율을 이자율이라고 합니다. 재은이는 동아은행의 ○○통장에 150000원을 예금하였습니다. ○○통장의 1년 동안 이자율이 2 %일 때 재은이가 1년 뒤에 받을 이자는 얼마인가요? (단, 이자는 예금한 돈에 대해서만 생깁니다.)

(   )

16 어느 장난감 가게에서 팔고 있는 물건의 정가와 판매 가격입니다. 자동차와 인형 중 할인율이 더 높은 것은 무엇인가요?

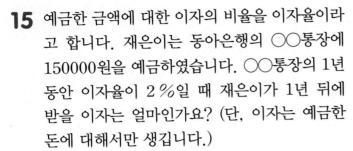

정가: 25000원
판매 가격: 23000원

정가: 20000원
판매 가격: 18000원

(   )

17 두 직사각형의 가로에 대한 세로의 비율은 서로 같습니다. 오른쪽 직사각형의 넓이는 몇 cm² 인가요?

18 cm

24 cm
20 cm

(   )

18 희연이가 한 말이 맞는지, 틀린지 쓰고, 그 이유를 써 보세요.

내 나이는 13살이고, 오빠 나이는 15살이야. 내 나이에 대한 오빠 나이의 비는 13:15야.

희연

답 _____

이유 _____

19 윤정이네 반 학생 30명 중 안경을 쓴 학생은 18명이고, 나머지는 안경을 쓰지 않았습니다. 반 전체 학생 수에 대한 안경을 쓰지 않은 학생 수의 비율은 몇 %인지 풀이 과정을 쓰고, 답을 구하세요.

풀이 _____

답 _____

20 가로가 40 cm, 세로가 30 cm인 직사각형 모양의 사진을 축소하였습니다. 사진에서 처음 변의 길이에 대한 축소한 변의 길이의 비율이 70 %일 때 축소한 사진의 둘레는 몇 cm인지 풀이 과정을 쓰고, 답을 구하세요.

풀이 _____

답 _____

쉬어가기

쎄르부쓰. 내 이름은 에리카야.

쎄르부쓰는 헝가리의 인사말로 '안녕하세요'와

같은 뜻이야.

헝가리의 수도인 부다페스트에는 부다왕궁이 있어.

13세기 벨라 4세 왕이 지낼 새로운 곳으로 부다에

고딕양식의 성을 세운 것이 왕궁의 시작이었어.

왕궁은 수차례 전쟁으로 부서졌고, 1950년대에 새로 세워졌어.

그리고 부다페스트의 도나우 강변에는 어부의 요새라는 곳이 있어. 이곳은 도나우강의 어부들이 강을 건너 공격하는 적을 막기 위해 이 요새를 방어한 데서 그 이름이 유래했어.

쎄르부쓰
(Szervusz)

부다왕궁

어부의 요새

이곳은 헝가리의 역대 왕들의 대관식이 거행되었던 '마차시 성당'이야.

5 여러 가지 그래프

※ **특강**을 활용하여 이전에 배운 내용과 이번에 배울 내용의 흐름을 이해합니다.

개념 완성하기

1 그림그래프 알아보기

그림그래프: 조사한 수를 그림으로 나타낸 그래프

예제 마을별 어획량을 조사하여 나타낸 그림그래프를 보고 내용 알아보기

마을별 어획량

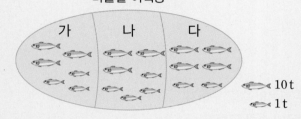

⚡️ 10 t
🐟 1 t

① ⚡️은 10 t, 🐟은 1 t을 나타냅니다.

② 가 마을의 어획량은 ⚡️ 3개, 🐟 3개이므로 33 t입니다.

③ 어획량이 많은 마을부터 차례로 쓰면 다 마을, 나 마을, 가 마을입니다.
→ 큰 그림 → 작은 그림의 순서로 개수를 비교합니다.

2 그림그래프로 나타내기

예제 표를 보고 그림그래프로 나타내기

반별 학생 수

반	1반	2반	3반	4반
학생 수(명)	22	20	24	21

• 1반: 22명 ➡ 😊 2개(10명), 😊 2개(1명)

• 2반: 20명 ➡ 😊 2개

• 3반: 24명 ➡ 😊 2개, 😊 4개

• 4반: 21명 ➡ 😊 2개, 😊 1개

반별 학생 수

반	1반	2반	3반	4반
학생 수	😊😊 😊😊	😊😊	😊😊 😊😊 😊	😊😊 😊

😊 10명 😊 1명

[1~3] 권역별 축구 동호회 회원 수를 조사하여 나타낸 그림그래프입니다. 물음에 답하세요.

권역별 축구 동호회 회원 수

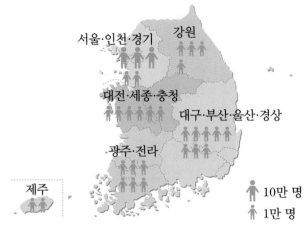

👨 10만 명
👦 1만 명

1 👨과 👦은 각각 몇 명을 나타내나요?

👨 (   )

👦 (   )

2 강원 권역의 축구 동호회 회원은 몇 명인가요?

(   )

3 축구 동호회 회원이 가장 많은 권역은 어디인가요?

(   )

[4~6] 마을별 학생 수를 조사하여 나타낸 표입니다. 물음에 답하세요.

마을별 학생 수

마을	가	나	다	라
학생 수(명)	323	353	290	405

4 학생 수에 따라 100명은 😊, 10명은 😊, 1명은 ◉으로 나타내려고 합니다. □ 안에 알맞은 수를 써넣으세요.

(1) 나 마을의 학생 수: □ 명

➡ 😊 □ 개, 😊 □ 개, ◉ □ 개

(2) 라 마을의 학생 수: □ 명

➡ 😊 □ 개, ◉ □ 개

5 표를 보고 그림그래프를 완성하세요.

마을별 학생 수

마을	학생 수
가 마을	😊😊😊😊😊◉◉◉
나 마을	
다 마을	😊😊😊😊😊😊😊😊😊😊
라 마을	

😊100명 😊10명 ◉1명

6 **5**의 그림그래프를 보고 학생 수가 가장 적은 마을은 어디인지 구하세요.

( )

기본 유형

7 어느 해 도별 수박 수확량을 조사하여 나타낸 그림그래프입니다. 경상도와 전라도의 수박 수확량의 차는 몇 t인가요?

도별 수박 수확량

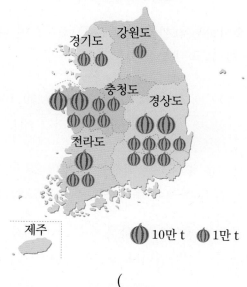

🍉 10만 t 🍉 1만 t

( )

8 지역별 가구 수를 반올림하여 백의 자리까지 나타낸 표입니다. 반올림한 값을 보고 그림그래프로 나타내어 보세요.

지역별 가구 수

지역	가	나	다	라
가구 수(가구)	3276	3481	2294	4345
반올림한 값 (가구)	3300	3500	2300	4300

지역별 가구 수

지역	가 지역	나 지역	다 지역	라 지역
가구 수				

🏠1000가구 🏠100가구

3 띠그래프 알아보기

띠그래프: 전체에 대한 각 부분의 비율을 띠 모양에 나타낸 그래프

예제 **좋아하는 색깔별 학생 수를 조사하여 나타낸 띠 그래프를 보고 내용 알아보기**

좋아하는 색깔별 학생 수

0 10 20 30 40 50 60 70 80 90 100(%)

노랑 (38%)	초록 (28%)	보라 (19%)	기타 (15%)

① 초록색을 좋아하는 학생은 전체의 28 %입니다.

② 가장 많은 학생이 좋아하는 색깔은 노란색입니다.
  ↳ 차지하는 부분의 길이가 가장 긴 항목

③ 노란색을 좋아하는 학생 수는 보라색을 좋아하는 학생 수의 2배입니다. → 38÷19＝2(배)

4 띠그래프로 나타내기

① 자료를 보고 각 항목의 백분율을 구합니다.
② 백분율의 합계가 100 %가 되는지 확인합니다.
③ 각 항목이 차지하는 백분율의 크기만큼 선을 그어 띠를 나눕니다.
④ 나눈 부분에 각 항목의 내용과 백분율을 씁니다.
⑤ 띠그래프의 제목을 씁니다.

예제 **표를 보고 띠그래프로 나타내기**

좋아하는 과일별 학생 수

과일	포도	복숭아	배	사과	합계
학생 수(명)	8	5	4	3	20
백분율(%)	40	25	20	15	⑩ 100

↳ ① 각 항목의 백분율 구하기 ⑤ 제목 쓰기 ▶**좋아하는 과일별 학생 수** ② 합계 확인하기

0 10 20 30 40 50 60 70 80 90 100(%)

포도 (40%)	복숭아 (25%)	배 (20%)	사과 (15%)

④ 각 항목의 내용과 백분율 쓰기

↳ ③ 백분율의 크기만큼 띠 나누기

개념 확인

1 그래프를 보고 ☐ 안에 알맞은 말을 써넣으세요.

종류별 나무 수

0 10 20 30 40 50 60 70 80 90 100(%)

은행나무 (42%)	느티나무 (33%)	벗나무 (17%)	기타 (8%)

전체에 대한 각 부분의 비율을 띠 모양에 나타낸 그래프를 ☐☐☐라고 합니다.

[2~3] 준용이네 반 학생들의 등교 방법을 조사하여 나타낸 표입니다. 물음에 답하세요.

등교 방법별 학생 수

방법	도보	자전거	버스	지하철	합계
학생 수(명)	8	6	4	2	20
백분율(%)	40		20	10	

2 자전거로 등교하는 학생 수의 백분율을 구하려고 합니다. ☐ 안에 알맞은 수를 써넣으세요.

$$자전거: \frac{\boxed{}}{20} \times 100 = \boxed{} (\%)$$

3 등교 방법별 학생 수의 백분율을 이용하여 띠그래프를 완성하세요.

등교 방법별 학생 수

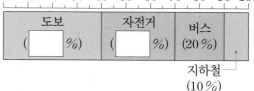

0 10 20 30 40 50 60 70 80 90 100(%)

도보 (%)	자전거 (%)	버스 (20%)

지하철 (10%)

기본 유형

[4~7] 지현이네 학교 6학년 학생들이 태어난 계절을 조사하여 나타낸 띠그래프입니다. 물음에 답하세요.

태어난 계절별 학생 수

0 10 20 30 40 50 60 70 80 90 100(%)

봄 (41%)	여름 (20%)	가을 (19%)	겨울 (20%)

4 띠그래프의 작은 눈금 한 칸은 몇 %를 나타내나요?

( )

5 가을에 태어난 학생 수는 전체의 몇 %인가요?

( )

6 가장 많은 학생이 태어난 계절은 언제인가요?

( )

7 전체에 대한 태어난 학생 수의 백분율이 같은 계절은 언제와 언제인가요?

( ), ( )

[8~10] 종민이네 학교 6학년 학생들의 취미를 조사하여 나타낸 표입니다. 물음에 답하세요.

취미별 학생 수

취미	운동	음악 감상	영화 감상	독서	기타	합계
학생 수 (명)	36	24	30	18	12	120

8 종민이네 학교 6학년 전체 학생 수에 대한 취미별 학생 수의 백분율을 구하여 표를 완성하세요.

취미별 학생 수

취미	운동	음악 감상	영화 감상	독서	기타	합계
백분율 (%)						

9 8의 표를 보고 띠그래프를 완성하세요.

취미별 학생 수

0 10 20 30 40 50 60 70 80 90 100(%)

운동 (30%)	

10 자료를 띠그래프로 나타내면 어떤 점이 좋은지 써 보세요.

( )

5 단원

실력 다지기

그림그래프에서 알 수 있는 내용 알아보기

유형 **01** 휴대전화 판매량이 가장 많은 가게와 가장 적은 가게의 판매량의 합은 몇 대인가요?

가게별 휴대전화 판매량

가게	판매량
가 가게	📱📱📱📱📱📱📱📱📱
나 가게	📱📱📱📱📱📱
다 가게	📱📱📱📱📱

📱100대
📱10대
📱1대

( )

확인 **02** 도별 감 수확량을 그림그래프로 나타내고, 그래프를 보고 알 수 있는 내용을 써 보세요. [서술형] [교과역량]

> 지난해 감 수확량은 경기도 2만 t, 강원도 1만 t, 충청북도 5만 t, 충청남도 3만 t, 경상북도 25만 t, 경상남도 4만 t, 전라북도 3만 t, 전라남도 2만 t이었습니다.

도별 감 수확량

🍅10만 t
🍅1만 t

알 수 있는 내용

띠그래프에서 알 수 있는 내용 알아보기

03 지원이네 반 학생들이 존경하는 위인을 조사하여 나타낸 띠그래프입니다. 바르게 설명한 것을 찾아 기호를 써 보세요.

존경하는 위인별 학생 수

0 10 20 30 40 50 60 70 80 90 100(%)

세종대왕 (36%)	이순신 (28%)	장영실 (20%)	유관순 (16%)

> ㉠ 유관순을 존경하는 학생 수의 백분율은 20%입니다.
> ㉡ 가장 많은 학생이 존경하는 위인은 세종대왕입니다.
> ㉢ 이순신을 존경하는 학생 수는 유관순을 존경하는 학생 수의 2배입니다.

( )

04 어느 아파트 단지의 동별 음식물 쓰레기 배출량을 조사하여 나타낸 띠그래프입니다. 가 동과 다 동의 음식물 쓰레기 배출량의 합은 라 동의 음식물 쓰레기 배출량의 몇 배인가요?

동별 쓰레기 배출량

0 10 20 30 40 50 60 70 80 90 100(%)

가 동 (16%)	나 동 (28%)	다 동 (32%)	라 동 (24%)

( )

• **항목의 수량 구하기 ①**

05 어느 가게에서 고객 200명을 대상으로 좋아하는 주스를 조사하여 나타낸 띠그래프입니다. 물음에 답하세요.

좋아하는 주스별 사람 수

```
0  10  20  30  40  50  60  70  80  90  100(%)
```

오렌지 주스 (31%)	딸기 주스 (25%)	자몽 주스 (30%)	기타 (14%)

(1) 오렌지 주스를 좋아하는 사람 수는 전체의 몇 %인가요?

(   )

(2) 오렌지 주스를 좋아하는 사람은 몇 명인가요?

(오렌지 주스를 좋아하는 사람 수)
= (조사한 사람 수) × (비율)

$$= \boxed{} \times \dfrac{\boxed{}}{100} = \boxed{} \text{(명)}$$

06 [서술형] 미희네 학교 학생 회장 선거에 출마한 각 후보자의 득표수를 조사하여 나타낸 띠그래프입니다. 투표에 참여한 학생이 모두 400명일 때 가장 많은 표를 얻은 후보의 득표수는 몇 표인지 풀이 과정을 쓰고, 답을 구하세요.(단, 무효표는 없습니다.)

후보자별 득표수

```
0  10  20  30  40  50  60  70  80  90  100(%)
```

가 후보 (19%)	나 후보 (29%)	다 후보 (27%)	라 후보 (25%)

풀이

답

• **전체를 알 때 그림그래프 완성하기**

07 마을별 쌀 수확량을 조사하여 나타낸 표와 그림그래프입니다. 다섯 마을의 쌀 수확량의 합이 159 t일 때 표와 그림그래프를 완성하세요.

마을별 쌀 수확량

마을	가	나	다	라	마
수확량(t)	41	35	25		16

마을별 쌀 수확량

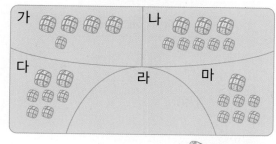

🌾 10t   🌾 1t

08 어느 해 권역별 외국인 수를 조사하여 나타낸 그림그래프입니다. 외국인 수의 합이 93만 명일 때 그림그래프를 완성하세요.

권역별 외국인 수

👤 10만 명

👤 1만 명

5 단원

글을 읽고 띠그래프로 나타내기

유형 **09** 글을 읽고 표를 완성하고, 띠그래프로 나타내어 보세요.

> 소연이네 학교 학생 500명을 대상으로 방과 후 하는 활동을 조사하였습니다. 그 결과 컴퓨터 150명, 한자 75명, 미술 125명, 스포츠 100명, 기타 50명이었습니다.

방과 후 하는 활동별 학생 수

활동	컴퓨터	한자	미술	스포츠	기타	합계
학생 수 (명)	150					500
백분율 (%)	30					100

방과 후 하는 활동별 학생 수

0 10 20 30 40 50 60 70 80 90 100(%)

확인 **10** 신문 기사를 읽고 ㉠, ㉡에 알맞은 수를 각각 구하고, 띠그래프로 나타내어 보세요.

교과역량

> **동아 마을 신문**
>
> 마을 주민 1000명을 대상으로 다가올 추석 때 진행할 행사에 관한 선호도 조사를 하였습니다. 그 결과 민속놀이 350명(35%), 마술 쇼 250명(㉠%), 국악 공연 150명(15%), 전통문화 체험 ㉡명(20%), 기타 50명(5%)로 조사되었습니다.

㉠= ☐ , ㉡= ☐

선호하는 행사별 사람 수

0 10 20 30 40 50 60 70 80 90 100(%)

띠그래프를 보고 표 완성하기

11 용수네 학교 6학년 학생 200명을 대상으로 스마트폰 이용 형태를 조사하여 나타낸 띠그래프입니다. 띠그래프를 보고 표를 완성하세요.

스마트폰 이용 형태별 학생 수

0 10 20 30 40 50 60 70 80 90 100(%)

채팅 (22%)	게임 (28%)	인터넷 (36%)	기타 (14%)

스마트폰 이용 형태별 학생 수

이용 형태	채팅	게임	인터넷	기타	합계
학생 수(명)					200
백분율(%)					100

12 어느 문화센터의 회원 600명이 수강하는 강좌를 조사하여 나타낸 표와 띠그래프입니다. 표와 띠그래프를 완성하세요.

강좌별 회원 수

강좌	외국어	요가	미술	기타	합계
회원 수 (명)	210	180			
백분율 (%)			20	15	

강좌별 회원 수

0 10 20 30 40 50 60 70 80 90 100(%)

	미술 (20%)	기타 (15%)

약점 체크 비율을 이용하여 다른 항목의 수량 구하기

13 어느 회사의 제품별 판매량을 조사하여 나타낸 띠그래프입니다. B 제품의 판매량이 140개일 때 D 제품의 판매량은 몇 개인가요?

제품별 판매량

0 10 20 30 40 50 60 70 80 90 100(%)

A 제품 (21%)	B 제품 (14%)	C 제품 (37%)	D 제품 (28%)

( )

해결 B 제품과 D 제품의 판매량의 백분율을 비교하여 D 제품의 판매량을 구합니다.

14 주연이네 학교 6학년 학생들이 좋아하는 운동을 조사하여 나타낸 띠그래프입니다. 축구를 좋아하는 학생이 54명일 때 줄넘기를 좋아하는 학생은 몇 명인지 풀이 과정을 쓰고, 답을 구하세요.

[서술형]

좋아하는 운동별 학생 수

0 10 20 30 40 50 60 70 80 90 100(%)

축구 (36%)	피구 (16%)	줄넘기	달리기 (28%)		기타 (8%)

풀이

답 ( )

약점 체크 ~ 이상 ~ 미만인 항목의 수량 구하기

15 준이네 반 학생 25명을 대상으로 주말 동안의 컴퓨터 사용 시간을 조사하여 나타낸 띠그래프입니다. 물음에 답하세요.

컴퓨터 사용 시간별 학생 수

0 10 20 30 40 50 60 70 80 90 100(%)

30분 미만 (20%)	30분 이상 1시간 미만 (36%)	1시간 이상 1시간 30분 미만 (32%)	1시간 30분 이상 (12%)

(1) 컴퓨터 사용 시간이 30분 이상 1시간 30분 미만인 학생 수는 전체의 몇 %인가요?

( )

(2) 컴퓨터 사용 시간이 30분 이상 1시간 30분 미만인 학생은 모두 몇 명인가요?

( )

주의 이상과 미만이 포함하는 범위에 주의하여 띠그래프에서 알맞은 항목을 찾습니다.

16 어느 온라인 서점에서 회원 200명을 대상으로 지난 한 달 동안 읽은 책 수를 조사하여 나타낸 띠그래프입니다. 읽은 책 수가 5권 미만인 회원은 모두 몇 명인가요?

읽은 책 수별 회원 수

0 10 20 30 40 50 60 70 80 90 100(%)

3권 미만 (25%)	3권 이상 5권 미만 (37%)	5권 이상 10권 미만 (30%)	10권 이상 (8%)

( )

5 단원

개념 완성하기

5 원그래프 알아보기

원그래프: 전체에 대한 각 부분의 비율을 원 모양에 나타낸 그래프

[예제] 좋아하는 음료수별 학생 수를 조사하여 나타낸 원그래프를 보고 내용 알아보기

좋아하는 음료수별 학생 수

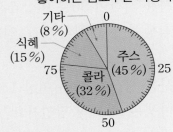

① 식혜를 좋아하는 학생은 전체의 15 %입니다.

② 가장 많은 학생이 좋아하는 음료수는 주스입니다.
　└→ 차지하는 부분의 넓이가 가장 넓은 항목

③ 주스와 콜라를 좋아하는 학생 수의 합은 전체의 77 %입니다. → 45+32=77 (%)

④ 주스를 좋아하는 학생 수는 식혜를 좋아하는 학생 수의 3배입니다. → 45÷15=3(배)

6 원그래프로 나타내기

[예제] 표를 보고 원그래프로 나타내기

케이크별 판매량

케이크	생크림	초콜릿	치즈	고구마	합계
판매량(개)	60	60	50	30	200
백분율(%)	30	30	25	15	100

　　　　　　　　　　　　① 각 항목의 백분율 구하기
⑤ 제목 쓰기 ← 케이크별 판매량　　　② 합계 확인하기

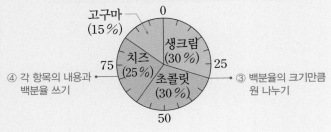

④ 각 항목의 내용과　　　　③ 백분율의 크기만큼
　 백분율 쓰기　　　　　　　원 나누기

1 그래프를 보고 □ 안에 알맞은 말을 써넣으세요.

가고 싶은 나라별 학생 수

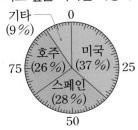

전체에 대한 각 부분의 비율을 원 모양에 나타낸 그래프를 [　　　]라고 합니다.

[2~3] 유진이네 반 학생들이 방학 동안 하고 싶은 일을 조사하여 나타낸 표입니다. 물음에 답하세요.

하고 싶은 일별 학생 수

하고 싶은 일	여행	독서	운동	농촌 체험	합계
학생 수(명)	12	9	6	3	30
백분율(%)		30	20	10	

2 위의 표를 완성하세요.

3 방학 동안 하고 싶은 일별 학생 수의 백분율을 이용하여 원그래프를 완성하세요.

하고 싶은 일별 학생 수

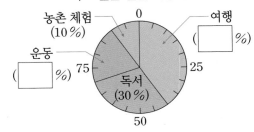

[4~7] 지연이네 집의 한 달 생활비 사용 내역을 조사하여 나타낸 원그래프입니다. 물음에 답하세요.

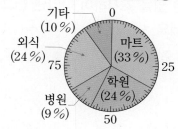

사용 내역별 지출 비용

4 원그래프의 작은 눈금 한 칸은 몇 %를 나타내나요?

(   )

5 마트와 병원에서 지출한 비용은 각각 전체의 몇 %인가요?

마트 (   )

병원 (   )

6 가장 많은 비용을 지출한 항목은 무엇인가요?

(   )

7 외식으로 지출한 비용과 비용이 같은 항목은 무엇인가요?

(   )

기본 유형

[8~10] 선우네 학교 체육관에 있는 공을 조사하여 나타낸 표입니다. 물음에 답하세요.

종류별 공 수

종류	야구공	농구공	축구공	배구공	합계
공 수(개)	21	18	15	6	60

8 전체에 대한 종류별 공 수의 백분율을 구하여 표를 완성하세요.

종류별 공 수

종류	야구공	농구공	축구공	배구공	합계
백분율 (%)					

9 8의 표를 보고 원그래프를 완성하세요.

종류별 공 수

10 자료를 원그래프로 나타내면 어떤 점이 좋은지 써 보세요.

(   )

개념 완성하기

7 그래프 해석하기

[예제] 2016년부터 2018년까지 동아리별 회원 수를 조사하여 나타낸 띠그래프를 보고 내용 알아보기

동아리별 회원 수

	과학	수학	댄스	축구	바둑
2016년	24 %	19 %	15 %	30 %	12 %
2017년	20 %	18 %	21 %	28 %	13 %
2018년	19 %	12 %	30 %	26 %	13 %

① 2018년의 축구 동아리 회원 수는 수학 동아리 회원 수의 약 2배입니다. → 26÷12=2.1······ ➡ 약 2배

② 2018년 댄스 동아리 회원 수의 백분율은 2016년 댄스 동아리 회원 수의 백분율의 2배입니다. ↳ 30÷15=2(배)

③ 2018년에는 2016년에 비해 과학, 수학, 축구 동아리 회원 수의 비율이 줄어들었습니다.

8 여러 가지 그래프

[예제] 여러 가지 그래프 비교하기

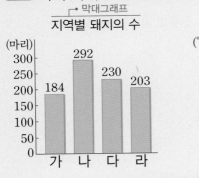

→ 막대그래프
지역별 돼지의 수

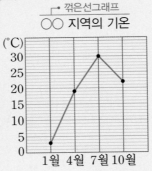

→ 꺾은선그래프
○○ 지역의 기온

후보자별 득표수 →띠그래프

민수 (17 %)	세진 (23 %)	성수 (32 %)	민희 (28 %)

막대그래프	수량의 많고 적음을 한눈에 비교하기 쉬움.
꺾은선 그래프	수량의 변화하는 모습과 정도를 쉽게 알 수 있음.
띠그래프	전체에 대한 각 부분의 비율을 한눈에 알아보기 쉬움.

개념 확인

[1~3] 주형이네 학교 6학년 학생들이 주말 동안 가족들과 하고 싶은 일을 조사하여 나타낸 원그래프입니다. 물음에 답하세요.

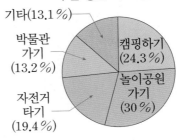

주말 동안 하고 싶은 일
기타(13.1 %)
박물관 가기 (13.2 %)
자전거 타기 (19.4 %)
캠핑하기 (24.3 %)
놀이공원 가기 (30 %)

1 가족들과 하고 싶은 일 중 비율이 20 % 이상인 항목을 모두 써 보세요.

( )

2 자전거 타기 또는 박물관 가기를 선택한 학생 수는 전체의 몇 %인가요?

( )

3 기타에는 어떤 항목이 들어갈 수 있을지 2가지 써 보세요.

( )

[4~5] 마을별 초등학생 수를 조사하여 나타낸 표입니다. 물음에 답하세요.

마을별 초등학생 수

마을	가	나	다	라	합계
학생 수(명)	45	36	63	36	180
백분율(%)	25	20	35	20	100

4 그림그래프와 띠그래프를 완성하세요.

마을별 초등학생 수

마을	학생 수
가 마을	😊😊😊😊😊😊😊😊😊
나 마을	
다 마을	
라 마을	

😊10명
😊1명

마을별 초등학생 수

0 10 20 30 40 50 60 70 80 90 100(%)

가 (25%)	

5 그림그래프와 띠그래프 중 각 항목의 비율을 쉽게 비교할 수 있는 것은 무엇인가요?

( )

6 자료를 그래프로 나타낼 때 어떤 그래프가 좋을지 선으로 이으세요.

(1) 월별 몸무게의 변화 · · 막대그래프

(2) 혈액형별 학생 수의 비율 · · 꺾은선그래프

(3) 학생별 모은 붙임딱지 수 · · 원그래프

기본 유형

[7~10] 2017년과 2018년의 어느 농장에 있는 가축을 조사하여 나타낸 띠그래프입니다. 물음에 답하세요.

종류별 가축 수

0 10 20 30 40 50 60 70 80 90 100(%)

2017년	소 (36%)	돼지 (12%)	닭 (34%)	토끼 (18%)
2018년	소 (16%)	돼지 (36%)	닭 (36%)	토끼 (12%)

7 2017년 소의 수는 토끼의 수의 몇 배인가요?

( )

8 2017년 농장에 있는 토끼가 36마리라면 소는 몇 마리인가요?

( )

9 2017년에 비해 2018년에 비율이 줄어든 동물을 모두 써 보세요.

( )

10 2018년 돼지 수의 백분율은 2017년 돼지 수의 백분율의 몇 배인가요?

( )

5 단원

원그래프에서 알 수 있는 내용 알아보기

유형 **01** 선희네 아파트의 동별 인구를 조사하여 나타 낸 원그래프입니다. 가 동의 인구는 라 동의 인구의 약 몇 배인지 소수 첫째 자리에서 반 올림하여 나타내어 보세요.

아파트의 동별 인구

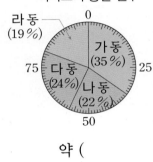

약 (   )

확인 **02** 어느 마을의 자동차 등록 대수를 나타낸 원그래 프입니다. 원그래프를 보고 알 수 있는 내용을 2가지 써 보세요. 〔서술형〕

자동차의 종류별 등록 대수

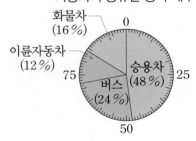

〔알 수 있는 내용〕
_____

_____

_____

_____

항목의 수량 구하기 ②

03 과수원별 배 수확량을 조사하 여 나타낸 원그래프입니다. 전 체 배 수확량이 50 t일 때 나 과수원의 수확량은 몇 t인가요?

과수원별 배 수확량

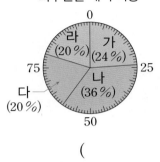

(   )

04 윤주네 학교 6학년 학생 250명이 좋아하는 민 속놀이를 조사하여 나타낸 원그래프입니다. 윷 놀이를 좋아하는 학생은 널뛰기를 좋아하는 학 생보다 몇 명 더 많나요?

좋아하는 민속놀이별 학생 수

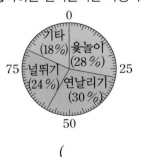

(   )

· 알맞은 그래프로 나타내기

05 표를 보고 막대그래프와 띠그래프로 각각 나타내고, 좋아하는 곤충별 학생 수를 비교하기에 편리한 그래프를 써 보세요.

좋아하는 곤충별 학생 수

곤충	장수 풍뎅이	사슴 벌레	잠자리	기타	합계
학생 수(명)	16	10	8	6	40
백분율(%)	40	25	20	15	100

좋아하는 곤충별 학생 수

장수풍뎅이				
사슴벌레				
잠자리				
기타				

곤충／학생 수   0   5   10   15   20 (명)

좋아하는 곤충별 학생 수

0 10 20 30 40 50 60 70 80 90 100(%)

(   )

06 표를 보고 그래프로 나타내려고 합니다. 항목별 학생 수의 비율을 비교할 때 가장 적당한 그래프를 찾아 ○표 하고, 그 이유를 써 보세요. [서술형]

여가 시간에 하는 활동별 학생 수

활동	운동	컴퓨터	독서	기타	합계
학생 수(명)	6	8	4	2	20
백분율(%)	30	40	20	10	100

그림그래프   꺾은선그래프   원그래프

이유

· 글을 읽고 원그래프로 나타내기

07 영주네 모둠에서 연구 수업용 과제를 준비하기 위해 조사한 내용입니다. 글을 읽고 해외여행 지역별 사람 수와 해외여행 목적별 사람 수를 각각 원그래프로 나타내어 보세요. [교과 역량]

○○ 지역 주민들의 지난해 해외여행 실태를 조사하였습니다. 해외여행 지역별로 중국 35 %, 일본 25 %, 필리핀 15 %, 태국 15 %, 기타 10 %이었습니다.
그리고 해외여행의 목적별로 45 %는 휴양, 30 %는 관광, 나머지 25 %는 휴양과 관광을 섞어서 여행하였습니다.

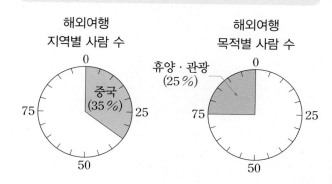

해외여행 지역별 사람 수 / 해외여행 목적별 사람 수

08 백분율을 구하여 □ 안에 써넣고, 기사의 내용을 원그래프로 나타내어 보세요. [교과 역량]

미래를 이끌어 갈 과학 기술!

공학자 360명을 대상으로 미래를 이끌어 갈 과학 기술을 조사하였더니 인공지능 144명(40 %), 로봇 90명(□ %), 가상현실 72명(□ %), 사물인터넷 54명(15 %)이었습니다.

과학 기술별 공학자 수

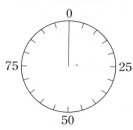

5 단원

띠그래프를 원그래프로, 원그래프를 띠그래프로 나타내기

 09 은영이가 한 달 동안 쓴 용돈의 쓰임새를 조사하여 나타낸 띠그래프입니다. □ 안에 알맞은 수를 써넣고, 띠그래프를 보고 원그래프로 나타내어 보세요.

용돈의 쓰임새별 금액

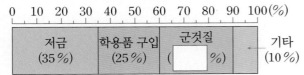

용돈의 쓰임새별 금액

확인 **10** 라율이네 학교 6학년 학생들이 졸업식 때 받고 싶은 선물을 조사하여 나타낸 원그래프입니다. 가방과 옷의 비율이 같을 때 원그래프를 보고 띠그래프로 나타내어 보세요.

받고 싶은 선물별 학생 수

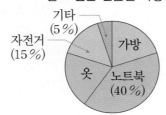

받고 싶은 선물별 학생 수

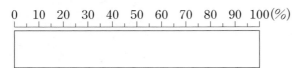

시간의 변화에 따라 나타낸 그래프 해석하기

11 2014년부터 2018년까지 2년 간격으로 어느 도시의 대기 환경 체감도를 조사하여 나타낸 띠그래프입니다. 물음에 답하세요.

대기 환경 체감도

	좋다	보통이다	나쁘다
2014년	27%	43.5%	29.5%
2016년	24.5%	47.5%	28%
2018년	21.5%	44%	34.5%

(1) 시간이 지날수록 비율이 감소한 응답은 무엇인가요?

(   )

(2) 그래프를 보고 알 수 있는 사실을 써 보세요.

_____

_____

서술형

12 어느 지역의 가구 구성원 수별 가구 수를 조사하여 나타낸 원그래프입니다. 원그래프를 보고 알 수 있는 사실을 넣어서 기사문을 써 보세요.

교과역량

가구 구성원 수별 가구 수

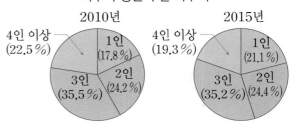

2010년과 2015년의 가구 구성원 수별 가구 수를 조사했습니다. 그 결과

_____

_____

_____

전체 수량 구하기

13 승연이네 학교 학생들이 가고 싶은 섬을 조사하여 나타낸 원그래프입니다. 울릉도에 가고 싶은 학생이 170명일 때 물음에 답하세요.

가고 싶은 섬별 학생 수

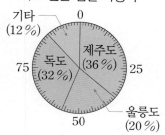

(1) 승연이네 학교의 전체 학생 수는 울릉도에 가고 싶은 학생 수의 몇 배인가요?

( )

(2) 승연이네 학교의 전체 학생 수는 몇 명인가요?

( )

해결 전체의 백분율과 항목의 백분율을 비교하여 전체 수량을 구합니다.

14 상자 안에 들어 있는 사탕의 맛을 조사하여 나타낸 띠그래프입니다. 딸기 맛 사탕과 포도 맛 사탕 수의 합이 130개일 때 상자 안에 들어 있는 사탕은 모두 몇 개인가요?

맛별 사탕 수

오렌지 맛 (20%)	사과 맛 (28%)	딸기 맛 (24%)	포도 맛 (16%)

└─ 복숭아 맛(12%)

( )

여러 가지 그래프를 비율 그래프로 나타내기

15 학생들을 대상으로 숲의 기능을 조사하여 나타낸 막대그래프를 보고 표와 띠그래프로 각각 나타내어 보세요.

숲의 기능

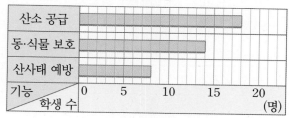

숲의 기능

기능	산소 공급	동·식물 보호	산사태 예방	합계
학생 수(명)				
백분율(%)				

숲의 기능

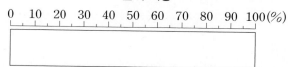

해결 막대그래프를 보고 각 항목의 수량과 합계를 구한 후 백분율을 구합니다.

16 윤호네 학교 6학년 학생들의 반별 자원봉사 참가자 수를 조사하여 나타낸 그림그래프를 보고 원그래프로 나타내어 보세요.

반별 자원봉사 참가자 수

반	1반	2반	3반	4반
학생 수	😊😊	😊😊😊	😊😊😊😊	😊😊

😊10명 😊5명 😊1명

반별 자원봉사 참가자 수

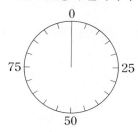

서술형 해결하기

연습

01 ┌→ 경제협력개발기구
OECD에 가입한 국가 중 한국, 일본, 터키의 취업자 수를 조사하여 나타낸 그림그래프입니다. 일본의 취업자 수는 한국의 취업자 수보다 3820만 명 많습니다. 세 나라의 취업자 수는 모두 몇 명인지 풀이 과정을 쓰고, 답을 구하세요.

국가별 취업자 수

국가	취업자 수
한국	👤👤🧍🧍🧍🧍🧍🧍🧍
일본	
터키	👤👤🧍🧍🧍🧍🧍🧍🧍

👤1000만 명 🧍100만 명 🧍10만 명

[출처: 국가통계포털, 2016]

서술형 포인트 먼저 일본의 취업자 수를 구한 후 세 나라의 취업자 수의 합을 구합니다.

풀이를 완성하세요.

❶ (한국의 취업자 수)= ☐ 만 명

일본의 취업자 수는 한국의 취업자 수보다

☐ 만 명 많으므로

(일본의 취업자 수)

=

❷ (터키의 취업자 수)= ☐ 만 명

(세 나라의 취업자 수의 합)

=

답

단계

02 지역별 딸기 수확량을 조사하여 나타낸 그림그래프입니다. 가 지역의 딸기 수확량은 라 지역의 딸기 수확량보다 12 t 적습니다. **딸기 수확량이 가장 많은 지역과 가장 적은 지역의 수확량의 차는 몇 t**인지 풀이 과정을 쓰고, 답을 구하세요.

지역별 딸기 수확량

가	나 🍓🍓🍓 🍓🍓
다 🍓🍓 🍓🍓🍓	라 🍓🍓🍓 🍓🍓

🍓10t
🍓1t

❶ 가 지역의 딸기 수확량 구하기

풀이

❷ 수확량이 가장 많은 지역과 가장 적은 지역의 수확량의 차 구하기

풀이

답

실전

03 공장별 철 생산량을 조사하여 나타낸 그림그래프입니다. 나 공장의 철 생산량은 다 공장의 철 생산량보다 108 kg 많습니다. **철 생산량이 가장 많은 공장과 가장 적은 공장의 생산량의 합은 몇 kg**인지 풀이 과정을 쓰고, 답을 구하세요.

공장별 철 생산량

공장	가 공장	나 공장	다 공장
철 생산량	🪨🪨 🪨🪨🪨 🪨🪨🪨		🪨🪨 🪨🪨🪨 ●●●●●

🪨100kg 🪨10kg ●1kg

풀이

답

연습

04 승우네 반 학생들이 좋아하는 간식을 조사하여 나타낸 띠그래프입니다. 초콜릿을 좋아하는 학생 수는 캐러멜을 좋아하는 학생 수의 2배입니다. 초콜릿을 좋아하는 학생 수와 캐러멜을 좋아하는 학생 수는 각각 전체의 몇 %인지 풀이 과정을 쓰고, 답을 구하세요.

좋아하는 간식별 학생 수

사탕 (32%)	초콜릿	캐러멜	←	기타 (11%)

서술형 포인트 캐러멜을 좋아하는 학생 수의 백분율 또는 초콜릿을 좋아하는 학생 수의 백분율을 ■%라 하고 식을 세웁니다.

풀이를 완성하세요.

❶ 캐러멜을 좋아하는 학생 수의 백분율을 ■%라

하면 초콜릿을 좋아하는 학생 수의 백분율은

( ) %입니다.

띠그래프에서 전체는 [ ] %이므로

$32 + \boxed{} + ■ + 11 = \boxed{}$ 입니다.

❷ ■ = [ ] 이므로

(초콜릿을 좋아하는 학생 수의 백분율) = [ ] %

(캐러멜을 좋아하는 학생 수의 백분율) = [ ] %

답 초콜릿: , 캐러멜:

단계

05 어느 산악회 회원 300명이 좋아하는 산을 조사하여 나타낸 띠그래프입니다. 한라산을 좋아하는 회원 수는 지리산을 좋아하는 회원 수의 2배입니다. **지리산을 좋아하는 회원은 몇 명**인지 풀이 과정을 쓰고, 답을 구하세요.

좋아하는 산별 회원 수

한라산	설악산 (46%)	지리산	←	속리산 (12%)

❶ 지리산을 좋아하는 회원 수의 백분율 구하기

풀이

❷ 지리산을 좋아하는 회원 수 구하기

풀이

답

실전

06 준현이네 마을 주민 4200명의 성씨를 조사하여 나타낸 원그래프입니다. 김씨인 사람 수는 최씨인 사람 수의 3배입니다. **김씨인 사람은 몇 명**인지 풀이 과정을 쓰고, 답을 구하세요.

성씨별 사람 수

기타 (8%)
최씨
김씨
박씨 (19%)
이씨 (29%)

풀이

답

5 단원

연습

07 영은이네 반의 책장에 꽂혀 있는 책 250권의 종류를 조사하여 나타낸 띠그래프입니다. 동화책을 <u>15권 줄이고, 역사책을 15권 늘린다면 동화책 수와 역사책 수는 각각 몇 권이 되는지</u> 풀이 과정을 쓰고, 답을 구하세요.

종류별 책 수

| 0 10 20 30 40 50 60 70 80 90 100(%) |

동화책 (32 %)	과학책 (22 %)	역사책 (28 %)	기타 (18 %)

서술형 포인트 띠그래프를 보고 백분율을 알아본 후 동화책 수와 역사책 수를 구합니다.

풀이를 완성하세요.

❶ 그래프에서 동화책은 ☐ %이므로

(처음 꽂혀 있던 동화책 수) =

그래프에서 역사책은 ☐ %이므로

(처음 꽂혀 있던 역사책 수) =

❷ 동화책을 15권 줄이면 ☐ 권, 역사책을 15권

늘리면 ☐ 권이 됩니다.

답 동화책: _____, 역사책: _____

단계

08 어느 축구 동호회의 한 달 회비 500000원의 사용 내역을 조사하여 나타낸 띠그래프입니다. 회식비를 40000원 줄이고, 공 구입비를 40000원 늘린다면 **공 구입비는 전체의 몇 %**가 되는지 풀이 과정을 쓰고, 답을 구하세요.

사용 내역별 금액

| 0 10 20 30 40 50 60 70 80 90 100(%) |

회식비 (37 %)	의류비 (26 %)	공 구입비 (24 %)	기타 (13 %)

❶ 회식비를 40000원 줄이고, 공 구입비를 40000원 늘렸을 때 공 구입비 구하기

풀이

❷ 공 구입비는 전체의 몇 %가 되는지 구하기

풀이

답

실전

09 소정이네 밭 2000 m²에 심은 채소를 조사하여 나타낸 원그래프입니다. 상추를 심은 밭을 320 m² 줄이고, 고추를 심은 밭을 320 m² 늘린다면 **상추를 심은 밭은 전체의 몇 %**가 되는지 풀이 과정을 쓰고, 답을 구하세요.

심은 채소별 밭의 넓이

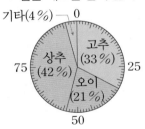

풀이

답

연습, 실전 문제는 매칭북 **36쪽**에서 한 번 더!

→ **정답** 31쪽

연습

10 박물관에 하루 동안 입장한 학생 450명의 비율을 조사하여 나타낸 원그래프입니다. 박물관에 입장한 초등학생 중 25 %가 6학년이라면 박물관에 입장한 6학년 학생은 몇 명인지 풀이 과정을 쓰고, 답을 구하세요.

박물관에 입장한 학생 수

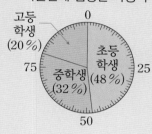

고등학생 (20 %)
초등학생 (48 %)
중학생 (32 %)

서술형 포인트 먼저 박물관에 입장한 초등학생 수를 구한 후 6학년 학생 수를 구합니다.

풀이를 완성하세요.

❶ 원그래프에서 박물관에 입장한 초등학생 수의 백분율은 [ ] %입니다.

(박물관에 입장한 초등학생 수)

= _____

❷ 박물관에 입장한 초등학생 중 [ ] %가 6학년이므로

(박물관에 입장한 6학년 학생 수)

= _____

답 _____

단계

11 현우네 학교 학생 500명의 성별과 현우네 학교의 남학생이 좋아하는 음식을 조사하여 나타낸 원그래프입니다. 현우네 학교의 **남학생 중 한식을 좋아하는 학생은 몇 명**인지 풀이 과정을 쓰고, 답을 구하세요.

성별 학생 수

여학생 (55 %)
남학생 (45 %)

좋아하는 음식별 남학생 수

기타 (4 %)
양식 (24 %)
한식 (28 %)
일식 (12 %)
중식 (32 %)

❶ 남학생 수 구하기

풀이

❷ 한식을 좋아하는 남학생 수 구하기

풀이

답 _____

실전

12 어느 회사 직원 1000명의 주거 형태와 아파트에 거주하는 직원의 성별을 조사하여 나타낸 띠그래프입니다. **아파트에 거주하는 여자 직원은 몇 명**인지 풀이 과정을 쓰고, 답을 구하세요.

주거 형태별 직원 수

0 10 20 30 40 50 60 70 80 90 100(%)

| 아파트 (36 %) | 주택 (24 %) | 빌라 (28 %) | 기타 (12 %) |

성별 아파트에 거주하는 직원 수

0 10 20 30 40 50 60 70 80 90 100(%)

| 남자 (35 %) | 여자 (65 %) |

풀이

답 _____

5 단원

[01~04] 어느 해 도별 쌀 수확량을 조사하여 나타낸 표와 그림그래프입니다. 물음에 답하세요.

도별 쌀 수확량

도	경기도	강원도	충청도	경상도	전라도
수확량(t)	62만	16만	91만	93만	98만

도별 쌀 수확량

🔲 10만 t
▦ 1만 t

01 🔲과 ▦은 각각 몇 t을 나타내나요?

🔲 ( )

▦ ( )

02 위의 그림그래프를 완성하세요.

03 쌀 수확량이 가장 적은 지역은 어디인가요?

( )

04 쌀 수확량이 가장 많은 지역과 가장 적은 지역의 수확량의 차는 몇 t인가요?

( )

[05~08] 세형이네 학교 6학년 학생들이 좋아하는 과목을 조사하여 나타낸 띠그래프입니다. 물음에 답하세요.

좋아하는 과목별 학생 수

0 10 20 30 40 50 60 70 80 90 100(%)

| 국어 (26%) | 수학 (19%) | 사회 (13%) | 과학 | 기타 (10%) |

05 수학을 좋아하는 학생 수는 전체의 몇 %인가요?

( )

06 과학을 좋아하는 학생 수는 전체의 몇 %인가요?

( )

07 가장 많은 학생이 좋아하는 과목은 무엇인가요?

( )

08 세형이네 학교 6학년 학생이 200명일 때 국어를 좋아하는 학생은 몇 명인가요?

( )

[09~11] 희정이네 마을에서 키우는 닭 수를 조사하여 나타낸 표입니다. 물음에 답하세요.

농장별 닭 수

농장	가	나	다	라	합계
닭 수 (마리)	75	125	200	100	500

09 전체 닭 수에 대한 농장별 닭 수의 백분율을 구하여 표를 완성하세요.

농장별 닭 수

농장	가	나	다	라	합계
백분율(%)					

10 **09**의 표를 보고 띠그래프와 원그래프로 각각 나타내어 보세요.

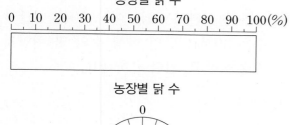

농장별 닭 수

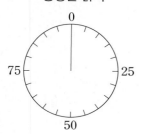

농장별 닭 수

11 나 농장에서 키우는 닭 30마리를 다 농장으로 옮긴다면 나 농장과 다 농장의 닭 수는 각각 전체의 몇 %가 되나요?

나 농장 (   )

다 농장 (   )

12 도시별 버스 이용자 수를 조사하여 나타낸 그림그래프입니다. 네 도시의 버스 이용자 수의 합이 94만 명일 때 그림그래프를 완성하세요.

도시별 버스 이용자 수

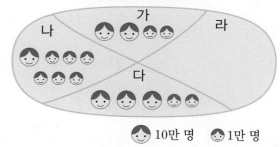

😊 10만 명 😊 1만 명

[13~14] 1990년부터 2010년까지 10년 간격으로 어느 지역의 학교별 학생 수를 조사하여 나타낸 띠그래프입니다. 물음에 답하세요.

학교별 학생 수

	초등학생	중·고등학생	대학생
1990년	58.7%	30.9%	10.4%
2000년	49.8%	34.2%	16.0%
2010년	45.1%	40.5%	14.4%

13 시간이 지날수록 비율이 증가하는 항목을 써 보세요.

(   )

14 2000년의 초등학생 수는 대학생 수의 약 몇 배인지 소수 첫째 자리에서 반올림하여 나타내어 보세요.

약 (   )

서술형 문제

[15~17] 수아네 아파트의 재활용품 종류별 배출량을 조사하여 나타낸 원그래프입니다. 종이류의 배출량은 고철류의 배출량의 2배일 때 물음에 답하세요.

재활용품 종류별 배출량

기타
(12%)

고철류 종이류

플라스틱류
(28%)

15 종이류와 고철류의 배출량은 각각 전체의 몇 %인가요?

종이류 (   )

고철류 (   )

16 고철류의 배출량이 150 kg이라면 플라스틱류의 배출량은 몇 kg인가요?

(   )

17 전체 재활용품의 배출량은 1000 kg이고, 기타의 45 %가 비닐류라면 비닐류의 배출량은 몇 kg인가요?

(   )

18 혈액형별 사람 수를 조사하여 나타낸 그림그래프를 보고 알 수 있는 내용을 2가지 써 보세요.

혈액형별 사람 수

혈액형	A형	B형	O형	AB형
사람 수	👤👤👤👤	👤👤👤	👤👤👤👤	👤👤👤👤👤

👤 10000명 👤1000명 👤100명

알 수 있는 내용 _____

[19~20] 은지네 학교 6학년 학생들이 주말 동안 공부한 시간을 조사하여 나타낸 띠그래프입니다. 물음에 답하세요.

공부한 시간별 학생 수

0 10 20 30 40 50 60 70 80 90 100(%)

30분 미만	30분 이상 60분 미만 (38%)	60분 이상 90분 미만 (32%)	90분 이상 (14%)

19 공부한 시간이 60분 이상 90분 미만인 학생 수는 30분 미만인 학생 수의 몇 배인지 풀이 과정을 쓰고, 답을 구하세요.

풀이

답

20 은지네 학교 6학년 학생이 150명이라면 공부한 시간이 60분 이상인 학생은 모두 몇 명인지 풀이 과정을 쓰고, 답을 구하세요.

풀이

답

쉬어가기

나는 알래스카에 살고 있는 제임스야.
'브탠니'는 알래스카의 인사말이야.
지금부터 알래스카의 즐길 거리 2가지를 소개할게!
알래스카에서는 마타누스카 빙하를 볼 수 있는데
이곳에서 트래킹을 할 수 있어.
그리고 알래스카 중부에 있는 페어뱅크스라는 도시
에서는 환상적인 오로라를 볼 수 있어.

브탠니.

마타누스카 빙하

페어뱅크스의 오로라

브탠니.　브탠니.

알래스카에서는 재미있는 인사법을 볼 수 있어. 두 주먹을 코 앞에 대고 주먹코를 만든 후
'브탠니'라 하면서 두 주먹을 앞사람과 비비는데 얼핏 보면 복싱하는 자세처럼 보여.
하지만 이것은 복싱하는 것이 아니라 반갑게 인사하는 것이야.

특강 여러 가지 그래프

그림그래프

그림그래프: 조사한 수를 그림으로 나타낸 그래프

반별 학생 수

반	1반	2반	3반	4반
학생 수	😊😊😊😊😊😊	😊😊😊	😊😊😊😊😊😊	😊😊😊

😊10명 😊1명

➜ 그림의 크기와 수로 항목의 수량을 비교할 수 있습니다.

막대그래프

막대그래프: 조사한 자료를 막대 모양으로 나타낸 그래프

공장별 장난감 생산량

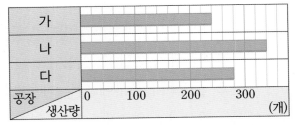

➜ 막대의 길이로 항목의 수량을 비교할 수 있습니다.

꺾은선그래프

꺾은선그래프: 수량을 점으로 표시하고, 그 점들을 선분으로 이어 그린 그래프

식물의 키

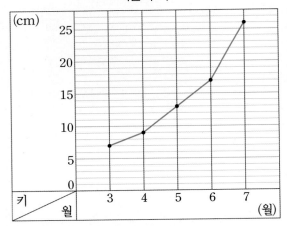

➜ 시간의 흐름에 따라 연속적으로 변화하는 모양과 정도를 알아보기 쉽습니다.

비율 그래프

• 띠그래프: 전체에 대한 각 부분의 비율을 띠 모양에 나타낸 그래프

좋아하는 운동별 학생 수

```
0  10  20  30  40  50  60  70  80  90  100(%)
```
축구 (42 %)	야구 (33 %)	농구 (14 %)	기타 (11 %)

• 원그래프: 전체에 대한 각 부분의 비율을 원 모양에 나타낸 그래프

좋아하는 운동별 학생 수

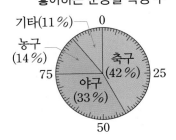

➜ 띠그래프와 원그래프는 전체에 대한 각 항목의 비율을 알아보기 쉽습니다.

자료의 내용과 특징에 따라
알맞은 그래프로 나타내어 봐!

알맞은 그래프로 나타내기

• 항목별 수량의 많고 적음을 비교할 때

  ➜ 그림그래프 또는 막대그래프

(예)

가게별 우산 판매량

가게	판매량
가 가게	🌂🌂🌂🌂🌂🌂
나 가게	🌂🌂🌂🌂🌂🌂🌂
다 가게	🌂🌂🌂🌂
라 가게	🌂🌂🌂🌂🌂

🌂100개 🌂10개

마을별 발생한 음식물 쓰레기의 무게

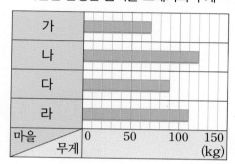

• 시간의 흐름에 따라 변화하는 모양을 관찰할 때

  ➜ 꺾은선그래프

(예)

마당의 온도

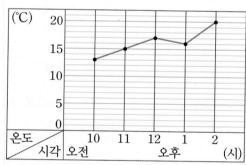

응현이의 앉은키

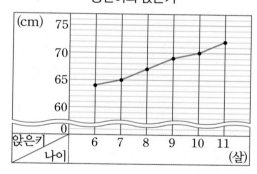

• 전체에 대한 항목의 비율을 비교할 때

  ➜ 비율 그래프

(예)

좋아하는 행성별 학생 수

0 10 20 30 40 50 60 70 80 90 100 (%)
화성 (37 %)	목성 (34 %)	금성 (19 %)	

기타(10 %)

좋아하는 허브별 학생 수

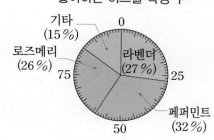

기타 (15 %)
로즈메리 (26 %)
라벤더 (27 %)
페퍼민트 (32 %)

6 직육면체의 부피와 겉넓이

문이 열렸어! 드디어 탈출~.

와아ㅡ!

모두 내 덕분이야.

그래도 탈출 성공~.

으악! 낭떠러지잖아.

개념 완성하기

1 직육면체의 부피 비교하기

방법 1 직접 맞대어 부피 비교하기 →직접 면끼리 맞대어 비교하기

예 가   나

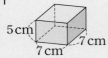 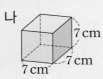

밑면의 가로와 세로가 같으므로 옆면을 맞대어 보면 나의 높이가 더 높습니다.

➡ (가의 부피)<(나의 부피)

방법 2 임의 단위를 이용하여 부피 비교하기 →임의 단위를 넣어 수를 비교하기

예 가   나

블록: 18개   블록: 16개

➡ (가의 부피)>(나의 부피)

방법 3 쌓기나무를 사용하여 부피 비교하기 →쌓기나무로 똑같게 쌓아 수를 비교하기

예 가   나

쌓기나무: 9개   쌓기나무: 8개

➡ (가의 부피)>(나의 부피)

2 직육면체의 부피 구하는 방법 (1)

한 모서리의 길이가 1 cm인 정육면체의 부피를 1 cm³라 쓰고, 1 세제곱센티미터라고 읽습니다.

 $1\,cm^3$

예제 부피가 1 cm³인 쌓기나무를 쌓아서 만든 직육면체의 부피 구하기

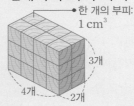

• 한 개의 부피: 1 cm³
3개
4개   2개

(쌓기나무의 수)
$=4\times2\times3=24$(개)

➡ (부피)$=24\,cm^3$ →1 cm³가 24개

1 두 상자 중 부피가 더 큰 것에 ◯표 하세요.

2 임의 단위 를 사용하여 두 상자의 부피를 비교하려고 합니다. 물음에 답하세요.

가   나

 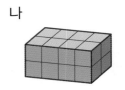

(1) ☐ 안에 알맞은 수를 써넣으세요.

☐의 수를 세어 보면 가는 ☐개, 나는 ☐개입니다.

(2) 부피가 더 큰 상자의 기호를 써 보세요.

(   )

3 다음 물건 중 부피가 1 cm³와 가장 비슷한 물건을 찾아 써 보세요.

과자 상자   캐러멜   필통

(   )

4 오른쪽은 한 모서리의 길이가 1 cm 인 쌓기나무를 쌓아 만든 직육면체 입니다. 물음에 답하세요.

(1) 쌓기나무 한 개의 부피는 몇 cm³인가요?

(　　　　　　)

(2) 쌓은 쌓기나무는 모두 몇 개인가요?

(　　　　　　)

(3) 만든 직육면체의 부피는 몇 cm³인가요?

(　　　　　　)

5 세 직육면체의 높이는 모두 같습니다. 부피가 큰 직육면체부터 차례로 □ 안에 번호를 써넣 으세요.

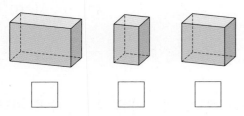

6 크기가 같은 쌓기나무를 쌓아 만든 직육면체 입니다. 직육면체의 부피를 비교하여 ○ 안에 >, =, <를 알맞게 써넣으세요.

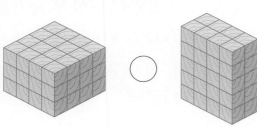

7 가와 나 상자에 크기가 같은 블록을 담아 두 상 자의 부피를 비교하려고 합니다. 물음에 답하 세요.

가　　　　　　나

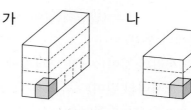

(1) 가와 나 상자에 담을 수 있는 블록은 각각 몇 개인가요?

가 (　　　　　　), 나 (　　　　　　)

(2) 부피가 더 큰 상자의 기호를 써 보세요.

(　　　　　　)

[8~9] 부피가 1 cm³인 쌓기나무를 쌓아 만든 직육 면체입니다. 쌓기나무의 수를 곱셈식으로 나타내고, 직 육면체의 부피를 구하세요.

8

쌓기나무의 수: (□×□×□)개

직육면체의 부피: □ cm³

9

쌓기나무의 수: (□×□×□)개

직육면체의 부피: □ cm³

개념 완성하기

3 직육면체의 부피 구하는 방법 (2)

- (직육면체의 부피)=(가로)×(세로)×(높이)
  =(밑면의 넓이)×(높이)
- (정육면체의 부피)
  =(한 모서리의 길이)×(한 모서리의 길이)
  ×(한 모서리의 길이)

예제 1 직육면체의 부피 구하기

(직육면체의 부피)

$=6\times3\times4=72 \ (cm^3)$
└ (가로)×(세로)×(높이)

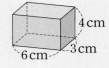

예제 2 정육면체의 부피 구하기

(정육면체의 부피)

$=3\times3\times3=27 \ (cm^3)$
└ (한 모서리의 길이)×(한 모서리의 길이)
×(한 모서리의 길이)

4 m^3 알아보기

한 모서리의 길이가 $1 \ m$인 정육면체의 부피를 $1 \ m^3$ 라 쓰고, 1 세제곱미터라고 읽습니다.

 $1 \ m^3$

$1 \ cm^3$와 $1 \ m^3$의 관계 ➡ $1000000 \ cm^3 = 1 \ m^3$
$1 \ m \times 1 \ m \times 1 \ m = 100 \ cm \times 100 \ cm \times 100 \ cm$ ┘

예제 직육면체의 부피를 m^3로 나타내기

방법 1 $200 \ cm = 2 \ m$,
$300 \ cm = 3 \ m$, $400 \ cm = 4 \ m$
➡ (직육면체의 부피)$= 2\times3\times4 = 24 \ (m^3)$

방법 2 (직육면체의 부피)
$= 200\times300\times400$
$= 24000000 \ (cm^3)$ ➡ $24 \ m^3$
└ $1000000 \ cm^3 = 1 \ m^3$

개념 확인

1 오른쪽 직육면체의 부피를 구하려고 합니다. □ 안에 알맞은 수를 써넣으세요.

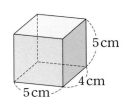

(직육면체의 부피)$= \boxed{} \times \boxed{} \times \boxed{}$
$= \boxed{} \ (cm^3)$

2 오른쪽 정육면체의 부피를 구하려고 합니다. □ 안에 알맞은 수를 써넣으세요.

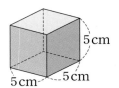

(정육면체의 부피)$= \boxed{} \times \boxed{} \times \boxed{}$
$= \boxed{} \ (cm^3)$

3 그림을 보고 □ 안에 알맞은 수를 써넣으세요.

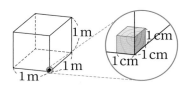

한 모서리의 길이가 $1 \ m$인 정육면체의 부피는 $\boxed{} \ m^3$입니다.

한 모서리의 길이가 $1 \ m$인 정육면체를 쌓는 데 부피가 $1 \ cm^3$인 쌓기나무는 $\boxed{}$ 개 필요합니다.

$1 \ m^3 = \boxed{} \ cm^3$

기본 유형 문제는 매칭북 **37쪽**에서 한 번 더!

▶ 정답 34쪽

4 □ 안에 알맞은 수를 써넣으세요.

(1) $2 \text{ m}^3 = \boxed{} \text{ cm}^3$

(2) $3.5 \text{ m}^3 = \boxed{} \text{ cm}^3$

(3) $5000000 \text{ cm}^3 = \boxed{} \text{ m}^3$

(4) $1400000 \text{ cm}^3 = \boxed{} \text{ m}^3$

5 직육면체의 부피는 몇 cm^3인가요?

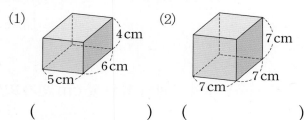

(1) 4 cm, 6 cm, 5 cm

(2) 7 cm, 7 cm, 7 cm

(   ) (   )

6 오른쪽 직육면체의 부피를 m^3로 나타내려고 합니다. 물음에 답하세요.

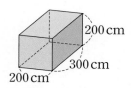

200 cm, 300 cm, 200 cm

(1) 직육면체의 가로, 세로, 높이를 각각 m로 나타내어 보세요.

가로	세로	높이

(2) 직육면체의 부피는 몇 m^3인가요?

(   )

기본 유형

7 전개도를 접었을 때 만들어지는 직육면체의 부피는 몇 cm^3인가요?

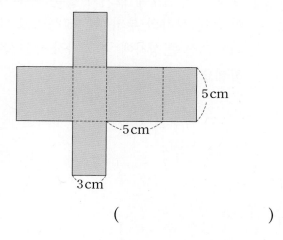

5 cm, 5 cm, 3 cm

(   )

8 부피를 비교하여 ○ 안에 >, =, <를 알맞게 써넣으세요.

(1) $3000000 \text{ cm}^3 \bigcirc 4 \text{ m}^3$

(2) $7.6 \text{ m}^3 \bigcirc 7300000 \text{ cm}^3$

9 신후는 가로가 5 cm, 세로가 20 cm, 높이가 4 cm인 직육면체 모양의 필통을 샀습니다. 신후가 산 필통의 부피는 몇 cm^3인가요?

(필통의 부피)$= \boxed{} \times \boxed{} \times \boxed{}$

$= \boxed{} \text{ (cm}^3)$

기본 유형 문제는 매칭북 **41쪽**에서 한 번 더!

▶ **정답** 37쪽

3 한 면의 넓이가 $9\ cm^2$인 정육면체입니다. 정육면체의 겉넓이는 몇 cm^2인가요?

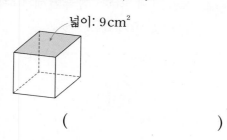

넓이: $9\,cm^2$

( )

4 전개도를 이용하여 오른쪽 직육면체의 겉넓이를 구하려고 합니다. 물음에 답하세요.

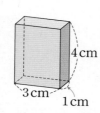

4 cm
3 cm
1 cm

(1) 모눈종이에 직육면체의 전개도를 그려 보세요.

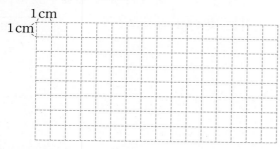

1 cm
1 cm

(2) 직육면체의 겉넓이는 몇 cm^2인가요?

( )

5 정육면체의 겉넓이는 몇 cm^2인가요?

(1)

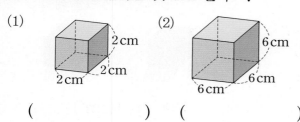

2 cm
2 cm
2 cm

(2)

6 cm
6 cm
6 cm

( ) ( )

기본 유형

6 신우는 한 모서리의 길이가 12 cm 인 정육면체 모양의 모빌을 만들었습니다. 신우가 만든 모빌의 겉넓이는 몇 cm^2인가요?

(모빌의 겉넓이)

$$=\boxed{}\times\boxed{}\times 6=\boxed{}\ (cm^2)$$

7 전개도를 접었을 때 만들어지는 직육면체의 겉넓이는 몇 cm^2인가요?

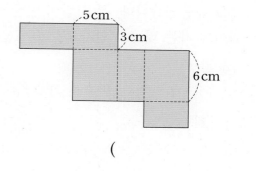

5 cm
3 cm
6 cm

( )

8 전개도를 접었을 때 만들어지는 정육면체의 겉넓이는 몇 cm^2인가요?

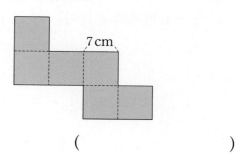

7 cm

( )

실력 다지기

직육면체의 겉넓이 구하기

유형 **01** 오른쪽 직육면체 모양 상자의 모든 겉면에 포장지를 겹치지 않게 붙이려고 합니다. 필요한 포장지의 넓이는 몇 cm²인가요?

( )

확인 **02** 종현이와 민영이는 각각 직육면체 모양의 상자를 만들었습니다. 두 사람이 만든 상자의 겉넓이의 차는 몇 cm²인가요?

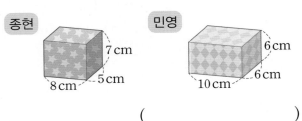

( )

강화 **03** 직육면체에서 색칠한 면의 넓이가 16 cm²일 때 직육면체의 겉넓이는 몇 cm²인가요?

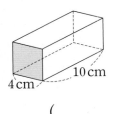

( )

정육면체의 겉넓이 구하기

04 정육면체 가와 정육면체 나의 겉넓이는 각각 몇 cm²인가요?

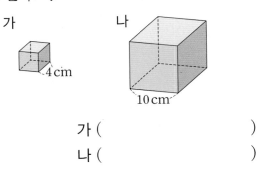

가 ( )
나 ( )

05 한 면의 모양이 오른쪽 정사각형과 같은 정육면체의 겉넓이는 몇 cm²인가요?

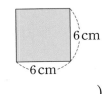

( )

06 한 모서리의 길이가 8 cm인 정육면체 모양의
[교과역량] 메밀묵을 똑같이 2조각으로 자를 때 메밀묵 2조각의 겉넓이의 합은 처음 메밀묵의 겉넓이보다 몇 cm² 늘어나나요?

처음 메밀묵	2조각으로 잘랐을 때
8cm 8cm 8cm	8cm 8cm 4cm

( )

겉넓이 비교하기

07 겉넓이가 더 좁은 직육면체에 △표 하세요.

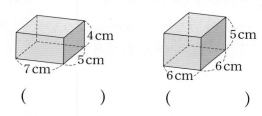

(   )   (   )

08 겉넓이가 넓은 것부터 순서대로 ☐ 안에 번호를 써넣으세요.

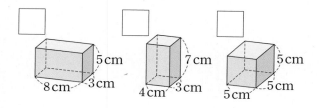

09 겉넓이가 더 넓은 것의 기호를 쓰려고 합니다. 풀이 과정을 쓰고, 답을 구하세요. [서술형]

> ㉠ 가로, 세로, 높이가 각각 8 cm, 10 cm,
> 6 cm인 직육면체
> ㉡ 한 모서리의 길이가 9 cm인 정육면체

(풀이)

_____

_____

_____

(답)

전개도를 이용하여 겉넓이 구하기

10 전개도를 접어 직육면체 가와 정육면체 나를 만들었습니다. 가와 나 중 어느 것의 겉넓이가 몇 cm² 더 넓은지 ☐ 안에 알맞게 써넣으세요.

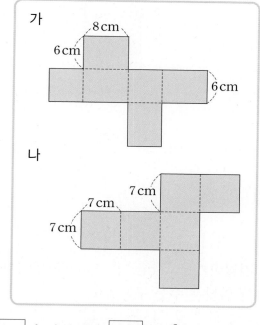

☐ 의 겉넓이가 ☐ cm² 더 넓습니다.

11 직사각형 모양의 종이에 정육면체의 전개도를 그린 것입니다. 전개도를 잘라 접었을 때 만들어지는 정육면체의 겉넓이는 몇 cm²인가요? [교과역량]

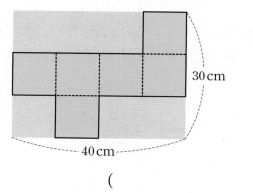

(   )

겉넓이를 활용하여 모서리의 길이 구하기

유형 **12** 겉넓이가 726 cm²인 정육면체입니다. 정육면체의 한 모서리의 길이는 몇 cm인가요?

(   )

확인 **13** 겉넓이가 484 cm²인 직육면체입니다. □ 안에 알맞은 수를 구하세요.

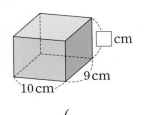

(   )

강화 **14** 다음 직육면체와 겉넓이가 같은 정육면체의 한 모서리의 길이는 몇 cm인가요?

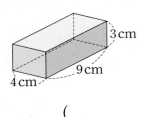

(   )

전개도에서 선분의 길이 구하기

15 전개도를 접어서 직육면체를 만들었습니다. 만든 직육면체의 겉넓이가 684 cm²일 때 □ 안에 알맞은 수를 구하세요.

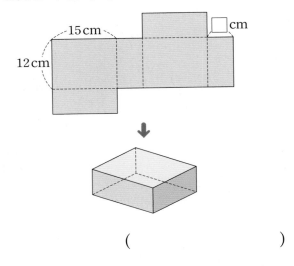

(   )

서술형

16 전개도를 접어서 만들 수 있는 정육면체의 겉넓이는 486 cm²입니다. ㉠에 알맞은 수를 구하려고 합니다. 풀이 과정을 쓰고, 답을 구하세요.

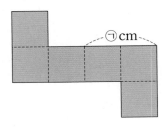

풀이 _____

_____

_____

_____

답 _____

확인, 강화 문제는 매칭북 **43쪽**에서 한 번 더!

◆ 정답 37쪽

약점 체크 모서리를 ■배 했을 때 겉넓이의 변화 알아보기

17 정육면체 나의 각 모서리의 길이는 정육면체 가의 각 모서리의 길이의 2배입니다. 정육면체 나의 겉넓이는 정육면체 가의 겉넓이의 몇 배인가요?

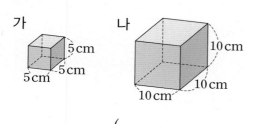

(   )

주의 모서리의 길이가 ■배 되었을 때 겉넓이도 ■배 된다고 생각하지 않도록 주의합니다.

18 대화를 보고 준호가 만들려는 카스텔라의 겉넓이는 연희가 만든 카스텔라의 겉넓이의 몇 배인지 구하세요.

교과 역량

가로, 세로, 높이가 각각 5 cm, 6 cm, 4 cm인 직육면체 모양의 카스텔라를 만들었어.

난 네가 만든 카스텔라의 모든 모서리의 길이를 각각 2배로 늘인 카스텔라를 만들 거야!

 연희   준호

(   )

약점 체크 여러 가지 입체도형의 겉넓이 구하기

19 입체도형의 겉넓이를 구하려고 합니다. 물음에 답하세요.

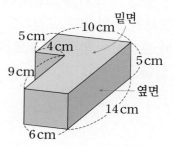

(1) 한 밑면의 넓이는 몇 cm²인가요?

(   )

(2) 옆면의 넓이의 합은 몇 cm²인가요?

(   )

(3) 입체도형의 겉넓이는 몇 cm²인가요?

(   )

해결 (입체도형의 겉넓이)
＝(입체도형을 이루고 있는 모든 면의 넓이의 합)

20 입체도형의 겉넓이는 몇 cm²인가요?

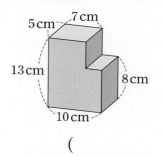

(   )

6 단원

서술형 해결하기

연습
01 그림과 같이 똑같은 상자 2개를 면끼리 꼭맞게 붙여서 놓고 포장지를 사용하여 겉면을 빈틈없이 포장하려고 합니다. 포장지를 겹치지 않고 사용할 때 포장지는 몇 cm² 필요한지 풀이 과정을 쓰고, 답을 구하세요.

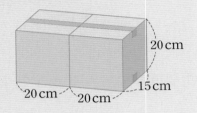

20 cm
20 cm   20 cm   15 cm

서술형 포인트 포장할 때 필요한 포장지의 넓이는 상자 2개를 붙여 놓은 모양의 겉넓이와 같습니다.

풀이를 완성하세요.

❶ 상자 2개를 면끼리 꼭맞게 붙였을 때 가로, 세로, 높이를 각각 알아봅니다.

(가로) = ☐ + ☐ = ☐ (cm)

(세로) = ☐ cm, (높이) = ☐ cm

❷ (필요한 포장지의 넓이)

= (상자 2개를 면끼리 꼭맞게 붙였을 때의 겉넓이)

=

답 ☐

단계
02 그림과 같이 똑같은 직육면체 3개를 면끼리 꼭맞게 이어 붙여서 새로운 직육면체를 만들었습니다. **새로 만든 직육면체의 겉넓이는 몇 cm²인지** 풀이 과정을 쓰고, 답을 구하세요.

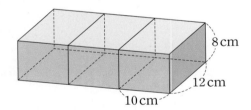

8 cm
12 cm
10 cm

❶ 새로 만든 직육면체의 가로, 세로, 높이 각각 구하기
풀이

❷ 새로 만든 직육면체의 겉넓이 구하기
풀이

답 ☐

실전
03 그림과 같이 한 모서리의 길이가 15 cm인 정육면체 4개를 면끼리 꼭맞게 이어 붙여서 새로운 직육면체를 만들었습니다. **새로 만든 직육면체의 겉넓이는 몇 cm²인지** 풀이 과정을 쓰고, 답을 구하세요.

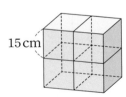

15 cm

풀이

답 ☐

연습, 실전 문제는 매칭북 **44쪽**에서 한 번 더!

▷ 정답 39쪽

연습
04 직육면체의 부피는 5 m³입니다. ■에 알맞은 수는 얼마인지 풀이 과정을 쓰고, 답을 구하세요.

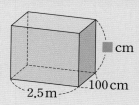

서술형 포인트 cm, m, m³가 섞여 있으므로 단위를 한 가지로 나타냅니다.

풀이를 완성하세요.

❶ 길이와 부피의 단위를 각각 cm, cm³로 나타내면

(가로)=2.5 m= ☐ cm,

(부피)=5 m³= ☐ cm³

❷ (직육면체의 부피)

= ☐ × 100 × ■

= ☐ (cm³)

➡ ■= ☐

답

단계
05 정육면체의 부피는 0.027 m³입니다. **정육면체의 한 모서리의 길이는 몇 cm**인지 풀이 과정을 쓰고, 답을 구하세요.

❶ 정육면체의 부피를 cm³로 나타내기
풀이

❷ 정육면체의 한 모서리의 길이 구하기
풀이

답

실전
06 직육면체에서 밑면은 정사각형이고, 높이는 3 m입니다. 부피가 12000000 cm³일 때 **밑면의 한 변의 길이는 몇 m**인지 풀이 과정을 쓰고, 답을 구하세요.

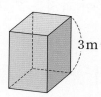

풀이

답

6
단원

연습

07 전개도를 접었을 때 만들어지는 <u>정육면체의 부 피는 몇 cm³인지</u> 풀이 과정을 쓰고, 답을 구하 세요.

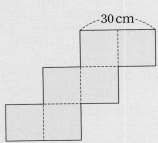

30 cm

> **서술형 포인트** 정육면체의 전개도에서 각 선분의 길이는 어떤 관계가 있는지 알아봅니다.

풀이를 완성하세요.

❶ 정육면체의 전개도이므로 모든 선분의 길이는

_____.

전개도에서 선분 2개의 길이의 합이 [   ] cm

이므로

(정육면체의 한 모서리의 길이)

=

❷ (정육면체의 부피)

=

답

단계

08 전개도의 둘레는 280 cm입니다. 전개도를 접 었을 때 만들어지는 **정육면체의 겉넓이는 몇 cm²인지** 풀이 과정을 쓰고, 답을 구하세요.

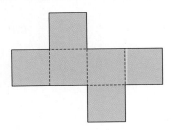

❶ 정육면체의 한 모서리의 길이 구하기
풀이

❷ 정육면체의 겉넓이 구하기
풀이

답

실전

09 전개도의 둘레는 68 cm입니다. 전개도를 접 었을 때 만들어지는 **직육면체의 부피는 몇 cm³** 인지 풀이 과정을 쓰고, 답을 구하세요.

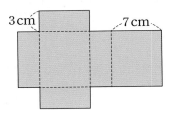

3 cm   7 cm

풀이

답

연습

10 정육면체에서 빗금 친 면의 넓이는 144 cm^2입니다. 정육면체의 부피는 몇 cm^3인지 풀이 과정을 쓰고, 답을 구하세요.

넓이: 144 cm^2

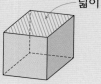

서술형 포인트 정육면체는 모든 모서리의 길이가 같다는 것을 이용하여 한 모서리의 길이를 구합니다.

풀이를 완성하세요.

❶ 정육면체의 모든 모서리의 길이는 같으므로

한 모서리의 길이를 ● cm라 하면

(빗금 친 면의 넓이)=●×●=□ (cm^2),

●=□입니다.

➡ (한 모서리의 길이)=□ cm

❷ (정육면체의 부피)

=(빗금 친 면의 넓이)×(높이)

=□×□=□ (cm^3)

답

단계

11 정육면체의 겉넓이는 384 cm^2입니다. **정육면체의 부피는 몇 cm^3**인지 풀이 과정을 쓰고, 답을 구하세요.

❶ 정육면체의 한 모서리의 길이 구하기
풀이

❷ 정육면체의 부피 구하기
풀이

답

실전

12 직육면체 모양 블록의 겉넓이는 236 cm^2입니다. **블록의 부피는 몇 cm^3**인지 풀이 과정을 쓰고, 답을 구하세요.

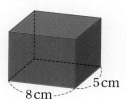

5 cm
8 cm

풀이

답

6 단원

01 두 직육면체는 밑면의 모양과 크기가 같습니다. 부피가 더 큰 직육면체의 기호를 써 보세요.

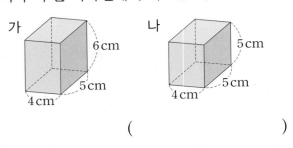

가   6 cm   5 cm   4 cm

나   5 cm   5 cm   4 cm

(   )

02 한 모서리의 길이가 1 cm인 쌓기나무를 쌓아서 만든 직육면체입니다. 직육면체의 부피는 몇 cm³인가요?

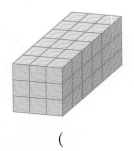

(   )

03 침대의 부피에 가장 가까운 것을 찾아 선으로 이어 보세요.

·

·   ·   ·

| 160 cm³ | 1.6 m³ | 160 m³ |

04 오른쪽 정육면체 모양 상자의 겉넓이는 몇 cm²인가요?

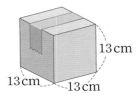

13 cm   13 cm   13 cm

(   )

05 크기가 같은 쌓기나무를 담아 상자의 부피를 비교하려고 합니다. 부피가 큰 상자부터 차례로 기호를 써 보세요.

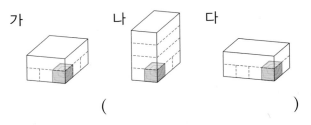

가   나   다

(   )

06 직육면체의 부피는 몇 cm³인지 구하세요.

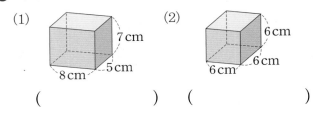

(1)   7 cm   8 cm   5 cm

(2)   6 cm   6 cm   6 cm

(   )   (   )

07 전개도를 접었을 때 만들어지는 직육면체의 겉넓이는 몇 cm²인가요?

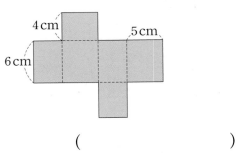

4 cm   5 cm   6 cm

(   )

08 다음은 정육면체 모양의 조각품입니다. 조각품의 부피를 구하여 m^3와 cm^3로 각각 나타내어 보세요.

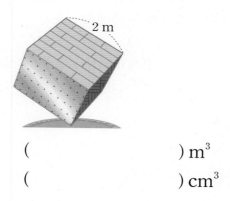

(   ) m^3

(   ) cm^3

09 다음 중 단위 사이의 관계가 옳은 것을 모두 고르세요. (   )

① $11 \ m^3 = 1100000 \ cm^3$
② $90000000 \ cm^3 = 90 \ m^3$
③ $6800000 \ cm^3 = 6.8 \ m^3$
④ $3.6 \ m^3 = 36000000 \ cm^3$
⑤ $17000000 \ cm^3 = 1.7 \ m^3$

10 두 직육면체 중 겉넓이가 더 넓은 것의 기호를 써 보세요.

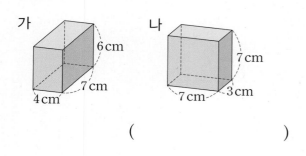

(   )

11 직육면체의 부피가 $192 \ cm^3$일 때 ☐ 안에 알맞은 수를 써넣으세요.

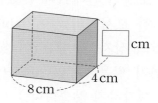

12 전개도를 접었을 때 만들어지는 정육면체의 겉넓이는 몇 cm^2인가요?

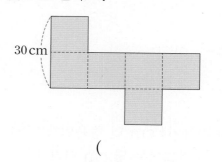

(   )

13 오른쪽 직육면체 모양의 두 부를 잘라 정육면체를 만들려고 합니다. 만들 수 있는 가장 큰 정육면체의 부피는 몇 cm^3인가요?

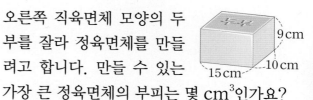

(   )

14 오른쪽 정육면체의 모든 모서리의 길이를 2배로 늘여 새로운 정육면체를 만들었습니다. 새로 만든 정육면체의 겉넓이는 몇 cm^2인가요?

(   )

15 가로, 세로, 높이가 각각 3 m, 6 m, 3 m인 직육면체 모양의 컨테이너가 있습니다. 이 컨테이너에 한 모서리의 길이가 60 cm인 정육면체 모양의 상자를 빈틈없이 쌓는다면 상자를 몇 개까지 쌓을 수 있나요? (단, 컨테이너의 두께는 생각하지 않습니다.)

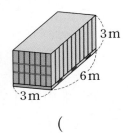

( )

16 부피가 64 cm³인 정육면체입니다. 이 정육면체의 겉넓이는 몇 cm²인가요?

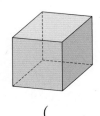

( )

17 입체도형의 부피는 몇 cm³인가요?

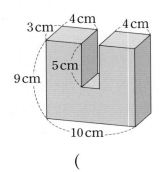

( )

18 오른쪽 직육면체의 겉넓이를 잘못 구한 것입니다. 잘못된 이유를 쓰고, 겉넓이를 바르게 구하세요.

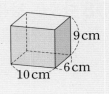

$$10 \times 6 + 10 \times 9 + 6 \times 9 = 204 \, (\text{cm}^2)$$

이유 _____

_____

겉넓이 _____

_____

19 두 직육면체의 부피의 차는 몇 m³인지 풀이 과정을 쓰고, 답을 구하세요.

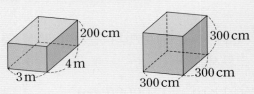

풀이 _____

_____

_____

답 _____

20 오른쪽 직육면체와 겉넓이가 같은 정육면체의 한 모서리의 길이는 몇 cm인지 풀이 과정을 쓰고, 답을 구하세요.

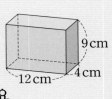

풀이 _____

_____

_____

_____

답 _____

쉬어가기

엔깐따도!
(Encantado)

내 이름은 씨엘로라고 해.

'엔깐따도'는 콜롬비아의 인사말로 '반가워'라는 뜻이야.

나는 아마존 근처에 위치한 나라 콜롬비아에 살고 있어.

콜롬비아의 수도는 산타페데보고타인데, 여긴 2007년에

유네스코에서 '세계 책의 수도'로 선정했었어.

이곳은 '남아메리카의 아테네'라고 불릴 정도로 교육과 문화 기반이 잘 갖추어진 도시야.

콜롬비아 북부에는 카르타헤나라는 도시가 있어.

콜롬비아의 주요 무역항이자 공업 도시인 이곳은 옛날 해적들의 침략이 잦았는데 이를 막기 위해 시민들이 거대한 성벽을 쌓아 요새를 지었어.

이렇게 완성된 대규모 요새는 1984년 유네스코 세계문화유산으로 등재되었어.

카르타헤나

콜롬비아의 아름다운 강 카노 크리스탈

콜롬비아는 '커피'로 유명한 나라야.
따뜻한 기후와 적절한 강수량으로 커피를 재배하기에 좋은 조건이지.
세계에서 가장 좋은 품질의 커피를 생산하는 것으로 알려져 있어.

MEMO

동아출판 초등 무료 스마트러닝

동아출판 초등 **무료 스마트러닝**으로
초등 전 과목·전 영역을 쉽고 재미있게!

백점수학 1-1 동영상 학습

응용력을 높여주는 문제 풀이 강의

과목별·영역별 특화 강의

전 과목 개념 강의

국어 독해 지문 분석 강의

구구단 송

그림으로 이해하는 비주얼씽킹 강의

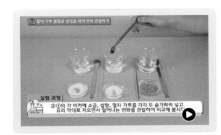

과학 실험 동영상 강의

과목별 문제 풀이 강의

서비스 제공 교재 동아전과 | 백점 시리즈 | 큐브수학 | 빠작 초등 국어 | 초능력 | 초고필 | 하이탑 초등 과학

큐브수학

실력

6·1

◆ 1:1 매칭 학습 ▶ 매칭북으로 진도북의 문제를 한 번 더 복습 │ 단원 평가지 제공

동아출판

매칭북

차례   6·1

한 번 더 **개념 완성하기**

1 몫이 $\dfrac{5}{12}$인 나눗셈식을 찾아 색칠하세요.

2 크기를 비교하여 ◯ 안에 >, =, <를 알맞게 써넣으세요.

(1) $1 \div 4$ ◯ 1

(2) $9 \div 8$ ◯ 1

3 물 1 L를 컵 7개에 똑같이 나누어 담으려고 합니다. 한 컵에 몇 L씩 담아야 하나요?

( )

4 계산 결과를 찾아 선으로 이으세요.

(1) $\dfrac{5}{6} \div 3$ ·

(2) $\dfrac{7}{12} \div 2$ ·

· $\dfrac{5}{18}$

· $\dfrac{7}{24}$

5 다음 중 계산이 <u>잘못된</u> 것은 어느 것인가요?

( )

① $\dfrac{3}{7} \div 3 = \dfrac{1}{7}$ ② $\dfrac{9}{10} \div 2 = \dfrac{9}{20}$

③ $\dfrac{2}{9} \div 5 = \dfrac{5}{9}$ ④ $\dfrac{8}{11} \div 4 = \dfrac{2}{11}$

⑤ $\dfrac{5}{8} \div 4 = \dfrac{5}{32}$

6 쌀 $\dfrac{8}{9}$ kg을 2봉지에 똑같이 나누어 담았습니다. 한 봉지에 담은 쌀은 몇 kg인가요?

( )

01 민철이의 말을 보고 그에 대한 대답을 써 보세요.

민철

> 분수의 나눗셈 문제를
> $\frac{5}{9} \div 3 = \frac{5}{9 \div 3} = \frac{5}{3}$ 로
> 풀었는데 틀렸어.
> 바르게 풀어 줘.

나

02 계산이 잘못된 부분을 찾아 이유를 쓰고, 바르게 계산하세요. [서술형]

$$5 \div 8 = \frac{8}{5} = 1\frac{3}{5}$$

이유

바른 계산

03 몫이 1보다 큰 나눗셈식을 모두 찾아 기호를 써 보세요.

| ㉠ 10÷9 | ㉡ 2÷7 |
| ㉢ 15÷14 | ㉣ 11÷13 |

( )

04 길이가 3 m인 리본을 5등분한 것입니다. □ 안에 알맞은 분수를 구하세요.

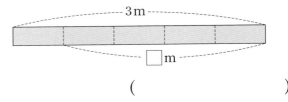

( )

05 사다리를 타고 내려가 도착한 빈 곳에 계산 결과를 써넣으세요.

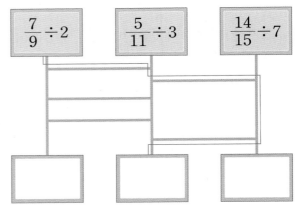

06 ▲에 알맞은 분수를 구하세요.

| 6 | ÷13 | | ÷3 | | ×4 | ▲ |

( )

07 나눗셈의 몫이 가장 큰 것을 찾아 기호를 써
보세요.

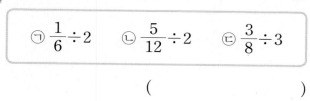

$$ \text{㉠ } \frac{1}{6} \div 2 \qquad \text{㉡ } \frac{5}{12} \div 2 \qquad \text{㉢ } \frac{3}{8} \div 3 $$

(   )

08 나눗셈의 몫이 작은 순서대로 □ 안에 번호를
써넣으세요.

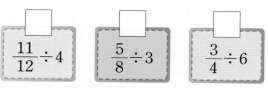

$$ \frac{11}{12} \div 4 \qquad \frac{5}{8} \div 3 \qquad \frac{3}{4} \div 6 $$

09 한 병에 $\frac{3}{5}$ L씩 들어 있는 주스가 5병 있습니
다. 이 주스를 4일 동안 똑같이 나누어 마신다
면 하루에 마시는 주스는 몇 L인가요?

(   )

10 하은이는 빨간색 테이프 $\frac{9}{20}$ m를 똑같이 3도
막으로 잘랐고, 경연이는 파란색 테이프 $\frac{3}{8}$ m
를 똑같이 5도막으로 잘랐습니다. 자른 한 도
막의 길이가 더 긴 사람은 누구인가요?

(   )

11 다음 나눗셈식과 관련된 문제를 만들고, 만든
문제의 답을 구하세요.

$$ \frac{9}{10} \div 8 $$

문제

답

12 길이가 $\frac{9}{11}$ m인 철사를 겹치지 않게 모두 사
용하여 다음과 같이 똑같은 정사각형 3개를 만
들었습니다. 정사각형의 한 변의 길이는 몇 m
인가요?

교과 역량

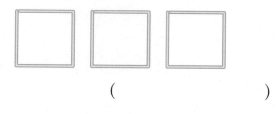

(   )

13 수 카드 2, 5, 7, 9 중 2장을 뽑아 □ 안
에 한 번씩 써넣어 나눗셈식을 만들려고 합니
다. 나눗셈식의 몫이 가장 클 때의 몫을 분수
로 나타내어 보세요.

$$ □ \div □ $$

(   )

STEP
1

한 번 더 **개념 완성하기**

1. 분수의 나눗셈

정답 43쪽

1 바르게 계산한 것에 ○표 하세요.

$$\frac{8}{13} \div 3 = \frac{8}{39}$$

$$\frac{9}{7} \div 2 = 2\frac{4}{7}$$

(   )   (   )

2 계산 결과가 다른 하나를 찾아 기호를 써 보세요.

ㄱ $\frac{1}{6} \div 3$ ㄴ $\frac{1}{2} \div 9$ ㄷ $\frac{5}{4} \div 9$

(   )

3 경선이는 지점토 $\frac{8}{15}$ kg을 2등분하여 그중 하나로 인형을 만들었습니다. 인형을 만든 지점토는 몇 kg인가요?

(   )

4 $1\frac{2}{5} \div 4$를 2가지 방법으로 계산하세요.

방법 **1** 분수의 분자를 자연수로 나누어 계산하기

방법 **2** 분수의 곱셈으로 나타내어 계산하기

5 크기를 비교하여 ○ 안에 >, =, <를 알맞게 써넣으세요.

(1) $1\frac{7}{8} \div 5$ ○ $\frac{5}{8}$

(2) $2\frac{1}{4} \div 3$ ○ $\frac{3}{4}$

6 우영이는 철사 $2\frac{1}{6}$ m를 똑같이 6도막으로 잘랐습니다. 철사 한 도막은 몇 m인가요?

(   )

진도북[020~021쪽]의 확인, 강화 문제 복습

STEP 2 한 번 더 실력 다지기

1. 분수의 나눗셈

정답 43쪽

01 미호와 경수는 각각 다음과 같이 계산했습니
다. 두 사람 중 잘못 계산한 사람의 이름을 쓰
고, 바르게 계산했을 때의 몫을 구하세요.
(02 유사)

$$[미호] \frac{3}{8} \div 2 = \frac{3}{8} \times 2 = \frac{6}{8}$$

$$[경수] 1\frac{2}{3} \div 5 = \frac{5}{3} \div 5 = \frac{5 \div 5}{3} = \frac{1}{3}$$

(,   )

02 $\frac{7}{6} \div 3$을 계산한 것입니다. 잘못된 부분을 찾
아 그 이유를 써 보세요. [서술형]
(03 유사)

$$\frac{7}{6} \div 3 = \frac{7}{6 \div 3} = \frac{7}{2}$$

이유

_____

_____

03 가장 큰 수를 7로 나눈 몫을 구하세요.
(05 유사)

$$3\frac{1}{9} \qquad 6\frac{3}{4} \qquad 5\frac{3}{7}$$

(   )

04 나눗셈의 몫이 1보다 작을 때 □ 안에 들어갈
수 있는 자연수를 모두 찾아 ○표 하세요.
(06 유사)

$$7\frac{1}{3} \div \square$$

(5 , 6 , 7 , 8 , 9)

05 명헌이는 자전거를 타고 일정한 빠르기로 7분
동안 $\frac{7}{4}$ km를 달렸습니다. 명헌이가 자전거를
타고 2분 동안 달린 거리는 몇 km인가요?
(08 유사)

(   )

06 딸기 주스 $1\frac{1}{9}$ L는 컵 4개에 똑같이 나누어
담고, 매실 주스 $1\frac{5}{6}$ L는 컵 6개에 똑같이 나
누어 담았습니다. 딸기 주스와 매실 주스 중
한 컵에 담긴 양이 더 많은 것은 무엇인가요?
(09 유사)

(   )

07 진구는 파란색 물감 $15\frac{1}{7}$ mL와 노란색 물감
$15\frac{2}{7}$ mL를 섞어서 초록색 물감을 만들었습
니다. 만든 초록색 물감을 5명이 똑같이 나누
어 가졌습니다. 한 명이 가진 초록색 물감은
몇 mL인가요?
(11 유사)

(   )

08 과학 시간에 묽은 염산 $\frac{35}{9}$ L를 4모둠에 똑같이 나누어 주었더니 $\frac{7}{9}$ L가 남았습니다. 한 모둠에 준 묽은 염산은 몇 L인가요?
[교과 역량]
(유사 12)

( )

09 계산하세요.
(유사 14)
(1) $3\frac{1}{2} \times 9 \div 8$

(2) $\frac{8}{9} \div 7 \times 6$

10 빈 곳에 알맞은 수를 써넣으세요.
(유사 15)

11 빈 곳에 알맞은 수를 써넣으세요.
(유사 17)

12 1부터 9까지의 자연수 중 □ 안에 들어갈 수 있는 수를 모두 구하세요.
(유사 18)

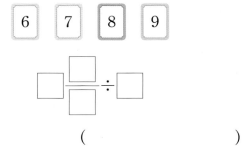

$$16\frac{1}{4} \div \square > 8$$

( )

13 4장의 수 카드를 □ 안에 한 번씩 써넣어 나눗셈식을 만들려고 합니다. 몫이 가장 크게 되도록 나눗셈식을 만들고, 몫을 구하세요.
(유사 20)

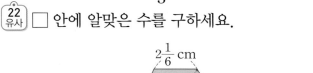

6 7 8 9

( )

14 다음은 넓이가 $20\frac{1}{3}$ cm²인 사다리꼴입니다. □ 안에 알맞은 수를 구하세요.
(유사 22)

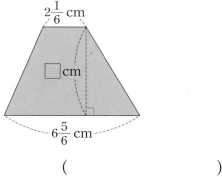

( )

01 똑같은 크림빵 4개를 만드는 데 밀가루 $1\frac{1}{8}$ kg
(01유사) 이 필요합니다. 똑같은 **크림빵 3개를 만들려면**
밀가루는 몇 kg 필요한지 풀이 과정을 쓰고, 답
을 구하세요.

❶ 크림빵 1개를 만드는 데 필요한 밀가루의 무게 구하기
(풀이)

❷ 크림빵 3개를 만드는 데 필요한 밀가루의 무게 구하기
(풀이)

(답)

02 새우볶음밥 5인분을 만드는 데 새우 $\frac{7}{10}$ kg
(03유사) 이 필요합니다. **새우볶음밥 2인분을 만들려면**
새우는 몇 kg 필요한지 풀이 과정을 쓰고, 답
을 구하세요.
(풀이)

(답)

03 오른쪽 그림은 정오각형을 5등
(04유사) 분한 것입니다. 정오각형의 전
체 넓이가 $3\frac{2}{5}$ cm²일 때 **색칠**
한 부분의 넓이는 몇 cm²인지 풀이 과정을 쓰
고, 답을 구하세요.

❶ 5등분한 것 중 한 부분의 넓이 구하기
(풀이)

❷ 색칠한 부분의 넓이 구하기
(풀이)

(답)

04 직사각형을 7등분한 것입니다. **색칠한 부분의**
(06유사) **넓이는 몇 cm²**인지 풀이 과정을 쓰고, 답을
구하세요.

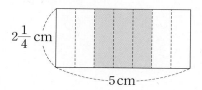

$2\frac{1}{4}$ cm

5 cm

(풀이)

(답)

05 어떤 수에 6을 곱했더니 $2\frac{1}{7}$이 되었습니다.
[07 유사] **어떤 수를 3으로 나누었을 때의 몫을** 구하려고 합니다. 풀이 과정을 쓰고, 답을 구하세요.

❶ 어떤 수 구하기

(풀이)

❷ 어떤 수를 3으로 나누었을 때의 몫 구하기

(풀이)

(답)

06 어떤 수를 5로 나누어야 할 것을 잘못하여 5
[09 유사] 를 곱했더니 $\frac{14}{3}$가 되었습니다. **바르게 계산했을 때의 몫은** 얼마인지 풀이 과정을 쓰고, 답을 구하세요.

(풀이)

(답)

07 수직선에서 0과 2 사이를 똑같이 5칸으로 나
[10 유사] 누었습니다. **■와 ▲에 알맞은 분수는** 각각 얼마인지 풀이 과정을 쓰고, 답을 구하세요.

❶ 수직선의 작은 눈금 한 칸의 크기 구하기

(풀이)

❷ ■와 ▲에 알맞은 분수 각각 구하기

(풀이)

(답) ■:   , ▲:

08 수직선에서 작은 눈금 한 칸의 크기는 같습니
[12 유사] 다. **㉮에 알맞은 분수는** 얼마인지 풀이 과정을 쓰고, 답을 구하세요.

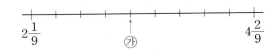

(풀이)

(답)

한 번 더 **개념 완성하기**

2. 각기둥과 각뿔

▶ 정답 45쪽

1 각기둥의 밑면을 모두 찾아 써 보세요.

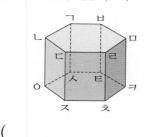

( )

2 각기둥의 높이는 몇 cm인가요?

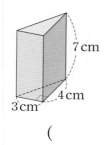

( )

3 사각기둥의 전개도를 보고 물음에 답하세요.

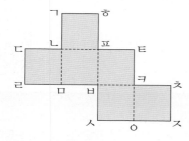

(1) 전개도를 접었을 때 선분 ㄱㅎ과 맞닿는 선분을 찾아 써 보세요.

( )

(2) 전개도를 접었을 때 면 ㄴㅁㅂㅍ과 평행한 면을 찾아 써 보세요.

( )

4 오른쪽 삼각기둥을 보고 전개도의 □ 안에 알맞은 수를 써넣으세요.

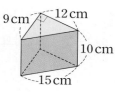

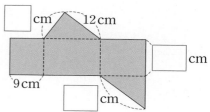

5 각뿔을 보고 물음에 답하세요.

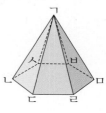

(1) 밑면을 찾아 써 보세요.

( )

(2) 옆면은 모두 몇 개인가요?

( )

6 오른쪽 팔각뿔의 면, 모서리, 꼭짓점은 각각 몇 개인가요?

면 ( )

모서리 ( )

꼭짓점 ( )

01 각기둥의 높이를 잴 수 있는 선분을 찾아 기호를 써 보세요.

02 유사

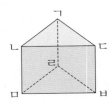

ㄱ 선분 ㄱㄴ
ㄴ 선분 ㄷㅂ
ㄷ 선분 ㅁㅂ

(   )

02 각기둥이 아닌 도형을 찾아 기호를 써 보세요.

03 유사

가   나

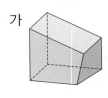

(   )

03 각기둥의 특징에 대한 설명으로 틀린 것을 찾아 기호를 쓰고, 그 이유를 써 보세요.

05 유사

서술형

> ㄱ 밑면은 2개입니다.
> ㄴ 옆면의 수는 밑면의 수와 같습니다.
> ㄷ 밑면은 서로 평행하고 합동입니다.
> ㄹ 옆면은 두 밑면과 만나는 면입니다.

답 _____

이유 _____
_____

04 오른쪽 도형이 각뿔이 아닌 이유를 써 보세요.

07 유사

서술형

이유 _____
_____

05 두 각뿔의 높이의 차는 몇 cm인가요?

08 유사

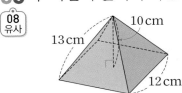

10 cm
13 cm
12 cm

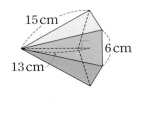

15 cm
6 cm
13 cm

(   )

06 두 입체도형을 보고 소율이의 말을 완성하세요.

10 유사

교과 역량

가   나

 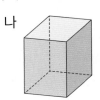

오후 2:30

두 입체도형의 공통점은 밑면의 모양이 사각형이라는 점이야.

현수

소율

두 입체도형의 차이점은
_____
_____

07 전개도를 접었을 때 면 가와 수직인 면은 모두 몇 개인가요?

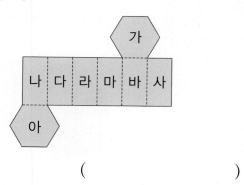

(   )

08 각기둥의 전개도가 아닌 것을 찾아 기호를 써 보세요.

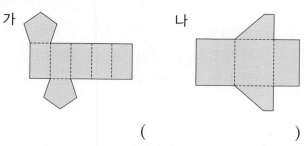

(   )

09 한 밑면이 오른쪽 그림과 같고, 높이가 3 cm인 사각기둥의 전개도를 그려 보세요.

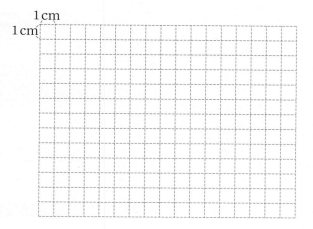

10 옳은 문장은 ◯표, 틀린 문장은 ×표 하세요.

육각기둥의 면은 8개입니다.

팔각기둥의 꼭짓점의 수는 사각기둥의 꼭짓점의 수의 2배입니다.

모서리가 15개인 각기둥은 칠각기둥입니다.

11 면이 11개인 각기둥의 꼭짓점과 모서리는 각각 몇 개인가요?

꼭짓점 (   )

모서리 (   )

12 밑면의 모양이 다음과 같은 각뿔의 이름과 꼭짓점, 면, 모서리의 수를 써 보세요.

이름	꼭짓점의 수(개)	면의 수(개)	모서리의 수(개)

13 다음에서 ㉠+㉡의 값을 구하세요.

21 유사

> • 꼭짓점이 10개인 각뿔의 면은 ㉠개입니다.
> • 모서리가 14개인 각뿔의 면은 ㉡개입니다.

( )

14 모서리는 이쑤시개를, 꼭짓점은 고무찰흙을 사용하여 각뿔을 만들려고 합니다. 오른쪽 재료로 만들 수 있는 각뿔을 모두 찾아 기호를 써 보세요.

23 유사

교과 역량

> ㉠ 오각뿔   ㉡ 칠각뿔
> ㉢ 팔각뿔   ㉣ 육각뿔

( )

15 전개도를 접었을 때 만들어지는 각기둥의 옆면과 모서리는 각각 몇 개인가요?

25 유사

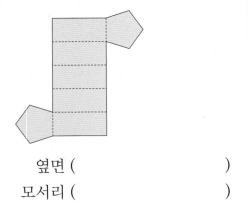

옆면 ( )

모서리 ( )

16 모든 모서리의 길이가 같은 사각기둥 모양의 큐브입니다. 이 큐브의 모든 모서리의 길이의 합이 48 cm일 때 한 모서리의 길이는 몇 cm인가요?

27 유사

•각 면을 같은 색깔로 맞추는 장난감

교과 역량

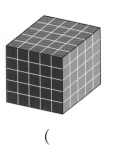

( )

17 다음 전개도를 접었을 때 만들어지는 각기둥은 조건을 모두 만족합니다. 만들어지는 각기둥의 밑면의 한 변의 길이는 몇 cm인지 풀이 과정을 쓰고, 답을 구하세요.

29 유사

서술형

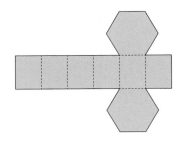

조건
> • 밑면은 정육각형입니다.
> • 모든 모서리의 길이의 합은 60 cm입니다.
> • 높이는 4 cm입니다.

풀이

답

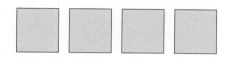 **한 번 더** **서술형 해결하기**

01 다음과 같이 서로 합동인 직사각형 모양의 색종이 4장을 옆면으로 하는 각기둥을 만들었습니다. 만든 **각기둥의 이름**은 무엇인지 풀이 과정을 쓰고, 답을 구하세요.

❶ 밑면의 모양 구하기
풀이

❷ 만든 각기둥의 이름 구하기
풀이

답

02 다음을 만족하는 **입체도형의 꼭짓점은 몇 개**인지 풀이 과정을 쓰고, 답을 구하세요.

미주

밑면은 1개이고,
옆면은 8개인
입체도형이야.

풀이

답

03 모든 면이 합동인 사각기둥과 사각기둥의 전개도입니다. **전개도의 둘레는 몇 cm**인지 풀이 과정을 쓰고, 답을 구하세요.

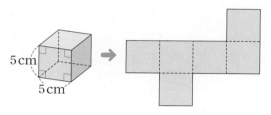
5 cm
5 cm

❶ 전개도의 각 선분의 길이 구하기
풀이

❷ 전개도의 둘레 구하기
풀이

답

04 밑면이 정칠각형인 칠각기둥의 전개도입니다. **색칠한 부분의 넓이는 몇 cm²**인지 풀이 과정을 쓰고, 답을 구하세요.

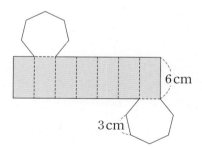
6 cm
3 cm

풀이

답

한 번 더 **개념 완성하기**

3. 소수의 나눗셈

▶ **정답** 47쪽

1 계산 결과를 찾아 선으로 이으세요.

(1) $6.48 \div 2$ · · 1.12

(2) $3.96 \div 3$ · · 1.32

(3) $4.48 \div 4$ · · 3.24

2 소수를 자연수로 나눈 몫을 구하세요.

| 3 | 9.39 |

(   )

3 우유 8.48 L를 병 4개에 똑같이 나누어 담으려고 합니다. 병 한 개에 담아야 하는 우유는 몇 L인가요?

(   )

4 $9.36 \div 2$의 몫을 2가지 방법으로 구하세요.

방법 **1** 분수의 나눗셈으로 바꾸어 계산하기

방법 **2** 자연수의 나눗셈을 이용하여 계산하기

5 몫이 1보다 작은 소수인 나눗셈식을 찾아 기호를 써 보세요.

㉠ $42.6 \div 6$
㉡ $5.67 \div 7$

(   )

6 무게가 똑같은 지우개 5개의 무게의 합은 73.5 g입니다. 지우개 한 개는 몇 g인가요?

(   )

01 조건 을 모두 만족하는 (소수)÷(자연수)를 만
02
유사 들어 보세요.

조건
• 152÷4를 이용하여 풀 수 있습니다.
• 계산한 값이 152÷4의 $\frac{1}{100}$배입니다.

식

02 □ 안에 알맞은 수를 써넣고, 3192÷7을 이용
03
유사 하여 31.92÷7을 계산하는 방법을 써 보세요.

서술형

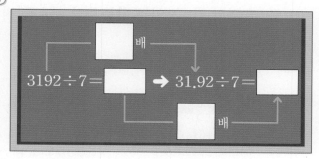

$3192 \div 7 = \square \rightarrow 31.92 \div 7 = \square$

방법

03 계산이 잘못된 부분을 찾아 ○표 하고, 바르게
05
유사 계산하세요.

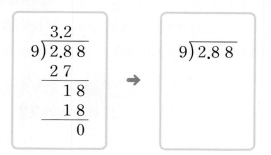

04 가장 큰 수를 가장 작은 수로 나눈 몫을 구하
08
유사 세요.

| 21.85 | 7 | 5 | 5.95 |

( )

05 나눗셈식의 몫에 알맞은 글자를 표에서 찾아
09
유사 번호 순서대로 써 보세요.

① $1.96 \div 2$ ② $18.4 \div 8$
③ $45.75 \div 25$ ④ $54.6 \div 14$

3.9	2.3	0.74	1.83	0.98	1.65
무	행	유	나	은	소

( )

06 계산을 하고, 몫이 큰 순서대로 ○ 안에 번호
11
유사 를 써넣으세요.

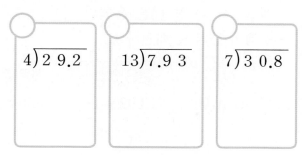

07 몫이 가장 작은 나눗셈식을 찾아 기호를 쓰려 고 합니다. 풀이 과정을 쓰고, 답을 구하세요.
_{12 유사}

[서술형]

> ㉠ 17.22÷7   ㉡ 20.97÷9
> ㉢ 30.4÷16   ㉣ 18.48÷22

풀이 _____

_____

_____

답 _____

08 굵기가 일정한 통나무가 있습니다. 이 통나무 6 m의 무게가 79.56 kg일 때 통나무 1 m의 무게는 몇 kg인가요?
_{14 유사}

(   )

09 산성 용액은 산도가 7보다 작은 용액으로 푸른색 리트머스 종이를 넣으면 붉은색으로 변합니다. 다음은 현우가 실험에 사용한 산성 용액입니다. 가장 많은 용액의 양은 가장 적은 용액의 양의 몇 배인가요?
_{15 유사}

[교과 역량]

식초	묽은 염산	레몬 즙
12 mL	13.92 mL	19.56 mL

(   )

10 무게가 똑같은 장난감 7개의 무게는 7.84 kg이 고, 무게가 똑같은 인형 6개의 무게는 5.58 kg 입니다. 장난감과 인형 중 한 개의 무게가 더 무거운 것은 어느 것인가요?
_{17 유사}

(   )

11 가와 나 회사에서 각각 새로운 자동차를 출시 하였습니다. 다음은 자동차가 주어진 연료로 갈 수 있는 거리를 나타낸 것입니다. 연료 1 L 로 더 멀리 갈 수 있는 자동차의 기호를 써 보 세요.
_{18 유사}

[교과 역량]

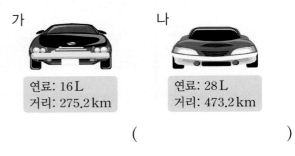

가   나

연료: 16 L   연료: 28 L
거리: 275.2 km   거리: 473.2 km

(   )

12 나눗셈식이 쓰여 있는 종이에 물감이 묻어 일 부가 보이지 않습니다. 보이지 않는 부분에 알 맞은 소수를 구하세요.
_{20 유사}

> 75.2÷   =8

(   )

13 □ 안에 알맞은 수가 잘못된 것을 찾아 기호를 써 보세요.
(21유사)

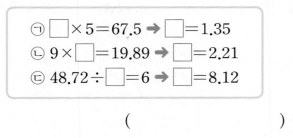

㉠ □×5=67.5 ➡ □=1.35
㉡ 9×□=19.89 ➡ □=2.21
㉢ 48.72÷□=6 ➡ □=8.12

( )

14 □ 안에 들어갈 수 있는 소수 한 자리 수를 모두 구하세요.
(23유사)

17.2÷4<□<32.9÷7

( )

15 1부터 9까지의 자연수 중 □ 안에 들어갈 수 있는 수는 모두 몇 개인가요?
(24유사)

5.13÷9<0.□

( )

16 수 카드 8 , 7 , 6 , 4 중 3장을 골라 한 번씩 모두 사용하여 소수 두 자리 수를 만들려고 합니다. 만들 수 있는 가장 큰 소수 두 자리 수를 남은 수 카드의 수로 나눈 몫을 구하세요.
(26유사)

( )

17 민철이는 길이가 5 m인 철사를 남김없이 겹치지 않게 사용하여 정삼각형과 정오각형을 각각 1개 만들었습니다. 만든 정삼각형의 한 변의 길이가 0.55 m일 때 정오각형의 한 변의 길이는 몇 m인가요?
(28유사)

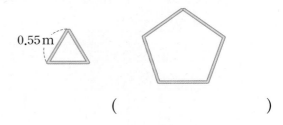

0.55 m

( )

18 각 기호에 알맞은 수가 잘못 짝 지어진 것을 찾아 ×표 하세요.
(30유사)

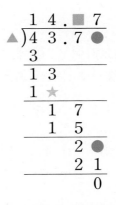

```
        1 4 . ■ 7
   ▲ ) 4 3 . 7 ●
        3
        1 3
        1 ★
        1 7
        1 5
          2 ●
          2 1
            0
```

■=5   ▲=4   ●=1   ★=2

📌교과 역량

19 일정한 빠르기로 일주일 동안 22.4분 빨라지는 시계가 있습니다. 이 시계를 오늘 오전 8시에 정확하게 맞추었다면 20일 후 오전 8시에 시계가 가리키는 시각은 오전 몇 시 몇 분인가요?
(32유사)

( )

1 사다리를 타고 내려가 도착한 빈 곳에 알맞게 몫을 써넣으세요.

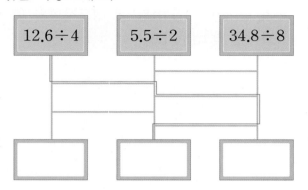

| 12.6÷4 | 5.5÷2 | 34.8÷8 |

2 크기를 비교하여 ○ 안에 >, =, <를 알맞게 써넣으세요.

(1) $35.42 \div 7$ ◯ 5

(2) $15.2 \div 5$ ◯ 4

3 색 테이프 44.1 m를 6명에게 똑같이 나누어 주었습니다. 한 명에게 준 색 테이프는 몇 m인가요?

( )

4 몫을 어림해 보고 알맞은 식을 찾아 ◯표 하세요.

(1)
$48.3 \div 3 = 161$
$48.3 \div 3 = 16.1$
$48.3 \div 3 = 1.61$
$48.3 \div 3 = 0.161$

(2)
$5.94 \div 6 = 990$
$5.94 \div 6 = 99$
$5.94 \div 6 = 9.9$
$5.94 \div 6 = 0.99$

5 계산 결과가 다른 하나를 찾아 기호를 써 보세요.

| ㉠ 9÷2 | ㉡ 36÷8 | ㉢ 17÷4 |

( )

6 귤 9 kg을 5명이 똑같이 나누어 가지려고 합니다. 한 명이 가질 수 있는 귤은 몇 kg인가요?

( )

01 두 나눗셈식의 몫의 차를 구하세요.
(02 유사)

| 38.5÷14 | 24.3÷6 |

(　　　　　　　)

02 지은이네 모둠 학생들의 엄지 길이를 잰 것입니다. 지은이네 모둠 학생들의 엄지 길이의 평균은 몇 cm인가요?
(03 유사)

이름	지은	세현	정민	윤호
엄지 길이(cm)	4.9	5.1	5	5.2

(　　　　　　　)

03 □ 안에 알맞은 소수를 구하세요.
(05 유사)

$$4 \times \square = 19$$

(　　　　　　　)

04 다음 나눗셈식의 몫은 3의 몇 배인가요?
(06 유사)

54÷8

(　　　　　　　)

05 몫을 어림하여 몫이 1보다 작은 나눗셈식을 모두 찾아 색칠하세요.
(08 유사)

| 3.36÷8 | 2.7÷2 | 3.4÷4 |

| 21.6÷16 | 17.1÷18 | 15.2÷5 |

06 상우, 하은, 진경이가 21.14÷7의 몫을 어림한 것입니다. 잘못 말한 사람의 이름을 써 보세요.
(09 유사)

[상우] 몫은 약 0.3이라고 어림할 수 있어.
[하은] 나눗셈식의 몫은 3보다 클 거야.
[진경] 나눗셈식의 몫을 21÷7로 어림할 수 있어.

(　　　　　　　)

07 활엽수는 평평하고 넓은 잎이 달리는 나무로 포플러와 참나무 등이 있습니다. 어느 식물원에 있는 포플러의 높이는 참나무의 높이의 4배라고 합니다. 포플러의 높이가 30.2 m라면 참나무의 높이는 몇 m인가요?
(11 유사) 〔교과 역량〕

포플러

참나무

(　　　　　　　)

08 양배추 4개의 무게는 2.6 kg이고, 무 6개의
[12 유사] 무게는 3.48 kg입니다. 양배추 한 개와 무 한 개 중 어느 것이 더 무거운가요? (단, 양배추와 무는 한 개의 무게가 각각 같습니다.)

(   )

09 경수가 일정한 빠르기로 운동장을 5바퀴 도는
[14 유사] 데 1시간 9분이 걸렸습니다. 운동장을 한 바퀴 도는 데 걸린 시간은 몇 분인지 소수로 나타내어 보세요.

(   )

10 바닥의 가로가 68 m, 세로가 60 m인 직사각형
[15 유사] 모양의 강당이 있습니다. 한 변의 길이가 5 m인 정사각형 모양의 장판을 겹치지 않게 사용하여 강당의 바닥을 빈틈없이 덮으려고 합니다. 바닥 전체를 덮으려면 장판은 적어도 몇 장 필요한지 풀이 과정을 쓰고, 답을 구하세요. (단, 잘라 내고 남은 장판은 사용하지 않습니다.)

[서술형]

（풀이）
_____
_____
_____
_____

（답）

11 똑같은 색연필 한 타의 무게를 재었더니 237 g
[17 유사] 이었습니다. 선화, 현규, 정수, 상원이가 색연필 한 자루의 무게를 어림한 것입니다. 가장 잘 어림한 사람은 누구일까요?

선화	현규	정수	상원
약 20 g	약 10 g	약 2.2 g	약 2 g

(   )

12 똑같은 동전 60개를 쌓아 자를 사용하여 두께
[18 유사] 를 재었더니 105 mm였습니다. 동전 한 개의 두께는 몇 mm인가요?

(   )

13 모든 모서리의 길이가 같은 사각뿔이 있습니다.
[20 유사] 모든 모서리의 길이의 합이 72.16 cm일 때 한 모서리의 길이는 몇 cm인가요?

(   )

14 （조건）을 모두 만족하는 도형의 한 모서리의 길
[21 유사] 이는 몇 m인가요?

（조건）
• 위와 아래에 있는 면이 서로 평행하고 합동인 기둥 모양의 입체도형입니다.
• 밑면의 모양은 오각형입니다.
• 모든 모서리의 길이가 같습니다.
• 모든 모서리의 길이의 합은 18 m입니다.

(   )

15 직사각형을 12등분한 것입니다. 색칠한 부분의 넓이는 몇 cm²인가요?

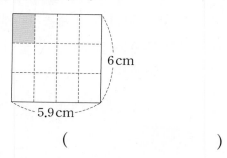

6 cm

5.9 cm

(   )

16 3과 9 사이를 8등분하였습니다. 화살표(↑)가 가리키는 곳의 수를 소수로 나타내어 보세요.

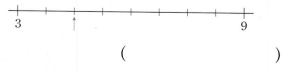

3   9

(   )

17 어떤 수를 6으로 나누어야 할 것을 잘못하여 6을 곱했더니 181.8이 되었습니다. 바르게 계산했을 때의 몫은 얼마인지 풀이 과정을 쓰고, 답을 구하세요.

[서술형]

풀이

답

18 나눗셈식에서 같은 기호는 같은 수를 나타냅니다. 나눗셈식 중 기호에 알맞은 수를 구할 수 없는 것에 ×표 하세요. (단, ㉠, ㉡, ㉢, ㉣, ㉤, ㉥은 한 자리 수입니다.)

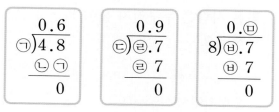

19 길이가 108 m인 똑바른 길의 한쪽에 같은 간격으로 가로수를 17그루 심으려고 합니다. 길의 처음과 끝에 모두 가로수를 심는다면 15번째 가로수는 1번째 가로수로부터 몇 m 떨어진 곳에 심어야 하나요? (단, 가로수의 두께는 생각하지 않습니다.)

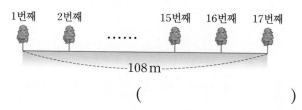

1번째   2번째   15번째   16번째   17번째

108 m

(   )

20 해미와 소희가 각자 가지고 있는 공에 적힌 수를 한 번씩 사용하여 두 자리 수를 만들었습니다. 만든 두 수를 이용하여 다음과 같이 나눗셈식을 만들 때 몫이 가장 작을 때의 몫을 구하세요.

해미: 3 , 1   소희: 2 , 5

(해미가 만든 수)÷(소희가 만든 수)

(   )

01 다음은 주연이와 민성이가 물감을 칠한 도화지의 넓이와 사용한 물감의 양입니다. **1 cm²의 도화지를 칠하는 데 사용한 물감의 양이 더 많은 사람은 누구**인지 풀이 과정을 쓰고, 답을 구하세요.

(01 유사)

이름	주연	민성
도화지의 넓이(cm²)	35	46
물감의 양(mL)	63	69

❶ 1 cm²의 도화지를 칠하는 데 사용한 물감의 양 각각 구하기

풀이

❷ 1 cm²의 도화지를 칠하는 데 사용한 물감의 양이 더 많은 사람의 이름 쓰기

풀이

답

02 다음과 같은 삼각형 모양의 벽을 칠하는 데 페인트 90 L를 사용하였습니다. **1 m²의 벽을 칠하는 데 사용한 페인트는 몇 L**인지 풀이 과정을 쓰고, 답을 구하세요.

(03 유사)

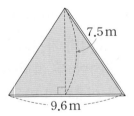
7.5 m
9.6 m

풀이

답

03 똑같은 구슬 8개가 들어 있는 바구니의 무게와 빈 바구니의 무게를 잰 것입니다. **구슬 한 개의 무게는 몇 kg**인지 풀이 과정을 쓰고, 답을 구하세요.

(04 유사)

1.19 kg   1.19 kg   0.15 kg   0.15 kg

❶ 구슬 8개의 무게 구하기

풀이

❷ 구슬 한 개의 무게 구하기

풀이

답

04 감 10개가 들어 있는 바구니의 무게와 이 바구니에서 감 6개를 빼냈을 때의 무게를 재었더니 다음과 같았습니다. **감 한 개의 무게는 몇 kg**인지 풀이 과정을 쓰고, 답을 구하세요. (단, 감 한 개의 무게는 모두 같습니다.)

(06 유사)

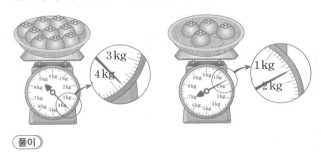

풀이

답

05 정사각형 모양 타일의 둘레가 77.2 cm일 때
(07 유사) **타일의 넓이는 몇 cm²인지** 풀이 과정을 쓰고,
답을 구하세요.

❶ 타일의 한 변의 길이 구하기

(풀이)

❷ 타일의 넓이 구하기

(풀이)

(답) _____

06 직사각형 가와 정사각형 나의 둘레가 같을 때
(09 유사) **정사각형 나의 넓이는 몇 cm²인지** 풀이 과정
을 쓰고, 답을 구하세요.

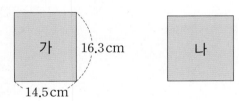

(풀이)

(답) _____

07 ㉮에서 ㉯까지의 길이가 8.45 cm일 때 ■에 알
(10 유사) **맞은 길이는 몇 cm인지** 풀이 과정을 쓰고, 답
을 구하세요. (단, ■의 길이는 모두 같습니다.)

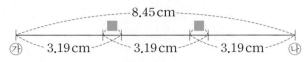

❶ 겹쳐진 부분의 길이의 합 구하기

(풀이)

❷ ■에 알맞은 길이 구하기

(풀이)

(답) _____

08 그림과 같이 길이가 9 cm인 색 테이프 9장과
(12 유사) 길이가 11 cm인 색 테이프 9장을 겹쳐진 부
분의 길이가 일정하도록 번갈아 가며 이어 붙
였습니다. 이어 붙인 색 테이프의 전체 길이가
164.7 cm일 때 **색 테이프를 몇 cm씩 겹쳐서**
이어 붙인 것인지 풀이 과정을 쓰고, 답을 구
하세요.

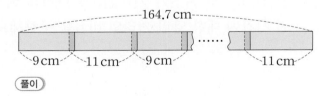

(풀이)

(답) _____

3. 소수의 나눗셈 ● 23

1 전체에 대한 색칠한 부분의 비가 5 : 8이 되도록 색칠해 보세요.

2 진성이네 반의 남학생은 15명, 여학생은 6명입니다. 남학생 수와 여학생 수를 2가지 방법으로 비교해 보세요.

방법 1 뺄셈으로 비교하기

방법 2 나눗셈으로 비교하기

3 어느 버스가 210 km를 달리는 데 3시간이 걸렸습니다. 이 버스가 210 km를 달리는 데 걸린 시간에 대한 달린 거리의 비율을 구하세요.

( )

4 민지가 살고 있는 지역의 넓이는 16 km²이고, 인구는 288000명입니다. 민지가 살고 있는 지역의 넓이에 대한 인구의 비율을 구하세요.

( )

5 소희는 물에 매실 원액 320 mL를 넣어 매실 주스 800 mL를 만들었습니다. 소희가 만든 매실 주스 양에 대한 매실 원액 양의 비율을 구하세요.

( )

6 어느 가게에서 원래 가격이 20000원인 티셔츠를 3000원 할인하여 판다고 합니다. 티셔츠의 할인율은 몇 %인지 구하세요.

( )

7 철민이는 농구공을 골대에 40번 던져 26번 넣었습니다. 철민이의 골 성공률은 몇 %인지 구하세요.

( )

8 경석이는 '용액의 진하기 실험'을 하기 위해 소금 110 g을 녹여 소금물 500 g을 만들었습니다. 만든 소금물에서 소금물 양에 대한 소금 양의 비율은 몇 %인지 구하세요.

( )

01 현수와 민아가 두 수를 비교한 것입니다. 표를 완성하고, ☐ 안에 알맞은 수를 써넣으세요.

한 접시에 귤은 2개씩, 감은 6개씩 놓았더니 감 수는 항상 귤 수의 ☐ 배야.

현수

접시 수	1	2	3	4
귤 수(개)	2	4	6	
감 수(개)	6			

올해 나는 13살, 오빠는 16살이야. 나는 오빠보다 항상 ☐ 살이 적어.

민아

	올해	1년 후	2년 후	3년 후
내 나이(살)	13	14	15	
오빠 나이(살)	16			

02 **01**에서 현수가 비교한 경우와 민아가 비교한 경우는 어떤 차이가 있는지 써 보세요. [서술형]

차이점 _____

_____

03 보기 와 같이 주변에서 비가 사용되는 경우를 찾아 써 보세요.

보기

액자의 가로와 세로의 비는 17 : 8입니다.

(   )

04 15 : 19와 19 : 15가 같은지, 다른지 쓰고, 그 이유를 써 보세요. [서술형]

답 _____

이유 _____

_____

05 넓이가 800 cm²인 모눈종이입니다. 모눈종이에 600 cm²만큼 색칠하고, 모눈종이의 넓이에 대한 색칠한 부분의 넓이의 비율을 백분율로 나타내어 보세요.

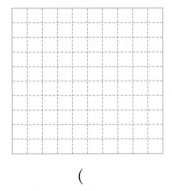

(   )

06 비율이 가장 큰 것을 찾아 기호를 써 보세요.

㉠ 8 : 25	㉡ $\dfrac{17}{50}$
㉢ 0.3	㉣ 35 %

(   )

07 비율이 가장 작은 비를 찾아 기호를 써 보세요.
유사 12

> ㉠ 3의 4에 대한 비
> ㉡ 10에 대한 7의 비
> ㉢ 13과 20의 비

(   )

08 지도에서 실제 거리(cm)에 대한 지도에서의
유사 14 거리(cm)의 비율을 축척이라고 합니다. 실제 거리 20 m를 지도에서 4 cm로 나타내었을 때 이 지도의 축척을 분수로 나타내어 보세요.

(   )

09 영수와 진아가 자전거를 타고 달렸습니다. 영
유사 15 수는 400 m를 달리는 데 25초가 걸렸고, 진아는 540 m를 달리는 데 30초가 걸렸습니다. 영수와 진아의 걸린 시간에 대한 달린 거리의 비율을 각각 구하세요.

영수 (   )

진아 (   )

10 연료(L)의 양에 대한 주행 거리(km)의 비율
유사 17 을 연비라고 합니다. 가와 나 자동차 중 연비가 더 높은 자동차의 기호를 써 보세요.

자동차	가	나
연료(L)	12	15
주행 거리(km)	204	270

(   )

11 경석이는 흰색 물감 150 mL에 검은색 물감
유사 18 480 mL를 섞어 회색 물감을 만들고, 하은이는 흰색 물감 200 mL에 검은색 물감 700 mL를 섞어 회색 물감을 만들었습니다. 누가 만든 회색 물감이 더 진한가요? (단, 회색 물감의 진하기는 흰색 물감 양에 대한 검은색 물감 양의 비율을 비교합니다.)

(   )

12 어느 가게에서 정가가 25000원인 시계를 할인
유사 20 하여 20000원에 팔고 있습니다. 시계의 할인율은 몇 %인가요?

(   )

13 지민이네 학교 회장 선거에서 600명이 투표에 참여하였습니다. 무효표는 몇 %인가요?

유사 21

후보	가	나	무효표
득표수(표)	378	198	

(   )

14 스승의 날 행사에 대한 만족도를 조사한 결과입니다. 은수네 반과 미연이네 반 중 만족도가 더 높은 반은 누구네 반인가요?

유사 23

반	은수네 반	미연이네 반
전체 학생 수(명)	20	24
만족한 학생 수(명)	14	18

(   )

15 희주는 물 140 g과 소금 60 g을 섞어 소금물을 만들었고, 정민이는 물 180 g과 소금 70 g을 섞어 소금물을 만들었습니다. 희주와 정민이 중 누가 만든 소금물이 더 진한가요? (단, 소금물의 진하기는 소금물 양에 대한 소금 양의 백분율을 비교합니다.)

유사 24

(   )

16 준현이네 반 학급문고에는 책이 400권 있습니다. 그중에서 과학책은 60권, 역사책은 112권, 소설책은 96권이고, 나머지는 모두 위인전입니다. 위인전 수는 전체 책 수의 몇 %인가요?

유사 26

(   )

17 교통 카드를 이용하면 현금으로 낼 때의 요금보다 할인된 요금으로 버스를 이용할 수 있습니다. 교통 카드를 이용할 때 일반 요금과 청소년 요금은 현금으로 낼 때의 요금에 비해 각각 몇 % 할인받는지 차례로 써 보세요. (단, 백분율은 반올림하여 자연수로 나타냅니다.)

유사 28

교과 역량

버스 요금표

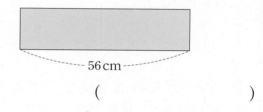

구분	교통 카드 (CARD)	현금 (CASH)
일반	1250원	1400원
청소년	850원	1000원

(,   )

18 세로에 대한 가로의 비율이 4인 직사각형입니다. 직사각형의 가로가 56 cm일 때 넓이는 몇 cm²인가요?

유사 30

┌──────────────┐
│   │
└──────────────┘
　　─ 56 cm ─

(   )

19 가로가 30 cm, 세로가 25 cm인 직사각형 모양의 사진을 확대하려고 합니다. 처음 변의 길이에 대한 확대한 변의 길이의 비율이 120 %가 되도록 확대할 때 확대한 사진의 둘레는 몇 cm인지 풀이 과정을 쓰고, 답을 구하세요.

유사 32

서술형

풀이

답

4. 비와 비율 ○ 27

4 단원

한번더 **서술형 해결하기**

4. 비와 비율

▶ **정답** 52쪽

01 연수네 학교에서 수학여행을 갔습니다. 다음
〔01〕 은 연수네 모둠과 진주네 모둠의 방의 정원
유사 에 대한 잠을 잔 사람 수의 비입니다. **방의 정**
원에 대한 잠을 잔 사람 수의 비율을 각각 구
하고, 두 비율을 비교하여 알 수 있는 점을 써
보세요.

모둠	방의 정원에 대한 잠을 잔 사람 수의 비
연수네 모둠	4 : 5
진주네 모둠	6 : 8

❶ 방의 정원에 대한 잠을 잔 사람 수의 비율 각각 구하기

〔풀이〕

❷ 두 비율을 비교하여 알 수 있는 점 쓰기

〔알 수 있는 점〕

02 진영이네 반과 상호네 반 학생들이 체험 활동
〔03〕 을 다녀온 후 체험 활동 장소에 대한 만족도를
유사 조사하였습니다. **반 전체 학생 수에 대한 만족**
하는 학생 수의 비율을 각각 구하고, 두 비율
을 비교하여 알 수 있는 점을 써 보세요.

반	진영이네 반	상호네 반
전체 학생 수(명)	25	20
만족하는 학생 수(명)	14	12

〔풀이〕

〔알 수 있는 점〕

03 두 마름모의 긴 대각선에 대한 짧은 대각선의
〔04〕 길이의 비율은 서로 같습니다. **마름모 나의 짧**
유사 **은 대각선의 길이는 몇 cm**인지 풀이 과정을
쓰고, 답을 구하세요.

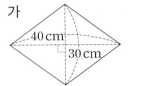

가   나

❶ 마름모 가의 긴 대각선에 대한 짧은 대각선의 길이의
비율 구하기

〔풀이〕

❷ 마름모 나의 짧은 대각선의 길이 구하기

〔풀이〕

〔답〕

04 같은 시각에 물체의 길이와 그림자 길이의 비
〔06〕 율은 일정합니다. 같은 시각에 키와 그림자 길
유사 이를 잰 것입니다. **현수의 그림자 길이는 몇**
cm인지 풀이 과정을 쓰고, 답을 구하세요.

	키(cm)	그림자 길이(cm)
장호	150	50
현수	144	

〔풀이〕

〔답〕

1 어느 해 도별 사과 수확량을 조사하여 나타낸 그림그래프입니다. 충청도와 경상도의 사과 수확량의 차는 몇 t인가요?

도별 사과 수확량

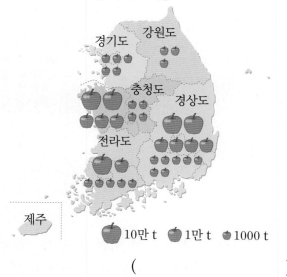

🍎10만 t 🍎1만 t 🍎1000 t

(   )

2 지역별 가구 수를 나타낸 표입니다. 가구 수를 반올림하여 백의 자리까지 나타내고, 반올림한 값을 보고 그림그래프로 나타내어 보세요.

지역별 가구 수

지역	가	나	다	라
가구 수(가구)	3764	4219	2480	3307
반올림한 값 (가구)	3800			

지역별 가구 수

지역	가구 수
가 지역	
나 지역	
다 지역	
라 지역	

🏠1000가구 🏠100가구

[3~5] 현석이네 학교 6학년 학생들이 좋아하는 운동을 조사하여 나타낸 표입니다. 물음에 답하세요.

좋아하는 운동별 학생 수

운동	축구	야구	배드민턴	줄넘기	기타	합계
학생 수 (명)	32	40	48	16	24	160

3 현석이네 학교 전체 학생 수에 대한 각 운동별 학생 수의 백분율을 구하여 표를 완성하세요.

좋아하는 운동별 학생 수

운동	축구	야구	배드민턴	줄넘기	기타	합계
백분율(%)						

4 **3**의 표를 보고 띠그래프를 완성하세요.

좋아하는 운동별 학생 수

0 10 20 30 40 50 60 70 80 90 100(%)

축구 (20%)	

5 위의 표와 **4**의 띠그래프 중 전체에 대한 각 항목이 차지하는 비율을 쉽게 비교할 수 있는 것은 무엇인가요?

(   )

01 도별 포도 수확량을 그림그래프로 나타내고, 그래프를 보고 알 수 있는 내용을 써 보세요. [서술형] ⓞ2 유사

지난해 포도 수확량은 경기도 3만 t, 강원도 2만 t, 충청북도 23만 t, 충청남도 8만 t, 경상북도 21만 t, 경상남도 5만 t, 전라북도 3만 t, 전라남도 1만 t이었습니다.

도별 포도 수확량

🍇 10만 t
🍇 1만 t

알 수 있는 내용

02 어느 아파트 단지의 동별 재활용품 배출량을 조사하여 나타낸 띠그래프입니다. 가 동과 라 동의 재활용품 배출량의 합은 다 동의 재활용품 배출량의 몇 배인가요? ⓞ4 유사

동별 재활용품 배출량

0 10 20 30 40 50 60 70 80 90 100(%)

가 동 (29%)	나 동 (12%)	다 동 (22%)	라 동 (37%)

(   )

03 진호네 학교 6학년 학생들이 가고 싶은 소풍 장소를 조사하여 나타낸 띠그래프입니다. 조사한 학생 수가 모두 500명일 때 가장 많은 학생이 가고 싶은 소풍 장소의 학생 수는 몇 명인가요? ⓞ6 유사

소풍 장소별 학생 수

0 10 20 30 40 50 60 70 80 90 100(%)

놀이공원 (32%)	박물관 (30%)	고궁 (12%)	유적지 (26%)

(   )

04 권역별 야구 동호회 회원 수를 조사하여 나타낸 그림그래프입니다. 야구 동호회 회원 수의 합이 32만 명일 때 대구·부산·울산·경상의 회원 수는 몇 명인가요? ⓞ8 유사

권역별 야구 동호회 회원 수

👤 10만 명
👤 1만 명

(   )

05 신문 기사를 보고 ㉠, ㉡에 알맞은 수를 각각 구하고, 띠그래프로 나타내어 보세요.

교과 역량

10 유사

동아 마을 신문

마을 주민 1000명을 대상으로 다가올 설 때 진행할 행사에 관한 선호도 조사를 하였습니다.
그 결과 윷놀이 400명(40%), 떡 만들기 100명(10%), 탈춤 공연 200명(㉠%), 새해 소망 적기 ㉡명(25%), 기타 50명(5%)로 조사되었습니다.

㉠ = □ , ㉡ = □

선호하는 행사별 사람 수

0 10 20 30 40 50 60 70 80 90 100(%)

06 어느 문화센터의 회원 400명이 수강하는 강좌를 조사하여 나타낸 표와 띠그래프입니다. 표와 띠그래프를 완성하세요.

12 유사

강좌별 회원 수

강좌	요리	노래	공예	기타	합계
회원 수(명)	160	140			
백분율(%)			15	10	

강좌별 회원 수

0 10 20 30 40 50 60 70 80 90 100(%)

공예 (15%) 기타 (10%)

07 해영이네 학교 6학년 학생들이 좋아하는 반찬을 조사하여 나타낸 띠그래프입니다. 불고기를 좋아하는 학생이 80명일 때 김치를 좋아하는 학생은 몇 명인지 풀이 과정을 쓰고, 답을 구하세요.

서술형

14 유사

좋아하는 반찬별 학생 수

0 10 20 30 40 50 60 70 80 90 100(%)

| 불고기 (32%) | 소시지 (20%) | 김치 | 햄 (24%) | | 기타 (8%) |

풀이

답

08 어느 조사 기관에서 250명을 대상으로 지난 일주일 동안 TV 시청 시간을 조사하여 나타낸 띠그래프입니다. TV 시청 시간이 5시간 미만인 사람은 몇 명인가요?

16 유사

TV 시청 시간별 사람 수

0 10 20 30 40 50 60 70 80 90 100(%)

| 1시간 미만 (26%) | 1시간 이상 5시간 미만 (28%) | 5시간 이상 10시간 미만 (34%) | | 10시간 이상 (12%) |

(   )

5 단원

[1~3] 선우네 학교 6학년 학생들의 혈액형을 조사하여 나타낸 표입니다. 물음에 답하세요.

혈액형별 학생 수

혈액형	A형	B형	O형	AB형	합계
학생 수(명)	32	20	16	12	80

1 전체 학생 수에 대한 혈액형별 학생 수의 백분율을 구하여 표를 완성하세요.

혈액형별 학생 수

혈액형	A형	B형	O형	AB형	합계
백분율(%)	40	25			

2 1의 표를 보고 원그래프를 완성하세요.

혈액형별 학생 수

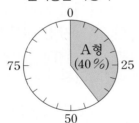

3 2의 원그래프에서 가장 많은 비율을 차지하는 혈액형은 무엇인가요?

( )

[4~7] 2017년과 2018년의 어느 식물원에 있는 나무를 조사하여 나타낸 띠그래프입니다. 물음에 답하세요.

종류별 나무 수

0 10 20 30 40 50 60 70 80 90 100(%)

2017년

참나무 (12%)	소나무 (37%)	자작나무 (15%)	은행나무 (36%)

2018년

참나무 (22%)	소나무 (19%)	자작나무 (30%)	은행나무 (29%)

4 2017년 은행나무 수는 참나무 수의 몇 배인가요?

( )

5 2017년 식물원에 있는 참나무가 60그루라면 은행나무는 몇 그루인가요?

( )

6 2017년에 비해 2018년에 비율이 줄어든 나무를 모두 써 보세요.

( )

7 2018년 자작나무 수의 비율은 2017년 자작나무 수의 비율의 몇 배인가요?

( )

STEP 2 한 번 더 **실력 다지기**

5. 여러 가지 그래프

정답 54쪽

01 어느 마을의 학교별 학생 수를 나타낸 원그래프입니다. 원그래프를 보고 알 수 있는 내용을 2가지 써 보세요. [서술형]

02 유사

마을의 학교별 학생 수

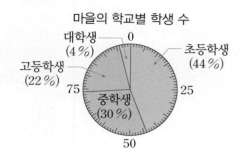

알 수 있는 내용

02 미애네 학교 6학년 학생 200명이 좋아하는 민속놀이를 조사하여 나타낸 원그래프입니다. 제기차기를 좋아하는 학생은 씨름을 좋아하는 학생보다 몇 명 더 많나요?

04 유사

좋아하는 민속놀이별 학생 수

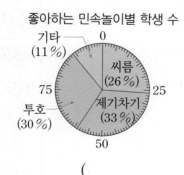

( )

03 표를 보고 그래프로 나타내려고 합니다. 항목별 학생 수의 비율을 비교할 때 가장 적당한 그래프를 찾아 쓰고, 그 이유를 써 보세요. [서술형]

06 유사

좋아하는 문화재별 학생 수

문화재	첨성대	석굴암	종묘	기타	합계
학생 수(명)	6	7	5	2	20
백분율(%)	30	35	25	10	100

그림그래프   원그래프   꺾은선그래프

그래프

이유

04 신문 기사를 읽고 백분율을 구하여 ☐ 안에 써넣고, 기사의 내용을 원그래프로 나타내어 보세요. [교과 역량]

08 유사

지구 온난화를 막아라!

수아네 학교 학생 350명을 대상으로 지구 온난화를 막기 위해 각자 실천하고 있는 활동을 조사하였더니 쓰레기 줄이기 140명(40 %), 전기 절약하기 105명 (☐ %), 나무 심기 70명(20 %), 물 아껴 쓰기 35명 (☐ %)이었습니다.

활동별 학생 수

05 하은이네 학교 6학년 학생들이 생일 때 받고 싶은 선물을 조사하여 나타낸 원그래프입니다. 책과 신발의 비율이 같을 때 원그래프를 보고 띠그래프로 나타내어 보세요.
(10 유사)

받고 싶은 선물별 학생 수

기타 (5 %)
게임기 (20 %)
책
신발
휴대 전화 (45 %)

받고 싶은 선물별 학생 수

0 10 20 30 40 50 60 70 80 90 100(%)

06 어느 지역의 가구별 자녀 수를 조사하여 나타낸 원그래프입니다. 원그래프를 보고 알 수 있는 사실을 넣어서 기사문을 써 보세요.
(12 유사)

[서술형] [교과 역량]

가구별 자녀 수

2010년
3명 이상 (15.8 %)
0명 (23.4 %)
1명 (35.2 %)
2명 (25.6 %)

2015년
3명 이상 (4.6 %)
2명 (24.2 %)
0명 (35.7 %)
1명 (35.5 %)

2010년과 2015년의 가구별 자녀 수를 조사하였습니다. 그 결과

07 상자 안에 들어 있는 공의 색깔을 조사하여 나타낸 띠그래프입니다. 빨간색과 파란색 공 수의 합이 100개일 때 상자 안에 들어 있는 공은 모두 몇 개인가요?
(14 유사)

색깔별 공 수

0 10 20 30 40 50 60 70 80 90 100(%)

| 노란색 (26 %) | | | 초록색 (30 %) | 보라색 (19 %) |

빨간색(12 %)   파란색(13 %)

(   )

08 마을별 마을 청소에 참여한 사람 수를 조사하여 나타낸 그림그래프입니다. 그림그래프를 보고 원그래프로 나타내어 보세요.
(16 유사)

마을별 마을 청소에 참여한 사람 수

마을	가 마을	나 마을	다 마을	라 마을
사람 수	😊😊	😊	😊😊	😊😊

😊10명 😊5명 😊1명

마을별 마을 청소에 참여한 사람 수

1 오른쪽 직육면체의 각 면의 넓이를 구하여 표를 완성하고, 주어진 방법으로 직육면체의 겉넓이를 구하세요.

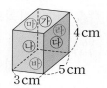

면	㉮	㉯	㉰
넓이(cm²)			
면	㉱	㉲	㉳
넓이(cm²)			

방법 1 여섯 면의 넓이의 합으로 구하기

방법 2 세 쌍의 면이 합동인 성질을 이용하여 구하기

방법 3 두 밑면과 옆면의 넓이의 합으로 구하기

2 희정이는 찰흙으로 가로, 세로, 높이가 각각 5 cm, 5 cm, 8 cm인 직육면체를 만들었습니다. 만든 직육면체의 겉넓이는 몇 cm²인가요?

( )

3 미희는 한 모서리의 길이가 11 cm인 정육면체 모양의 주사위를 만들었습니다. 만든 주사위의 겉넓이는 몇 cm²인가요?

( )

4 전개도를 접었을 때 만들어지는 직육면체의 겉넓이는 몇 cm²인가요?

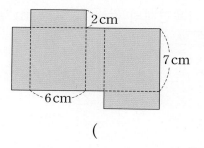

( )

5 전개도를 접었을 때 만들어지는 정육면체의 겉넓이는 몇 cm²인가요?

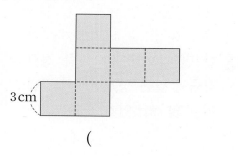

( )

01 정민이와 하은이는 각각 직육면체 모양의 상
02
유사 자를 만들었습니다. 두 사람이 만든 상자의 겉
넓이의 차는 몇 cm²인가요?

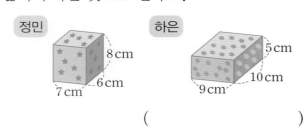

정민   하은

(   )

교과 역량

04 한 모서리의 길이가 12 cm인 정육면체 모양
06
유사 의 두부를 똑같이 2조각으로 자를 때 두부 2조
각의 겉넓이의 합은 처음 두부의 겉넓이보다
288 cm² 늘어납니다. 두부를 똑같이 4조각으
로 자를 때 두부 4조각의 겉넓이의 합은 처음
두부의 겉넓이보다 몇 cm² 늘어나나요?

처음 두부	2조각으로 잘랐을 때	4조각으로 잘랐을 때
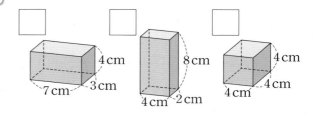		

(   )

02 직육면체에서 색칠한 면의 넓이가 15 cm²일
03
유사 때 직육면체의 겉넓이는 몇 cm²인지 풀이 과
정을 쓰고, 답을 구하세요.

서술형

9cm
5cm

풀이

답

05 겉넓이가 넓은 것부터 차례로 ☐ 안에 번호를
08
유사 써넣으세요.

☐   ☐   ☐

4cm
7cm 3cm   8cm   4cm
4cm 2cm   4cm 4cm

06 겉넓이가 더 넓은 것의 기호를 써 보세요.
09
유사

㉠ 가로, 세로, 높이가 각각 3 cm, 11 cm,
4 cm인 직육면체
㉡ 한 모서리의 길이가 5 cm인 정육면체

03 한 면의 모양이 오른쪽 정사
05
유사 각형과 같은 정육면체의 겉넓
이는 몇 cm²인가요?

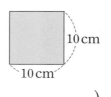

10cm
10cm

(   )

(   )

07 직사각형 모양의 종이에 정육면체의 전개도를
〔11〕 그린 것입니다. 전개도를 잘라 접었을 때 만들
유사 어지는 정육면체의 겉넓이는 몇 cm²인가요?

교과 역량

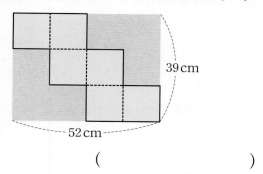

( )

08 겉넓이가 236 cm²인 직육면체입니다. □ 안
〔13〕 에 알맞은 수를 구하세요.
유사

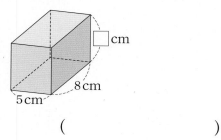

( )

09 다음 직육면체와 겉넓이가 같은 정육면체의 한
〔14〕 모서리의 길이는 몇 cm인지 풀이 과정을 쓰
유사 고, 답을 구하세요.

서술형

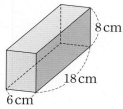

풀이

답

10 전개도를 접어서 만들 수 있는 정육면체의 겉
〔16〕 넓이는 384 cm²입니다. ㉠에 알맞은 수를 구
유사 하세요.

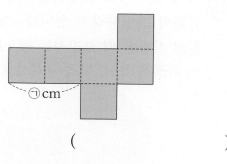

( )

11 대화를 보고 선미가 만들려는 카스텔라의 겉
〔18〕 넓이는 규호가 만든 카스텔라의 겉넓이의 몇
유사 배인지 구하세요.

교과 역량

[규호] 가로, 세로, 높이가 각각 4 cm, 3 cm,
3 cm인 직육면체 모양의 카스텔라를
만들었어.
[선미] 난 네가 만든 카스텔라의 모든 모서리
의 길이를 각각 3배로 늘인 카스텔라를
만들 거야.

( )

12 입체도형의 겉넓이는 몇 cm²인가요?
〔20〕
유사

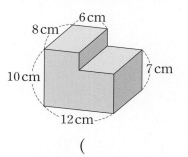

( )

6
단원

01 그림과 같이 똑같은 상자 3개를 면끼리 꼭맞게 붙여서 놓고 포장지를 사용하여 겉면을 빈틈없이 포장하려고 합니다. **포장지를 겹치지 않고 사용할 때 포장지는 몇 cm² 필요**한지 풀이 과정을 쓰고, 답을 구하세요.

01 유사

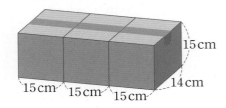

15 cm
15 cm 15 cm 15 cm 14 cm

❶ 상자 3개를 면끼리 꼭맞게 붙였을 때 가로, 세로, 높이 각각 구하기

풀이

❷ 필요한 포장지의 넓이 구하기

풀이

답

02 그림과 같이 한 모서리의 길이가 10 cm인 정육면체 4개를 면끼리 꼭맞게 이어 붙여서 새로운 직육면체를 만들었습니다. **새로 만든 직육면체의 겉넓이는 몇 cm²**인지 풀이 과정을 쓰고, 답을 구하세요.

03 유사

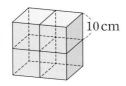

10 cm

풀이

답

03 직육면체의 부피는 9 m³입니다. **■에 알맞은 수는 얼마**인지 풀이 과정을 쓰고, 답을 구하세요.

04 유사

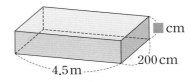

■ cm
4.5 m 200 cm

❶ 길이와 부피의 단위를 한 가지로 나타내기

풀이

❷ ■에 알맞은 수 구하기

풀이

답

04 직육면체에서 밑면은 정사각형이고, 높이는 2 m입니다. 부피가 32000000 cm³일 때 **밑면의 한 변의 길이는 몇 m**인지 풀이 과정을 쓰고, 답을 구하세요.

06 유사

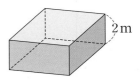

2 m

풀이

답

05 전개도를 접었을 때 만들어지는 **정육면체의 부피는 몇 cm³**인지 풀이 과정을 쓰고, 답을 구하세요.
(07 유사)

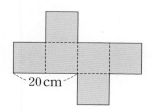

❶ 만들어지는 정육면체의 한 모서리의 길이 구하기
(풀이)

❷ 만들어지는 정육면체의 부피 구하기
(풀이)

(답)

06 전개도의 둘레는 48 cm입니다. 전개도를 접었을 때 만들어지는 **직육면체의 부피는 몇 cm³**인지 풀이 과정을 쓰고, 답을 구하세요.
(09 유사)

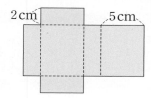

(풀이)

(답)

07 정육면체에서 빗금 친 면의 넓이는 121 cm²입니다. **정육면체의 부피는 몇 cm³**인지 풀이 과정을 쓰고, 답을 구하세요.
(10 유사)

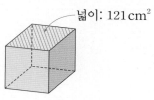

넓이: 121 cm²

❶ 정육면체의 한 모서리의 길이 구하기
(풀이)

❷ 정육면체의 부피 구하기
(풀이)

(답)

08 직육면체의 겉넓이는 222 cm²입니다. **직육면체의 부피는 몇 cm³**인지 풀이 과정을 쓰고, 답을 구하세요.
(12 유사)

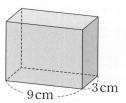

(풀이)

(답)

01 $1 \div 5$를 색칠하고, 몫을 분수로 나타내어 보세요.

0   1

(   )

02 경아가 $5 \div 4$의 몫을 분수로 나타낸 과정입니다. □ 안에 알맞은 수를 써넣으세요.

$1 \div 4 = \dfrac{\square}{\square}$ 이다.

$5 \div 4$는 $\dfrac{1}{4}$이 $\square$ 개이다.

따라서 $5 \div 4 = \dfrac{\square}{\square} = \square \dfrac{\square}{\square}$ 이다.

03 □ 안에 알맞은 수를 써넣으세요.

$$\dfrac{6}{7} \div 2 = \dfrac{6 \div \square}{7} = \dfrac{\square}{\square}$$

04 나눗셈의 몫을 분수로 나타내어 보세요.

$$8 \div 11$$

(   )

05 계산하세요.

$$\dfrac{7}{10} \div 8 =$$

06 진아의 문자를 보고 답장을 써 보세요.

오후 2:30

진아: 친구야 나 좀 도와줘.
분수의 나눗셈 계산을 자꾸만 틀려.
$\dfrac{7}{9} \div 3 = \dfrac{7}{9 \div 3} = \dfrac{7}{3}$ 이니까 답은 $2\dfrac{1}{3}$ 이지 않아?

나

07 □ 안에 알맞은 분수를 써넣으세요.

$$\dfrac{15}{2} \rightarrow \boxed{\div 9} \rightarrow \square$$

08 나눗셈의 몫을 찾아 선으로 이으세요.

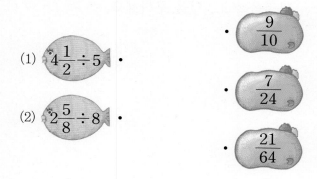

(1) $4\frac{1}{2} \div 5$ ·

(2) $2\frac{5}{8} \div 8$ ·

· $\frac{9}{10}$

· $\frac{7}{24}$

· $\frac{21}{64}$

09 몫의 크기를 비교하여 ○ 안에 >, =, <를 알맞게 써넣으세요.

$$\frac{7}{9} \div 2 \bigcirc \frac{5}{3} \div 6$$

10 □ 안에 들어갈 수 있는 자연수 중에서 가장 큰 수를 구하세요.

$$5\frac{3}{4} \div 2 > \square$$

( )

11 페인트 9통으로 벽면 $5\frac{1}{7}$ m²를 칠했습니다. 페인트 한 통으로 칠한 벽면의 넓이는 몇 m² 인가요?

식

답

12 해주네 모둠은 텃밭을 가꾸기로 했습니다. 감자를 심을 텃밭의 넓이는 몇 m²인가요?

우리 모둠의 텃밭은 19 m²야. 상추, 오이, 감자, 고구마를 똑같은 넓이로 심기로 했어.

해주

( )

13 평행사변형의 넓이가 $6\frac{1}{9}$ cm²이고, 밑변의 길이가 3 cm일 때 높이는 몇 cm인가요?

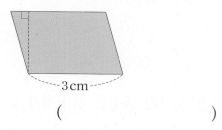

3 cm

( )

14 물 1 L와 물 3 L를 크기와 모양이 같은 병에 똑같이 나누어 담으려고 합니다. 물 1 L를 병 2개에, 물 3 L를 병 5개에 똑같이 나누어 담을 때 병 가와 병 나 중 물이 더 많은 것의 기호를 써 보세요.

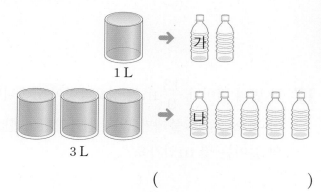

1 L

3 L

( )

단원 평가지

15 수 카드 3장을 한 번씩 □ 안에 써넣어 계산 결과가 가장 작은 나눗셈식을 만들고, 계산하세요.

$$\boxed{2} \quad \boxed{3} \quad \boxed{7}$$

$$\dfrac{\boxed{}}{\boxed{}} \div \boxed{}$$

(   )

16 무게가 똑같은 감 8개가 놓여 있는 쟁반의 무게를 재어 보니 $3\frac{2}{7}$ kg이었습니다. 빈 쟁반의 무게가 $\frac{4}{7}$ kg이라면 감 한 개는 몇 kg인가요?

(   )

17 한 변의 길이가 $\frac{13}{9}$ m인 정오각형이 있습니다. 이 정오각형과 둘레가 같은 정육각형의 한 변의 길이는 몇 m인가요?

(   )

18 작은 수를 큰 수로 나눈 몫은 얼마인지 풀이 과정을 쓰고, 답을 구하세요.

$$\boxed{\quad 7 \qquad \dfrac{3}{8} \quad}$$

풀이 _____

_____

_____

답 _____

19 □ 안에 알맞은 분수를 구하려고 합니다. 풀이 과정을 쓰고, 답을 구하세요.

$$\boxed{\square \times 4 = \dfrac{35}{6} \div 2}$$

풀이 _____

_____

_____

답 _____

20 어떤 분수를 6으로 나누어야 할 것을 잘못하여 6을 곱했더니 $1\frac{2}{3}$가 되었습니다. 바르게 계산하면 몫은 얼마인지 풀이 과정을 쓰고, 답을 구하세요.

풀이 _____

_____

_____

_____

답 _____

단원 평가

[01~02] 입체도형을 보고 물음에 답하세요.

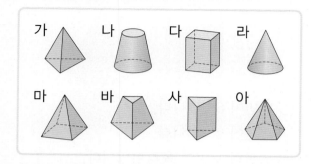

가 나 다 라

마 바 사 아

01 각기둥을 모두 찾아 기호를 써 보세요.

(   )

02 각뿔을 모두 찾아 기호를 써 보세요.

(   )

03 각기둥의 밑면을 모두 찾아 색칠하세요.

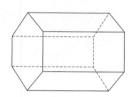

04 □ 안에 알맞은 말을 써넣으세요.

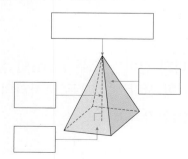

05 각뿔의 이름을 써 보세요.

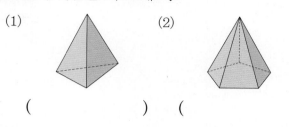

(1)   (2)

(   )   (   )

06 각기둥의 겨냥도를 완성하세요.

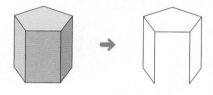

07 오각기둥에 대한 설명으로 잘못된 것을 찾아 기호를 써 보세요.

ㄱ 밑면은 2개입니다.
ㄴ 밑면의 모양은 사각형입니다.
ㄷ 한 밑면의 변은 5개입니다.

(   )

단원 평가지

08 오른쪽 사각기둥의 전개도를 그려 보세요.

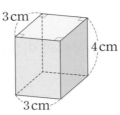
3 cm
4 cm
3 cm

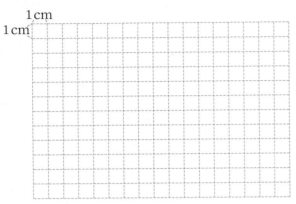
1 cm
1 cm

09 사각기둥의 전개도가 아닌 것을 모두 찾아 기호를 써 보세요.

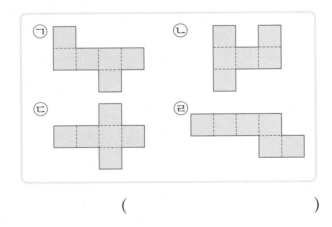
㉠ ㉡
㉢ ㉣

(   )

10 빈칸에 알맞은 수를 써넣으세요.

각기둥	꼭짓점의 수(개)	면의 수(개)	모서리의 수(개)
육각기둥			
구각기둥			

11 두 입체도형의 공통점으로 알맞은 것을 모두 고르세요. (   )

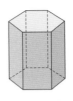

① 옆면이 6개입니다.
② 밑면이 2개입니다.
③ 밑면의 모양이 육각형입니다.
④ 옆면의 모양이 삼각형입니다.
⑤ 옆면의 모양이 사각형입니다.

[12~13] 전개도를 보고 물음에 답하세요.

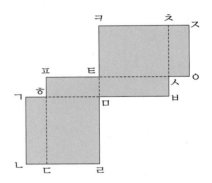
ㅋ ㅊ ㅈ
ㅍ ㅌ ㅅ ㅇ
ㄱ ㅎ ㅁ ㅂ
ㄴ ㄷ ㄹ

12 전개도를 접었을 때 선분 ㄱㄴ과 맞닿는 선분을 찾아 써 보세요.

(   )

13 전개도를 접었을 때 면 ㅍㅎㅁㅌ과 만나지 않는 면을 찾아 써 보세요.

(   )

14 모서리의 길이가 모두 7 cm인 삼각뿔이 있습니다. 이 삼각뿔의 모든 모서리의 길이의 합은 몇 cm인가요?

(   )

15 면이 10개인 각뿔의 이름을 써 보세요.

(   )

16 다음 전개도를 접었을 때 만들어지는 각기둥은 조건을 모두 만족합니다. 각기둥의 밑면의 한 변의 길이는 몇 cm인지 구하세요.

> 조건
> • 각기둥의 옆면은 모두 합동입니다.
> • 각기둥의 높이는 7 cm입니다.
> • 각기둥의 모든 모서리의 길이의 합은 85 cm입니다.

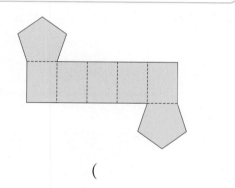

(   )

17 오른쪽과 같은 이등변삼각형 모양의 색종이 7장을 옆면으로 하는 각뿔을 만들었습니다. 만든 각뿔의 모든 모서리의 길이의 합은 몇 cm인가요?

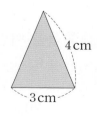

4 cm
3 cm

(   )

18 오른쪽 도형이 각기둥이 아닌 이유를 써 보세요.

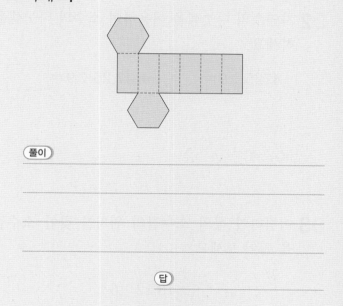

이유 _____

_____

19 전개도를 접었을 때 만들어지는 각기둥의 꼭짓점은 몇 개인지 풀이 과정을 쓰고, 답을 구하세요.

풀이 _____

_____

_____

_____

답 _____

20 팔각뿔의 꼭짓점의 수를 ㉠개, 면의 수를 ㉡개, 모서리의 수를 ㉢개라 할 때 ㉠+㉡−㉢의 값은 얼마인지 풀이 과정을 쓰고, 답을 구하세요.

풀이 _____

_____

_____

_____

답 _____

단원 평가지

01 □ 안에 알맞은 수를 써넣으세요.

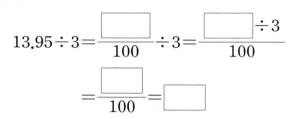

$$13.95 \div 3 = \frac{\boxed{}}{100} \div 3 = \frac{\boxed{} \div 3}{100}$$

$$= \frac{\boxed{}}{100} = \boxed{}$$

02 자연수의 나눗셈을 이용하여 소수의 나눗셈을 하세요.

$$4725 \div 9 = \boxed{} \Rightarrow 47.25 \div 9 = \boxed{}$$

03 어림하여 몫의 소수점의 위치를 찾아 소수점을 찍어 보세요.

$$18.12 \div 6$$

[어림] $\boxed{} \div 6 \Rightarrow$ 약 $\boxed{}$

[몫] $3_\square 0_\square 2$

04 소수를 자연수로 나눈 몫을 구하세요.

| 8 | 16.4 |

( )

05 계산에서 잘못된 부분을 찾아 바르게 계산하세요.

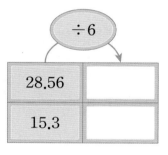

```
        5.5
    7)3.8 5
      3 5
      ───
        3 5
        3 5
      ───
         0
```
➡ 7)3.8 5

06 빈 곳에 알맞은 수를 써넣으세요.

÷6

| 28.56 | |
| 15.3 | |

07 몫을 어림해 보고 올바른 식을 찾아 ○표 하세요.

| $20.86 \div 7 = 298$ | $20.86 \div 7 = 29.8$ |
| $20.86 \div 7 = 2.98$ | $20.86 \div 7 = 0.298$ |

08 가운데의 수를 바깥의 수로 나눈 몫을 빈 곳에 써넣으세요.

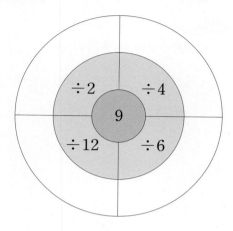

09 정오각형의 둘레가 30.2 cm일 때 □ 안에 알맞은 수를 써넣으세요.

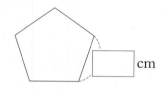

10 몫이 큰 것부터 차례로 ◯ 안에 번호를 써넣으세요.

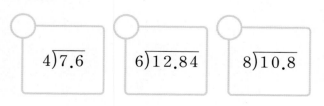

11 몫이 1보다 큰 나눗셈식을 모두 찾아 기호를 써 보세요.

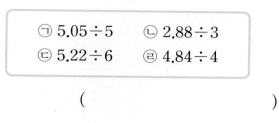

( )

12 □ 안에 알맞은 수를 써넣으세요.

$$□ × 6 = 26.1$$

13 냉장고에 우유가 2.38 L 있었는데 어머니께서 우유 1.4 L를 더 사 오셨습니다. 우유를 일주일 동안 매일 똑같이 나누어 마시려면 하루에 몇 L 마셔야 하나요?

( )

14 수 카드 ①, ③, ⑥ 을 한 번씩 모두 사용하여 가장 작은 소수 두 자리 수를 만들었습니다. 만든 수를 8로 나눈 몫을 구하세요.

( )

15 마름모의 넓이가 28.8 cm²이고, 한 대각선의 길이가 9 cm일 때 다른 대각선의 길이는 몇 cm인가요?

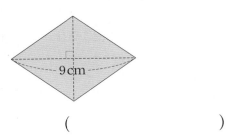

9 cm

(   )

16 무게가 똑같은 배가 한 봉지에 5개씩 들어 있습니다. 4봉지의 무게가 7 kg일 때 배 한 개의 무게는 몇 kg인가요? (단, 봉지의 무게는 생각하지 않습니다.)

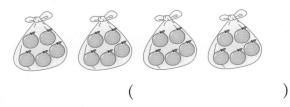

(   )

17 6분 동안 7.5 km를 달리는 ㉮ 자동차와 9분 동안 11.88 km를 달리는 ㉯ 자동차가 있습니다. ㉮와 ㉯ 자동차가 동시에 같은 곳에서 출발하여 반대 방향으로 1시간 20분 동안 달린다면 ㉮와 ㉯ 자동차 사이의 거리는 몇 km가 되나요? (단, ㉮와 ㉯ 자동차는 각각 일정한 빠르기로 달립니다.)

(   )

18 (조건)을 모두 만족하는 나눗셈식을 만들고, 그 이유를 써 보세요.

조건
- 286÷2를 이용하여 풀 수 있습니다.
- 계산한 값이 286÷2의 $\frac{1}{10}$배입니다.

(식)

(이유)

19 □ 안에 들어갈 수 있는 자연수는 모두 몇 개인지 풀이 과정을 쓰고, 답을 구하세요.

$$17.2 \div 8 < \square < 38.75 \div 5$$

(풀이)

(답)

20 길이가 63.45 m인 직선 도로의 한쪽에 같은 간격으로 나무 10그루를 심으려고 합니다. 도로의 처음과 끝에 모두 나무를 심는다면 나무와 나무 사이의 간격을 몇 m로 해야 하는지 풀이 과정을 쓰고, 답을 구하세요.

(풀이)

(답)

01 남학생 수와 여학생 수를 비교하려고 합니다. □ 안에 알맞은 수를 써넣으세요.

(1) 남학생이 여학생보다 □ 명 더 많습니다.

(2) 남학생 수는 여학생 수의 □ 배입니다.

02 그림을 보고 □ 안에 알맞은 수를 써넣으세요.

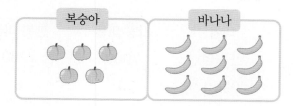

복숭아 수와 바나나 수의 비 ➡ □ : □

03 비를 잘못 나타낸 것을 찾아 기호를 써 보세요.

> ㉠ 3과 5의 비 ➡ 3 : 5
> ㉡ 5에 대한 8의 비 ➡ 5 : 8
> ㉢ 10의 13에 대한 비 ➡ 10 : 13

( )

04 비율을 백분율로 나타내고 읽어 보세요.

$\dfrac{2}{5}$ 쓰기 ( )

읽기 ( )

05 비를 보고 비교하는 양과 기준량을 찾아 쓰고 비율을 구하세요.

비	비교하는 양	기준량	비율(분수)
8 : 15			
12에 대한 7의 비			

06 액자의 긴 쪽에 대한 짧은 쪽의 길이의 비율을 분수로 나타내어 보세요.

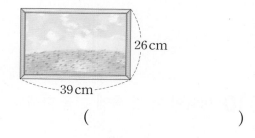

( )

07 동전 한 개를 10번 던져서 그림 면이 4번 나왔습니다. 동전을 던진 횟수에 대한 그림 면이 나온 횟수의 비율을 소수로 나타내어 보세요.

( )

08 그림을 보고 전체에 대한 색칠한 부분의 비율을 백분율로 나타내어 보세요.

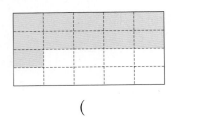

( )

09 윤희는 100 m 장애물 달리기를 하고 있습니다. 장애물은 출발점에서부터 40 m 거리에 있습니다. 출발점에서부터 장애물까지의 거리와 장애물에서부터 도착점까지의 거리의 비를 구하세요.

출발점 ─40 m─ 장애물 ──── 도착점
──────100 m──────

( )

10 비율이 더 큰 쪽에 ○표 하세요.

$\dfrac{13}{25}$ 58 %

( ) ( )

11 해원이는 소금 90 g을 물에 녹여 소금물 300 g을 만들었습니다. 해원이가 만든 소금물에서 소금물 양에 대한 소금 양의 비율은 몇 %인가요?

( )

12 예금한 금액에 대한 이자의 비율을 이자율이라고 합니다. 하늘이는 1년 동안 이자율이 4 %인 은행에 150000원을 예금하였습니다. 하늘이가 1년 뒤에 받을 이자는 얼마인가요? (단, 이자는 예금한 돈에 대해서만 생깁니다.)

( )

13 두 마을의 넓이에 대한 인구의 비율을 각각 구하고, 두 마을 중 인구가 더 밀집한 곳을 구하세요.

마을	사랑 마을	행복 마을
인구(명)	7000	7200
넓이(km²)	5	6
넓이에 대한 인구의 비율		

( )

14 성호와 윤진이의 대화를 보고 가 영화와 나 영화 중 어느 영화가 더 인기가 많은지 구하세요.

가 영화는 좌석 수에 대한 관객 수의 비율이 80 %래.

나 영화는 좌석 300석당 225명이 봤대.

성호   윤진

( )

15 소희와 철민이는 매실 원액을 물에 섞어 매실 주스를 만들었습니다. 두 사람의 매실 주스 양에 대한 매실 원액 양의 비율을 각각 구하고, 누가 만든 매실 주스가 더 진한지 구하세요.

> [소희] 나는 매실 원액 150 mL를 물에 섞어 매실 주스 250 mL를 만들었어.
> [철민] 나는 매실 원액 360 mL를 물에 섞어 매실 주스 450 mL를 만들었어.

소희 (   ), 철민 (   )
더 진한 매실 주스를 만든 사람 (   )

16 어느 가게에서 곰 인형과 토끼 인형을 다음과 같이 할인하여 팔고 있습니다. 곰 인형과 토끼 인형 중 어느 것이 얼마나 더 싼지 차례로 써 보세요.

	정가	할인율
곰 인형	7500원	10 %
토끼 인형	9000원	20 %

(   ), (   )

17 같은 시각에 하영이와 은수의 그림자 길이를 재었습니다. 두 사람의 키에 대한 그림자 길이의 비율이 같을 때 은수의 그림자 길이는 몇 cm인지 구하세요.

	하영	은수
키(cm)	120	160
그림자 길이(cm)	96	

(   )

18 두 비가 같은지, 다른지 쓰고, 그 이유를 써 보세요.

| 4 : 10 | 10 : 4 |

답 _____

이유 _____

19 어느 마을에 여자가 1580명, 남자가 2020명 살고 있습니다. 이 마을의 넓이가 4 km^2일 때 마을의 넓이에 대한 인구의 비율은 얼마인지 풀이 과정을 쓰고, 답을 구하세요.

풀이 _____

답 _____

20 수아와 민수가 축구 연습을 했습니다. 수아는 공을 25번 차서 골대에 17번 공을 넣었고, 민수는 공을 20번 차서 골대에 13번 공을 넣었습니다. 누구의 골 성공률이 더 높은지 풀이 과정을 쓰고, 답을 구하세요.

풀이 _____

답 _____

단원 평가지

단원 평가

[01~04] 권역별 수박 수확량을 조사하여 나타낸 그림 그래프입니다. 물음에 답하세요.

권역별 수박 수확량

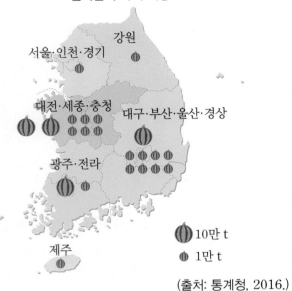

(출처: 통계청, 2016.)

01 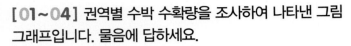 과 ● 은 각각 몇 t을 나타내나요?

● (   ), ● (   )

02 광주 · 전라 권역의 수박 수확량은 몇 t인가요?

(   )

03 수박 수확량이 가장 많은 권역은 어디인가요?

(   )

04 자료를 그림그래프로 나타내면 어떤 점이 좋은지 써 보세요.

(   )

[05~06] 연희네 밭에 심은 작물별 밭의 넓이를 조사하여 나타낸 띠그래프입니다. 물음에 답하세요.

작물별 밭의 넓이

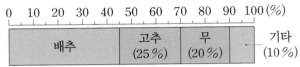

05 배추를 심은 밭의 넓이는 전체의 몇 %인가요?

(   )

06 고추를 심은 밭의 넓이가 $75 \, m^2$라면 전체 밭의 넓이는 몇 m^2인가요?

(   )

[07~08] 가은이네 학교 6학년 학생들이 점심시간에 하는 활동을 조사하여 나타낸 표입니다. 물음에 답하세요.

점심시간에 하는 활동별 학생 수

활동	운동	독서	게임	기타	합계
학생 수(명)	42	36	24	18	
백분율(%)	35			15	100

07 표의 빈칸에 알맞은 수를 써넣으세요.

08 표를 보고 띠그래프로 나타내어 보세요.

점심시간에 하는 활동별 학생 수

0   10   20   30   40   50   60   70   80   90   100 (%)

[09~11] 마을별 배출한 쓰레기의 양을 조사하여 나타낸 그림그래프입니다. 물음에 답하세요.

마을별 쓰레기 배출량

🛍 500 kg 🛍 100 kg

09 표를 완성하세요.

마을별 쓰레기 배출량

마을	가	나	다	라	합계
쓰레기 양 (kg)	300		400	800	
백분율 (%)	15	25			100

10 **09**의 표를 보고 띠그래프로 나타내어 보세요.

마을별 쓰레기 배출량

0 10 20 30 40 50 60 70 80 90 100(%)

11 그림그래프와 띠그래프 중 항목별 비율을 비교하기에 편리한 것은 어느 것인가요?

( )

[12~13] 진서네 반 학생들이 좋아하는 피자를 조사하였습니다. 물음에 답하세요.

> 진서네 반 학생 30명이 좋아하는 피자를 조사하였더니 치즈 피자가 12명, 불고기 피자가 9명, 고구마 피자가 6명, 기타가 3명이었습니다.

12 표를 완성하세요.

좋아하는 피자별 학생 수

피자	치즈	불고기	고구마	기타	합계
학생 수 (명)	12	9	6		
백분율 (%)		30			100

13 **12**의 표를 보고 원그래프로 나타내어 보세요.

좋아하는 피자별 학생 수

14 띠그래프나 원그래프로 나타내기에 알맞지 않은 것을 찾아 기호를 써 보세요.

> ㉠ 연도별 영주의 몸무게의 변화
> ㉡ 정수네 마을의 종류별 가로수의 수
> ㉢ 우리 반 친구들이 좋아하는 간식

( )

[15~16] 석희네 학교 6학년 학생 200명이 수학여행으로 가고 싶은 곳을 조사하여 나타낸 원그래프입니다. 물음에 답하세요.

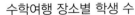

수학여행 장소별 학생 수

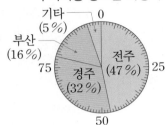

15 경주에 가고 싶은 학생은 부산에 가고 싶은 학생의 몇 배인가요?

( )

16 원그래프를 보고 표로 나타내어 보세요.

수학여행 장소별 학생 수

장소	전주	경주	부산	기타	합계
학생 수 (명)	94				
백분율 (%)	47				

17 선영이네 학교 학생 600명의 장래 희망을 조사하여 나타낸 띠그래프입니다. 외교관이 되고 싶은 학생의 30 %가 남학생이라면 외교관이 되고 싶은 여학생은 몇 명인가요?

장래 희망별 학생 수

0 10 20 30 40 50 60 70 80 90 100(%)

선생님 (33%)	의사 (24%)	외교관 (20%)	과학자 (16%)	기타 (7%)

( )

18 근호네 집에서 한 달 동안 쓴 생활비의 쓰임새를 조사하여 나타낸 띠그래프입니다. 띠그래프를 보고 알 수 있는 내용을 2가지 써 보세요.

생활비의 쓰임새별 금액

0 10 20 30 40 50 60 70 80 90 100(%)

식비 (40%)	저축 (23%)	교육비 (20%)	기타 (17%)

알 수 있는 내용

19 18에서 식비가 120만 원이라면 교육비는 얼마인지 풀이 과정을 쓰고, 답을 구하세요.

풀이

답

20 오른쪽은 어느 마을에서 구독하는 신문을 조사하여 나타낸 원그래프입니다. 가 신문을 구독하는 가구 수는 다 신문을 구독하는 가구 수의 3배일 때 가 신문을 구독하는 가구는 전체의 몇 %인지 풀이 과정을 쓰고, 답을 구하세요.

신문별 가구 수

풀이

답

01 부피가 $1\,cm^3$인 쌓기나무의 수를 세어 직육면체의 부피를 구하세요.

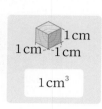 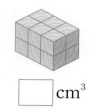

$$\boxed{}\,cm^3$$

02 직육면체의 겉넓이를 구하세요.

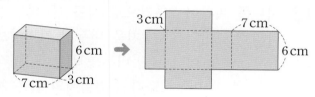

(직육면체의 겉넓이)

＝(여섯 면의 넓이의 합)

＝$21＋18＋42＋\boxed{}＋\boxed{}＋\boxed{}$

＝$\boxed{}\,(cm^2)$

03 직육면체 모양의 상자 안에 크기가 같은 쌓기나무를 담으려고 합니다. 더 많이 담을 수 있는 상자의 기호를 써 보세요.

가　　　나

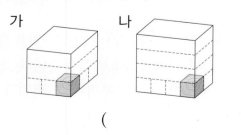

(　　　　　　　　)

04 오른쪽 정육면체의 겉넓이는 몇 cm^2인가요?

(　　　　　　　　)

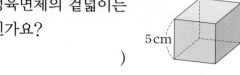

05 □ 안에 알맞은 수를 써넣으세요.

(1) $5\,m^3 = \boxed{}\,cm^3$

(2) $1400000\,cm^3 = \boxed{}\,m^3$

06 직육면체의 부피는 몇 cm^3인가요?

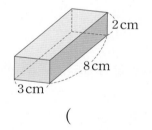

(　　　　　　　　)

07 전개도를 접어서 만들 수 있는 직육면체의 겉넓이는 몇 cm^2인가요?

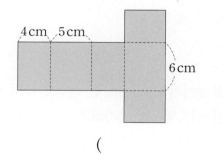

(　　　　　　　　)

08 오른쪽 직육면체의 부피를 m³와 cm³로 각각 나타내어 보세요.

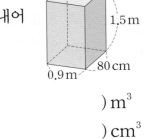

( ) m³

( ) cm³

09 직육면체 모양의 두부를 잘라서 정육면체 모양으로 만들려고 합니다. 만들 수 있는 가장 큰 정육면체 모양의 부피는 몇 cm³인가요?

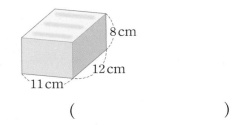

( )

10 부피가 큰 순서대로 기호를 써 보세요.

> ⊙ 4.8 m³
>
> ⊙ 13000000 cm³
>
> ⓒ 한 모서리의 길이가 300 cm인 정육면체의 부피
>
> ⓔ 가로가 0.7 m, 세로가 60 cm, 높이가 5 m인 직육면체의 부피

( )

11 겉넓이가 600 cm²인 정육면체의 한 모서리의 길이는 몇 cm인가요?

( )

12 민정이는 친구들에게 줄 선물을 다음과 같은 직육면체 모양의 상자에 넣어 포장하였습니다. 두 선물 상자의 겉넓이의 차는 몇 cm²인가요?

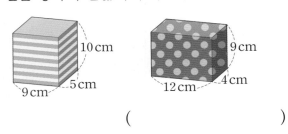

( )

13 비누를 똑같이 2조각으로 자를 때 비누 2조각의 겉넓이의 합은 처음 비누의 겉넓이보다 160 cm² 늘어납니다. 비누를 똑같이 4조각으로 자를 때 비누 4조각의 겉넓이의 합은 처음 비누의 겉넓이보다 몇 cm² 늘어나는지 구하세요.

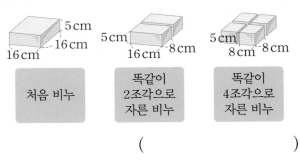

( )

14 한 모서리의 길이가 2 cm인 정육면체의 각 모서리의 길이를 3배로 늘였습니다. 늘인 정육면체의 부피는 처음 부피의 몇 배인가요?

( )

15 가로가 6 m, 세로가 4 m, 높이가 2 m인 직육면체 모양의 창고가 있습니다. 이 창고에 한 모서리의 길이가 20 cm인 정육면체 모양의 상자를 빈틈없이 쌓으려고 합니다. 정육면체 모양의 상자를 모두 몇 개 쌓을 수 있나요? (단, 창고의 벽의 두께는 생각하지 않습니다.)

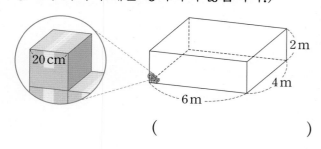

(   )

16 다음 직육면체와 부피가 같은 정육면체의 한 모서리의 길이는 몇 m인가요?

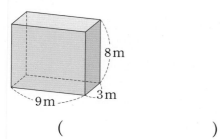

(   )

17 다음과 같이 물이 들어 있는 수조에 부피가 5000 cm³인 돌을 물속에 완전히 잠기도록 넣었습니다. 돌을 넣은 후 물의 높이는 몇 cm가 되는지 구하세요. (단, 수조의 두께는 생각하지 않습니다.)

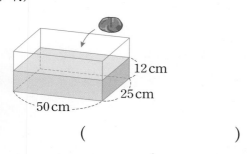

(   )

18 오른쪽 직육면체의 겉넓이를 잘못 구한 것입니다. 잘못된 이유를 쓰고, 바르게 구하세요.

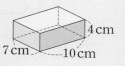

> (겉넓이)
> =(한 꼭짓점에서 만나는 세 면의 넓이의 합)
> =70+40+28=138 (cm²)

〔이유〕 _____

〔바른 계산〕 _____

19 오른쪽과 같이 직사각형 모양의 종이에 정육면체의 전개도를 그렸습니다. 전개도를 잘라서 만들 수 있는 정육면체의 겉넓이는 몇 cm²인지 풀이 과정을 쓰고, 답을 구하세요.

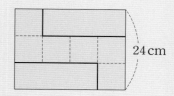

〔풀이〕 _____

〔답〕 _____

20 오른쪽 입체도형의 부피는 몇 cm³인지 풀이 과정을 쓰고, 답을 구하세요.

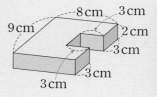

〔풀이〕 _____

_____

〔답〕 _____

단원 평가지

MEMO

초등 고학년을 위한 중학교 필수 영역 초고필

국어

비문학 독해 1·2 / 문학 독해 1·2 / 국어 어휘 / 국어 문법

수학

유리수의 사칙연산 / 방정식 / 도형의 각도

한국사

한국사 1권 / 한국사 2권

큐브
수학
실력

매칭북 6·1

엄마 매니저의 큐브수학 STORY

🔍 초등수학 문제집 추천 ▼

개념

3년째 큐브수학 개념으로 엄마표 수학 완성!

닉네임
사*

4학년부터 개념은 큐브수학으로 시작했는데요. 설명이 쉽게 되어 있어서 접근하기가 좋더라고요. 기초개념만 제대로 잡히면 그다음 단계로 올라가는 건 어렵지 않아요. 처음부터 너무 어려우면 부담스러워 피하기도 하는데 아이가 쉽게 잘 풀어나가는게 효과가 아주 좋았어요. **기초 잡기에는 큐브수학 개념이 제일 만족스러웠어요.**

쉽고 재미있게 개념도 탄탄하게!

닉네임
그**

큐브수학 개념을 계속해서 선택한 이유는 **기초 수학을 체계적으로 풀어가면서 수학 실력을 쌓을 수 있기 때문이에요.** 무료 스마트러닝 개념 동영상 강의도 쉽고 재미나서 혼자서도 충실하게 잘 듣더라고요! 수학 익힘 문제, 더 확장된 문제들까지 다양하게 풀어 볼 수 있어서 좋았어요. 큐브수학만큼 만족도가 큰 문제집은 없는 것 같네요.

무료 동영상 강의로 빈틈 없는 홈스쿨링

닉네임
매****

엄마표 수학을 진행하고 있기 때문에 아이가 잘 따라올 수 있는 수준의 문제집을 고르려고 해요. **특히 홈스쿨링으로 예습을 할 때 가장 좋은 건 동영상 강의예요.** QR코드를 찍으면 바로 동영상을 볼 수 있고, 선생님이 제가 알려주는 것보다 더 알기 쉽게 알려주세요. 부족한 학습은 동영상을 통해 채워줄 수 있어서 정말 좋아요. 혼자서도 언제 어느 때나 강의를 들을 수 있다는 점이 최고!

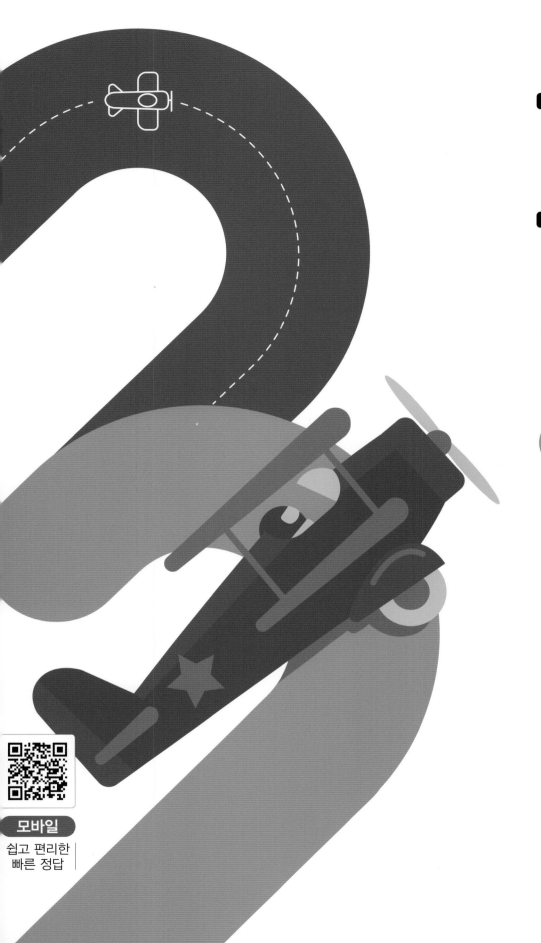

큐브수학

실력

정답 및 풀이

6·1

동아출판

진도북 정답 및 풀이

1. 분수의 나눗셈

STEP 1 개념 완성하기　　008~009쪽

1 예 ![막대 그래프] / $\dfrac{1}{7}$, $\dfrac{1}{7}$

2 예 △ , $\dfrac{1}{3}$ / 예 △ △ , $\dfrac{2}{3}$

3 예 ◯◯◯◯◯ / $\dfrac{5}{3}\left(=1\dfrac{2}{3}\right)$

4 2, 2, $\dfrac{2}{5}$, 2, 12

5 (1) $\dfrac{1}{18}$　(2) $\dfrac{7}{22}$　(3) $\dfrac{5}{2}\left(=2\dfrac{1}{2}\right)$　(4) $\dfrac{19}{8}\left(=2\dfrac{3}{8}\right)$

6 $\dfrac{7}{9}$　　　**7** (　)(◯)(　)

8 (1) ＜　(2) ＞　　**9** 8, $\dfrac{1}{8}$

5 ・ $1\div \blacktriangle = \dfrac{1}{\blacktriangle}$　・ $\bullet \div \blacktriangle = \dfrac{\bullet}{\blacktriangle}$

7 $13\div 6=\dfrac{13}{6}$, $6\div 13=\dfrac{6}{13}$, $13\div 3=\dfrac{13}{3}$

8 (1) $1\div 2=\dfrac{1}{2}$ ➡ $\dfrac{1}{2}<1$　(2) $8\div 7=\dfrac{8}{7}$ ➡ $\dfrac{8}{7}>1$

참고 ・(나누어지는 수)＞(나누는 수) ➡ (몫)＞1
・(나누어지는 수)＜(나누는 수) ➡ (몫)＜1

9 (한 컵에 담아야 하는 우유의 양)
＝(전체 우유의 양)÷(컵의 수)
＝$1\div 8=\dfrac{1}{8}$ (L)

STEP 1 개념 완성하기　　010~011쪽

1 $\dfrac{2}{9}$　　　**2** 예 ![직사각형 격자] / $\dfrac{3}{8}$

3 4, 2, 2, $\dfrac{2}{5}$　　**4** (1) 9, $\dfrac{3}{10}$　(2) 10, 10, $\dfrac{5}{14}$

5 (1) $\dfrac{2}{9}$　(2) $\dfrac{2}{19}$　(3) $\dfrac{2}{15}$　(4) $\dfrac{10}{39}$

6 $\dfrac{5}{24}$　　　**7** ✕　　　**8** ㉡

9 3, $\dfrac{2}{7}$

5 (1) $\dfrac{8}{9}\div 4=\dfrac{8\div 4}{9}=\dfrac{2}{9}$

(2) $\dfrac{12}{19}\div 6=\dfrac{12\div 6}{19}=\dfrac{2}{19}$

(3) $\dfrac{2}{3}\div 5=\dfrac{10}{15}\div 5=\dfrac{10\div 5}{15}=\dfrac{2}{15}$

(4) $\dfrac{10}{13}\div 3=\dfrac{30}{39}\div 3=\dfrac{30\div 3}{39}=\dfrac{10}{39}$

6 $\dfrac{5}{12}\div 2=\dfrac{10}{24}\div 2=\dfrac{10\div 2}{24}=\dfrac{5}{24}$

7 (1) $\dfrac{3}{8}\div 2=\dfrac{6}{16}\div 2=\dfrac{6\div 2}{16}=\dfrac{3}{16}$

(2) $\dfrac{2}{15}\div 3=\dfrac{6}{45}\div 3=\dfrac{6\div 3}{45}=\dfrac{2}{45}$

8 ㉠ $\dfrac{5}{6}\div 5=\dfrac{5\div 5}{6}=\dfrac{1}{6}$

㉡ $\dfrac{4}{7}\div 3=\dfrac{12}{21}\div 3=\dfrac{12\div 3}{21}=\dfrac{4}{21}$

㉢ $\dfrac{4}{9}\div 2=\dfrac{4\div 2}{9}=\dfrac{2}{9}$

9 (한 봉지에 담은 소금의 무게)
＝(전체 소금의 무게)÷(봉지의 수)
＝$\dfrac{6}{7}\div 3=\dfrac{6\div 3}{7}=\dfrac{2}{7}$ (kg)

STEP 2 실력 다지기　　012~015쪽

01 $\dfrac{1}{4}$, 3, $\dfrac{3}{4}$　　**02** 예 $\dfrac{6}{8}\div 2=\dfrac{6\div 2}{8}=\dfrac{3}{8}$

03 예 ❶ (자연수)÷(자연수)의 몫은 나누어지는 수를 분자, 나누는 수를 분모로 나타내어야 합니다. ▶3점

❷ $6\div 7=\dfrac{6}{7}$ ▶2점

04 $\dfrac{13}{4}\left(=3\dfrac{1}{4}\right)$　　**05** ㉡, ㉢

06 $\dfrac{15}{7}\left(=2\dfrac{1}{7}\right)$　　**07** $\dfrac{2}{17}$

08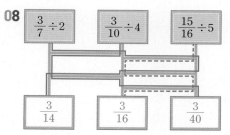

09 $\dfrac{6}{8}\left(=\dfrac{3}{4}\right)$　　**10** ＞　　　**11** ㉡

12 (위에서부터) 1, 4, 3, 2   **13** $\dfrac{2}{5}$개

14 $\dfrac{2}{7}$ L   **15** 주연

16 예 사과 주스 3 L를 여학생 4명에게 똑같이 나누어 주었습니다. 한 명에게 준 주스는 몇 L인가요? / $\dfrac{3}{4}$ L

17 예 똑같은 필통 3개의 무게를 재었더니 $\dfrac{5}{6}$ kg이었습니다. 필통 한 개의 무게는 몇 kg인가요? / $\dfrac{5}{18}$ kg

18 $\dfrac{8}{75}$ m

19 예 ❶ (정삼각형 한 개를 만드는 데 사용한 철사의 길이)
$$=\dfrac{8}{9}\div 4=\dfrac{8\div 4}{9}=\dfrac{2}{9} \text{(m)} \blacktriangleright\text{2점}$$
❷ (정삼각형의 한 변의 길이)
$$=\dfrac{2}{9}\div 3=\dfrac{6}{27}\div 3=\dfrac{6\div 3}{27}=\dfrac{2}{27} \text{(m)} \blacktriangleright\text{3점}$$
$/\ \dfrac{2}{27}$ m

20 $\dfrac{5}{6}$, 7$\left(\text{또는 } \dfrac{5}{7},\ 6\right)$ / $\dfrac{5}{42}$ **21** $\dfrac{8}{3}\left(=2\dfrac{2}{3}\right)$

03

채점기준	❶ 이유 쓰기	3점
	❷ 바르게 계산하기	2점

04 $13\div 4=\dfrac{13}{4}\left(=3\dfrac{1}{4}\right)$

05 나누어지는 수가 나누는 수보다 큰 경우 몫은 1보다 큽니다.
→ 몫이 1보다 큰 나눗셈식: ㉡ 7÷5, ㉢ 11÷9

06 (한 부분의 길이)$=5\div 7=\dfrac{5}{7}$ (m)
$$→ \square=\dfrac{5}{7}\times 3=\dfrac{15}{7}\left(=2\dfrac{1}{7}\right)$$

07 $\dfrac{1}{17}$이 10개인 수는 $\dfrac{10}{17}$ → $\dfrac{10}{17}\div 5=\dfrac{10\div 5}{17}=\dfrac{2}{17}$

08 $\dfrac{3}{7}\div 2=\dfrac{6}{14}\div 2=\dfrac{6\div 2}{14}=\dfrac{3}{14}$
$$\dfrac{3}{10}\div 4=\dfrac{12}{40}\div 4=\dfrac{12\div 4}{40}=\dfrac{3}{40}$$
$$\dfrac{15}{16}\div 5=\dfrac{15\div 5}{16}=\dfrac{3}{16}$$

09 $9\div 8=\dfrac{9}{8}$, $\dfrac{9}{8}\div 3=\dfrac{3}{8}$, ★ $=\dfrac{3}{8}\times 2=\dfrac{6}{8}\left(=\dfrac{3}{4}\right)$

10 $4\div 12=\dfrac{4}{12}=\dfrac{1}{3}$, $6\div 30=\dfrac{6}{30}=\dfrac{1}{5}$
$$→ \dfrac{1}{3} > \dfrac{1}{5}$$
참고 분자가 1인 분수는 분모가 작을수록 더 큰 수입니다.
■<▲ → $\dfrac{1}{■}$>$\dfrac{1}{▲}$

11 ㉠ $\dfrac{1}{3}\div 2=\dfrac{2}{6}\div 2=\dfrac{2\div 2}{6}=\dfrac{1}{6}\left(=\dfrac{5}{30}\right)$
㉡ $\dfrac{3}{5}\div 2=\dfrac{6}{10}\div 2=\dfrac{6\div 2}{10}=\dfrac{3}{10}\left(=\dfrac{9}{30}\right)$
㉢ $\dfrac{12}{15}\div 4=\dfrac{12\div 4}{15}=\dfrac{3}{15}\left(=\dfrac{6}{30}\right)$
→ ㉡>㉢>㉠

12 $\dfrac{7}{12}\div 7=\dfrac{7\div 7}{12}=\dfrac{1}{12}\left(=\dfrac{3}{36}\right)$
$$\dfrac{5}{6}\div 2=\dfrac{10}{12}\div 2=\dfrac{10\div 2}{12}=\dfrac{5}{12}\left(=\dfrac{15}{36}\right)$$
$$\dfrac{3}{4}\div 3=\dfrac{3\div 3}{4}=\dfrac{1}{4}\left(=\dfrac{9}{36}\right)$$
$$\dfrac{4}{9}\div 4=\dfrac{4\div 4}{9}=\dfrac{1}{9}\left(=\dfrac{4}{36}\right)$$
$$→ \dfrac{1}{12} < \dfrac{1}{9} < \dfrac{1}{4} < \dfrac{5}{12}$$

13 (한 명이 먹은 케이크의 양)$=2\div 5=\dfrac{2}{5}$ (개)

14 (전체 우유의 양)$=\dfrac{2}{3}\times 3=\dfrac{6}{3}=2$ (L)
(하루에 마셔야 할 우유의 양)$=2\div 7=\dfrac{2}{7}$ (L)

15 (주연이가 자른 한 도막의 길이)
$$=\dfrac{9}{10}\div 3=\dfrac{9\div 3}{10}=\dfrac{3}{10} \text{(m)}$$
(민철이가 자른 한 도막의 길이)
$$=\dfrac{7}{15}\div 2=\dfrac{14}{30}\div 2=\dfrac{14\div 2}{30}=\dfrac{7}{30} \text{(m)}$$
$$→ \dfrac{3}{10}\left(=\dfrac{9}{30}\right) > \dfrac{7}{30}$$

18 약점 포인트   정답률 75%

정■각형의 한 변의 길이가 ●일 때 정■각형의 둘레
→ ●×■

(정사각형의 둘레)$=\dfrac{2}{15}\times 4=\dfrac{8}{15}$ (m)
→ (정오각형의 한 변의 길이)
$$=\dfrac{8}{15}\div 5=\dfrac{40}{75}\div 5=\dfrac{40\div 5}{75}=\dfrac{8}{75} \text{(m)}$$

19

채점 기준	❶ 정삼각형 한 개를 만드는 데 사용한 철사의 길이 구하기	2점
	❷ 정삼각형의 한 변의 길이 구하기	3점

20 약점 포인트　　　　　　　　　정답률 70%

나눗셈식에서 나누어지는 수가 작을수록, 나누는 수가 클수록 몫이 작습니다. (단, 분수의 나눗셈에서 몫이 가장 작은 나눗셈식을 만들 때 여러 가지 경우가 나올 수도 있습니다.)

몫이 가장 작아야 하므로 가장 큰 수인 7을 나누는 수에 넣고, 남은 수로 진분수를 만들어 나누어지는 수에 넣습니다.

$$\Rightarrow \frac{5}{6} \div 7 = \frac{5}{42} \left(\text{또는 } \frac{5}{7} \div 6 = \frac{5}{42}\right)$$

21 나눗셈식에서 나누어지는 수가 클수록, 나누는 수가 작을수록 몫이 큽니다. $8>7>6>3$이므로 나누어지는 수에 8을 넣고, 나누는 수에 3을 넣습니다.

$$\Rightarrow 8 \div 3 = \frac{8}{3} \left(=2\frac{2}{3}\right)$$

STEP ① 개념 완성하기　　　016~017쪽

1 (1) $\frac{1}{3}$ / 3, 3, 3, 3, $\frac{5}{18}$　　**2** ✕

3 $\frac{4}{5} \div 7 = \frac{4}{5} \times \frac{1}{7} = \frac{4}{35}$

4 (1) $\frac{1}{24}$ (2) $\frac{5}{26}$ (3) $\frac{8}{25}$ (4) $\frac{11}{18}$

5 (위에서부터) $\frac{7}{36}$, $\frac{7}{48}$　　**6** (○) ( )

7 ㉠　　　　　**8** 3, $\frac{9}{30}\left(=\frac{3}{10}\right)$

4 (3) $\frac{8}{5} \div 5 = \frac{8}{5} \times \frac{1}{5} = \frac{8}{25}$

5 $\frac{7}{6} \div 6 = \frac{7}{6} \times \frac{1}{6} = \frac{7}{36}$, $\frac{7}{6} \div 8 = \frac{7}{6} \times \frac{1}{8} = \frac{7}{48}$

7 ㉠ $\frac{1}{8} \div 2 = \frac{1}{8} \times \frac{1}{2} = \boxed{\frac{1}{16}}$

㉡ $\frac{3}{4} \div 4 = \frac{3}{4} \times \frac{1}{4} = \frac{3}{16}$

㉢ $\frac{3}{2} \div 8 = \frac{3}{2} \times \frac{1}{8} = \frac{3}{16}$

8 (사용한 찰흙의 무게)
$=$(전체 찰흙의 무게)$\div 3$
$= \frac{9}{10} \div 3 = \frac{9}{10} \times \frac{1}{3} = \frac{9}{30}\,(\text{kg})\left(=\frac{3}{10}\,\text{kg}\right)$

STEP ① 개념 완성하기　　　018~019쪽

1 6, 2, 2, 2 / $\frac{2}{5}$

2 (1) 3, 3, $\frac{1}{2}$ (2) 3, 3, 3, $\frac{3}{6}\left(=\frac{1}{2}\right)$

3 $3\frac{2}{3} \div 5 = 3\frac{2}{3} \times \frac{1}{5} = 3\frac{2}{15}$에 ✕표

4 (1) $\frac{11}{12}$ (2) $\frac{30}{35}\left(=\frac{6}{7}\right)$ (3) $\frac{7}{6}\left(=1\frac{1}{6}\right)$
(4) $\frac{16}{20}\left(=\frac{4}{5}\right)$

5 (1) 15, 15, $\frac{1}{2}$, $\frac{15}{16}$ (2) 3, $\frac{1}{2}$, $\frac{15}{16}$

6 $\frac{35}{42}\left(=\frac{5}{6}\right)$

7 예) $1\frac{1}{4} \div 3 = \frac{5}{4} \div 3 = \frac{15}{12} \div 3 = \frac{15 \div 3}{12} = \frac{5}{12}$ /
$1\frac{1}{4} \div 3 = \frac{5}{4} \div 3 = \frac{5}{4} \times \frac{1}{3} = \frac{5}{12}$

8 (1) > (2) <　　　**9** 5, $\frac{14}{45}$

3 $3\frac{2}{3} \div 5 = \frac{11}{3} \div 5 = \frac{11}{3} \times \frac{1}{5} = \frac{11}{15}$

4 (2) $4\frac{2}{7} \div 5 = \frac{30}{7} \div 5 = \frac{30}{7} \times \frac{1}{5} = \frac{30}{35}\left(=\frac{6}{7}\right)$

6 $5\frac{5}{6} \div 7 = \frac{35}{6} \div 7 = \frac{35}{6} \times \frac{1}{7} = \frac{35}{42}\left(=\frac{5}{6}\right)$

8 (1) $1\frac{5}{7} \div 3 = \frac{12}{7} \div 3 = \frac{12}{7} \times \frac{1}{3} = \frac{12}{21} = \frac{4}{7}$
(2) $3\frac{3}{5} \div 6 = \frac{18}{5} \div 6 = \frac{18}{5} \times \frac{1}{6} = \frac{18}{30} = \frac{3}{5}$

9 (털실 한 도막의 길이)
$=$(전체 털실의 길이)$\div$(도막의 수)
$= 1\frac{5}{9} \div 5 = \frac{14}{9} \div 5 = \frac{14}{9} \times \frac{1}{5} = \frac{14}{45}\,(\text{m})$

STEP ② 실력 다지기　　　020~023쪽

01 (1) $\frac{5}{9} \div 7 = \frac{5}{9} \times \frac{1}{7} = \frac{5}{63}$
(2) $3\frac{2}{3} \div 4 = \frac{11}{3} \div 4 = \frac{11}{3} \times \frac{1}{4} = \frac{11}{12}$

02 현수, $\frac{5}{8}$

1. 분수의 나눗셈 ● **03**

03 예 분수의 곱셈으로 나타낼 때 ÷5를 $\times\dfrac{1}{5}$로 바꾸어 야 하는데 ×5로 바꾸어서 잘못되었습니다. ▶5점

04 ㉡   **05** $\dfrac{75}{64}\left(=1\dfrac{11}{64}\right)$ **06** 7, 8에 ○표

07 $\dfrac{10}{13}\div5=\dfrac{10}{65}\left(=\dfrac{2}{13}\right)$ / $\dfrac{10}{65}\,\mathrm{kg}\left(=\dfrac{2}{13}\,\mathrm{kg}\right)$

08 $\dfrac{24}{40}\,\mathrm{km}\left(=\dfrac{3}{5}\,\mathrm{km}\right)$ **09** 포도 주스

10 $\dfrac{5}{6}$근   **11** $\dfrac{128}{15}\,\mathrm{mL}\left(=8\dfrac{8}{15}\,\mathrm{mL}\right)$ **12** $\dfrac{5}{9}\,\mathrm{L}$

13 $\dfrac{10}{9}\times2\div5=\dfrac{20}{9}\div5=\dfrac{20}{9}\times\dfrac{1}{5}=\dfrac{20}{45}\left(=\dfrac{4}{9}\right)$

14 (1) $\dfrac{34}{36}\left(=\dfrac{17}{18}\right)$ (2) $\dfrac{15}{45}\left(=\dfrac{1}{3}\right)$ (3) $\dfrac{4}{56}\left(=\dfrac{1}{14}\right)$

15 $\dfrac{16}{20}\left(=\dfrac{4}{5}\right)$ **16** $\dfrac{21}{35}\left(=\dfrac{3}{5}\right)$

17 $\dfrac{14}{30}\left(=\dfrac{7}{15}\right),\ \dfrac{14}{15}$ **18** 1, 2, 3

19 $\dfrac{2}{49}$ **20** $8\dfrac{6}{7},\ 5$ / $\dfrac{62}{35}\left(=1\dfrac{27}{35}\right)$

21 $\dfrac{50}{9}\,\mathrm{cm}\left(=5\dfrac{5}{9}\,\mathrm{cm}\right)$ **22** $\dfrac{130}{27}\,\mathrm{cm}\left(=4\dfrac{22}{27}\,\mathrm{cm}\right)$

01 중요 나누어지는 수가 대분수인 경우 대분수를 가분수로 고친 후 분수의 곱셈으로 나타냅니다.

02 $1\dfrac{1}{4}\div2=\dfrac{5}{4}\div2=\dfrac{10}{8}\div2=\dfrac{10\div2}{8}=\dfrac{5}{8}$

03

채점 기준	이유 쓰기	5점

04 ㉠ $\dfrac{8}{9}\div2=\dfrac{8}{9}\times\dfrac{1}{2}=\dfrac{8}{18}\left(=\dfrac{4}{9}\right)$

㉡ $\dfrac{16}{9}\div8=\dfrac{16}{9}\times\dfrac{1}{8}=\dfrac{16}{72}\left(=\dfrac{2}{9}\right)\rightarrow\dfrac{2}{9}<\dfrac{4}{9}$

㉢ $\dfrac{7}{3}\div3=\dfrac{7}{3}\times\dfrac{1}{3}=\dfrac{7}{9}\rightarrow\dfrac{7}{9}>\dfrac{4}{9}$

05 $9\dfrac{3}{8}>7\dfrac{1}{4}>4\dfrac{2}{5}$이므로 가장 큰 수는 $9\dfrac{3}{8}$입니다.

$\rightarrow 9\dfrac{3}{8}\div8=\dfrac{75}{8}\div8=\dfrac{75}{8}\times\dfrac{1}{8}=\dfrac{75}{64}\left(=1\dfrac{11}{64}\right)$

06 $6\dfrac{2}{5}\div\square$의 몫이 1보다 작으려면 $6\dfrac{2}{5}<\square$이어야 합니다.

$\rightarrow\square$ 안에 들어갈 수 있는 자연수: 7, 8

중요 (나누어지는 수)>(나누는 수) → (몫)>1
(나누어지는 수)<(나누는 수) → (몫)<1

07 (자두 한 개의 무게)

$=\dfrac{10}{13}\div5=\dfrac{10}{13}\times\dfrac{1}{5}=\dfrac{10}{65}\,(\mathrm{kg})\left(=\dfrac{2}{13}\,\mathrm{kg}\right)$

08 (서준이가 1분 동안 달린 거리)

$=\dfrac{8}{5}\div8=\dfrac{8}{5}\times\dfrac{1}{8}=\dfrac{8}{40}\,(\mathrm{km})$

(서준이가 3분 동안 달린 거리)

$=\dfrac{8}{40}\times3=\dfrac{24}{40}\,(\mathrm{km})\left(=\dfrac{3}{5}\,\mathrm{km}\right)$

09 (한 컵에 담긴 오렌지 주스의 양)

$=1\dfrac{1}{7}\div4=\dfrac{8}{7}\div4=\dfrac{8}{7}\times\dfrac{1}{4}=\dfrac{8}{28}\,(\mathrm{L})\left(=\dfrac{2}{7}\,\mathrm{L}\right)$

(한 컵에 담긴 포도 주스의 양)

$=1\dfrac{1}{8}\div3=\dfrac{9}{8}\div3=\dfrac{9}{8}\times\dfrac{1}{3}=\dfrac{9}{24}\,(\mathrm{L})\left(=\dfrac{3}{8}\,\mathrm{L}\right)$

$\rightarrow\dfrac{2}{7}\left(=\dfrac{16}{56}\right)<\dfrac{3}{8}\left(=\dfrac{21}{56}\right)$

10 (먹고 남은 소고기의 무게)

$=3\dfrac{1}{3}-1\dfrac{2}{3}=2\dfrac{4}{3}-1\dfrac{2}{3}=1\dfrac{2}{3}\,(\text{근})$

(봉지 한 개에 담은 소고기의 무게)

$=1\dfrac{2}{3}\div2=\dfrac{5}{3}\div2=\dfrac{5}{3}\times\dfrac{1}{2}=\dfrac{5}{6}\,(\text{근})$

11 (만든 보라색 물감의 양)$=20\dfrac{1}{3}+22\dfrac{1}{3}=42\dfrac{2}{3}\,(\mathrm{mL})$

(한 명이 가진 보라색 물감의 양)

$=42\dfrac{2}{3}\div5=\dfrac{128}{3}\div5$

$=\dfrac{128}{3}\times\dfrac{1}{5}=\dfrac{128}{15}\,(\mathrm{mL})\left(=8\dfrac{8}{15}\,\mathrm{mL}\right)$

12 (3모둠에 나누어 준 과산화수소의 양)

$=\dfrac{7}{3}-\dfrac{2}{3}=\dfrac{5}{3}\,(\mathrm{L})$

(한 모둠에 나누어 준 과산화수소의 양)

$=\dfrac{5}{3}\div3=\dfrac{5}{3}\times\dfrac{1}{3}=\dfrac{5}{9}\,(\mathrm{L})$

14 (1) $2\dfrac{5}{6}\times2\div6=\dfrac{17}{6}\times2\div6=\dfrac{34}{6}\div6$

$=\dfrac{34}{6}\times\dfrac{1}{6}=\dfrac{34}{36}\left(=\dfrac{17}{18}\right)$

(2) $\dfrac{5}{9}\div5\times3=\dfrac{5}{9}\times\dfrac{1}{5}\times3=\dfrac{5}{45}\times3=\dfrac{15}{45}\left(=\dfrac{1}{3}\right)$

(3) $\dfrac{4}{7}\div4\div2=\dfrac{4}{7}\times\dfrac{1}{4}\div2=\dfrac{4}{28}\div2$

$=\dfrac{4}{28}\times\dfrac{1}{2}=\dfrac{4}{56}\left(=\dfrac{1}{14}\right)$

15 $1\dfrac{3}{5}\times2\div4=\dfrac{8}{5}\times2\div4=\dfrac{16}{5}\div4$

$\qquad=\dfrac{16}{5}\times\dfrac{1}{4}=\dfrac{16}{20}\left(=\dfrac{4}{5}\right)$

16 $\square\times7=4\dfrac{1}{5}\ \Rightarrow\ 4\dfrac{1}{5}\div7=\square$

$4\dfrac{1}{5}\div7=\dfrac{21}{5}\div7=\dfrac{21}{5}\times\dfrac{1}{7}=\dfrac{21}{35}\left(=\dfrac{3}{5}\right)$이므로

$\square$ 안에 알맞은 수는 $\dfrac{21}{35}\left(=\dfrac{3}{5}\right)$입니다.

17 $㉠\xrightarrow{\times2}㉡\xrightarrow{\times5}4\dfrac{2}{3}$

・$㉡\times5=4\dfrac{2}{3}\ \Rightarrow\ 4\dfrac{2}{3}\div5=㉡,\ ㉡=\dfrac{14}{15}$

・$㉠\times2=\dfrac{14}{15}\ \Rightarrow\ \dfrac{14}{15}\div2=㉠,\ ㉠=\dfrac{14}{30}\left(=\dfrac{7}{15}\right)$

18 $>$를 $=$라 하면 $18\dfrac{1}{2}\div\square=6$

$\Rightarrow\ 18\dfrac{1}{2}\div6=\square,\ \square=3\dfrac{1}{12}$

따라서 $\square<3\dfrac{1}{12}$이어야 하므로

$\square$ 안에 들어갈 수 있는 자연수는 1, 2, 3입니다.

참고 $●\div▲=■\ \Rightarrow\ ●\div■=▲$

19 약점 포인트　　　　　　　정답률 75%

나눗셈식 만드는 방법
・몫을 크게 만드는 경우:
　나누어지는 수는 크게, 나누는 수는 작게 합니다.
・몫을 작게 만드는 경우:
　나누어지는 수는 작게, 나누는 수는 크게 합니다.

분수 상자: $\dfrac{2}{7}<\dfrac{7}{9}<1\dfrac{1}{4}<1\dfrac{5}{8}$이므로 가장 작은 수

인 $\dfrac{2}{7}$를 뽑습니다.

자연수 상자: $7>5>3>2$이므로 가장 큰 수인 7을

뽑습니다.

몫이 가장 작은 나눗셈식: $\dfrac{2}{7}\div7=\dfrac{2}{7}\times\dfrac{1}{7}=\dfrac{2}{49}$

20 몫이 가장 큰 나눗셈식을 만들려면 가장 작은 수를
나누는 수에 넣고, 나머지 수로 가장 큰 대분수를 만
들어 나누어지는 수에 넣으면 됩니다.

나누는 수: 5

나누어지는 수: $8\dfrac{6}{7}$

$\Rightarrow\ 8\dfrac{6}{7}\div5=\dfrac{62}{7}\div5=\dfrac{62}{7}\times\dfrac{1}{5}=\dfrac{62}{35}\left(=1\dfrac{27}{35}\right)$

21 약점 포인트　　　　　　　정답률 65%

・(직사각형의 넓이)=(가로)×(세로)
・(삼각형의 넓이)=(밑변)×(높이)÷2
・(사다리꼴의 넓이)=((윗변)+(아랫변))×(높이)÷2
・(평행사변형의 넓이)=(밑변)×(높이)
・(마름모의 넓이)=(한 대각선)×(다른 대각선)÷2

삼각형의 밑변을 $\square$ cm라 하면

(삼각형의 넓이)$=\square\times3\div2=8\dfrac{1}{3}$ (cm^2),

$\square\times3=8\dfrac{1}{3}\times2,\ \square\times3=\dfrac{50}{3}$,

$\square=\dfrac{50}{3}\div3=\dfrac{50}{3}\times\dfrac{1}{3}=\dfrac{50}{9}\left(=5\dfrac{5}{9}\right)$

$\Rightarrow$ 삼각형의 밑변: $\dfrac{50}{9}$ cm$\left(=5\dfrac{5}{9}$ cm$\right)$

22 사다리꼴의 높이를 $\square$ cm라 하면
(사다리꼴의 넓이)

$=\left(3\dfrac{4}{9}+5\dfrac{5}{9}\right)\times\square\div2=21\dfrac{2}{3}$ (cm^2),

$9\times\square\div2=21\dfrac{2}{3}$,

$9\times\square=21\dfrac{2}{3}\times2,\ 9\times\square=\dfrac{130}{3}$,

$\square=\dfrac{130}{3}\div9=\dfrac{130}{3}\times\dfrac{1}{9}=\dfrac{130}{27}\left(=4\dfrac{22}{27}\right)$

$\Rightarrow$ 사다리꼴의 높이: $\dfrac{130}{27}$ cm$\left(=4\dfrac{22}{27}$ cm$\right)$

STEP 3 서술형 해결하기　　　024~027쪽

01 ❶ $1\dfrac{1}{4}\div5=\dfrac{5}{4}\div5=\dfrac{5}{4}\times\dfrac{1}{5}=\dfrac{5}{20}$ (kg) ▶3점

❷ $\dfrac{5}{20}\times2=\dfrac{10}{20}$ (kg)$\left(=\dfrac{1}{2}$ kg$\right),\ \dfrac{10}{20}\left(=\dfrac{1}{2}\right)$ ▶2점

/ $\dfrac{10}{20}$ kg$\left(=\dfrac{1}{2}$ kg$\right)$

02 예 ❶ 샌드위치 5인분을 만드는 데 양파 1개가 필
요하므로
(샌드위치 1인분을 만드는 데 필요한 양파의 수)

$=1\div5=\dfrac{1}{5}$ (개) ▶3점

❷ (샌드위치 4인분을 만드는 데 필요한 양파의 수)

$=\dfrac{1}{5}\times4=\dfrac{4}{5}$ (개) ▶2점 / $\dfrac{4}{5}$ 개

03 ⑩ ❶ 김치볶음밥 4인분을 만드는 데 김치 $\dfrac{3}{10}$ kg

이 필요하므로

(김치볶음밥 1인분을 만드는 데 필요한 김치의 무게)

$=\dfrac{3}{10}\div 4=\dfrac{3}{10}\times\dfrac{1}{4}=\dfrac{3}{40}$ (kg) ▶3점

❷ (김치볶음밥 3인분을 만드는 데 필요한 김치의

무게)$=\dfrac{3}{40}\times 3=\dfrac{9}{40}$ (kg) ▶2점 / $\dfrac{9}{40}$ kg

04 ❶ $1\dfrac{2}{8}$, $1\dfrac{2}{8}\div 6=\dfrac{10}{8}\div 6=\dfrac{10}{8}\times\dfrac{1}{6}$

$=\dfrac{10}{48}$ (cm²) ▶3점

❷ 4, $\dfrac{10}{48}\times 4=\dfrac{40}{48}$ (cm²)$\left(=\dfrac{5}{6}\ \text{cm}^2\right)$ ▶2점

/ $\dfrac{40}{48}$ cm²$\left(=\dfrac{5}{6}\ \text{cm}^2\right)$

05 ⑩ ❶ (정사각형의 넓이)$=3\times 3=9$ (cm²)

(한 부분의 넓이)$=9\div 4=\dfrac{9}{4}$ (cm²) ▶3점

❷ (색칠한 부분의 넓이)

$=\dfrac{9}{4}\times 3=\dfrac{27}{4}$ (cm²)$\left(=6\dfrac{3}{4}\ \text{cm}^2\right)$ ▶2점

/ $\dfrac{27}{4}$ cm²$\left(=6\dfrac{3}{4}\ \text{cm}^2\right)$

06 ⑩ ❶ (직사각형의 넓이)

$=4\times 2\dfrac{2}{3}=4\times\dfrac{8}{3}=\dfrac{32}{3}$ (cm²)

(한 부분의 넓이)

$=\dfrac{32}{3}\div 5=\dfrac{32}{3}\times\dfrac{1}{5}=\dfrac{32}{15}$ (cm²) ▶3점

❷ (색칠한 부분의 넓이)

$=\dfrac{32}{15}\times 2=\dfrac{64}{15}$ (cm²)$\left(=4\dfrac{4}{15}\ \text{cm}^2\right)$ ▶2점

/ $\dfrac{64}{15}$ cm²$\left(=4\dfrac{4}{15}\ \text{cm}^2\right)$

07 ❶ 4, $1\dfrac{3}{5}\div 4=\dfrac{8}{5}\div 4=\dfrac{8}{5}\times\dfrac{1}{4}=\dfrac{8}{20}$, $\dfrac{8}{20}$ ▶3점

❷ $\dfrac{8}{20}\div 6=\dfrac{8}{20}\times\dfrac{1}{6}=\dfrac{8}{120}\left(=\dfrac{1}{15}\right)$ ▶2점

/ $\dfrac{8}{120}\left(=\dfrac{1}{15}\right)$

08 ⑩ ❶ 어떤 수를 □라 하면 □$\times 3=22$이므로

□$=22\div 3=\dfrac{22}{3}$ ▶3점

❷ $\dfrac{22}{3}\div 3=\dfrac{22}{3}\times\dfrac{1}{3}=\dfrac{22}{9}\left(=2\dfrac{4}{9}\right)$ ▶2점

/ $\dfrac{22}{9}\left(=2\dfrac{4}{9}\right)$

09 ⑩ ❶ 어떤 수를 □라 하면 □$\times 9=\dfrac{12}{5}$이므로

□$=\dfrac{12}{5}\div 9=\dfrac{12}{5}\times\dfrac{1}{9}=\dfrac{12}{45}$ ▶3점

❷ $\dfrac{12}{45}\div 9=\dfrac{12}{45}\times\dfrac{1}{9}=\dfrac{12}{405}\left(=\dfrac{4}{135}\right)$ ▶2점

/ $\dfrac{12}{405}\left(=\dfrac{4}{135}\right)$

10 ❶ $2\div 7=\dfrac{2}{7}$ ▶3점

❷ 2, $\dfrac{2}{7}\times 2=\dfrac{4}{7}$, 5, $\dfrac{2}{7}\times 5=\dfrac{10}{7}\left(=1\dfrac{3}{7}\right)$ ▶2점

/ $\dfrac{4}{7}$, $\dfrac{10}{7}\left(=1\dfrac{3}{7}\right)$

11 ⑩ ❶ 3과 5 사이가 똑같이 9칸으로 나누어져 있으

므로

(작은 눈금 한 칸의 크기)$=2\div 9=\dfrac{2}{9}$ ▶3점

❷ ㉮는 3에서 오른쪽으로 작은 눈금 4칸 간 수이므로

㉮$=3+\dfrac{2}{9}\times 4=3+\dfrac{8}{9}=3\dfrac{8}{9}$ ▶2점 / $3\dfrac{8}{9}$

12 ⑩ ❶ $2\dfrac{2}{7}$와 $4\dfrac{4}{7}$ 사이가 똑같이 8칸으로 나누어져

있으므로

(작은 눈금 한 칸의 크기)

$=\left(4\dfrac{4}{7}-2\dfrac{2}{7}\right)\div 8=2\dfrac{2}{7}\div 8=\dfrac{16}{7}\div 8$

$=\dfrac{16}{7}\times\dfrac{1}{8}=\dfrac{16}{56}$ ▶3점

❷ ㉮는 $2\dfrac{2}{7}$에서 오른쪽으로 작은 눈금 3칸 간 수

이므로

㉮$=2\dfrac{2}{7}+\dfrac{16}{56}\times 3=2\dfrac{2}{7}+\dfrac{48}{56}=3\dfrac{1}{7}$ ▶2점 / $3\dfrac{1}{7}$

01	채점 기준	❶ 식빵 1개를 만드는 데 필요한 밀가루의 무게 구하기	3점
		❷ 식빵 2개를 만드는 데 필요한 밀가루의 무게 구하기	2점

02	채점 기준	❶ 샌드위치 1인분을 만드는 데 필요한 양파의 수 구하기	3점
		❷ 샌드위치 4인분을 만드는 데 필요한 양파의 수 구하기	2점

03	채점 기준	❶ 김치볶음밥 1인분을 만드는 데 필요한 김치의 무게 구하기	3점
		❷ 김치볶음밥 3인분을 만드는 데 필요한 김치의 무게 구하기	2점

04 | 채점 기준 | ❶ 6등분한 것 중 한 부분의 넓이 구하기 | 3점 |
| | ❷ 색칠한 부분의 넓이 구하기 | 2점 |

05 | 채점 기준 | ❶ 4등분한 것 중 한 부분의 넓이 구하기 | 3점 |
| | ❷ 색칠한 부분의 넓이 구하기 | 2점 |

06 | 채점 기준 | ❶ 5등분한 것 중 한 부분의 넓이 구하기 | 3점 |
| | ❷ 색칠한 부분의 넓이 구하기 | 2점 |

07 | 채점 기준 | ❶ 어떤 수 구하기 | 3점 |
| | ❷ 어떤 수를 6으로 나누었을 때의 몫 구하기 | 2점 |

08 | 채점 기준 | ❶ 어떤 수 구하기 | 3점 |
| | ❷ 바르게 계산했을 때의 몫 구하기 | 2점 |

09 | 채점 기준 | ❶ 어떤 수 구하기 | 3점 |
| | ❷ 바르게 계산했을 때의 몫 구하기 | 2점 |

10 | 채점 기준 | ❶ 수직선의 작은 눈금 한 칸의 크기 구하기 | 3점 |
| | ❷ ■와 ▲에 알맞은 분수 각각 구하기 | 2점 |

11 | 채점 기준 | ❶ 수직선의 작은 눈금 한 칸의 크기 구하기 | 3점 |
| | ❷ ㉮에 알맞은 분수 구하기 | 2점 |

12 | 채점 기준 | ❶ 수직선의 작은 눈금 한 칸의 크기 구하기 | 3점 |
| | ❷ ㉮에 알맞은 분수 구하기 | 2점 |

단원 마무리

028~030쪽

01 $\frac{1}{8}$

02 $\frac{1}{4}$ / $\frac{1}{4}$, $\frac{1}{20}$ **03** 2, 9, $\frac{4}{9}$

04 $3\frac{1}{6} \div 9 = \frac{19}{6} \div 9 = \frac{19}{6} \times \frac{1}{9} = \frac{19}{54}$

05 (1) $\frac{7}{30}$ (2) $\frac{18}{63}\left(=\frac{2}{7}\right)$ **06** [선 잇기]

07 ②, ④

08 $\frac{4}{30}\left(=\frac{2}{15}\right)$, $\frac{12}{75}\left(=\frac{4}{25}\right)$

09 $\frac{5}{8} \div 10$에 ○표 **10** $\frac{41}{42}$ **11** ㉢

12 $4 \div 3 = \frac{4}{3}\left(=1\frac{1}{3}\right)$ / $\frac{4}{3}$ L $\left(=1\frac{1}{3}$ L $\right)$

13 $\frac{9}{16}$ 배 **14** $\frac{18}{30}\left(=\frac{3}{5}\right)$ **15** $\frac{5}{7}$, 2 / $\frac{5}{14}$

16 $\frac{14}{11}\left(=1\frac{3}{11}\right)$ **17** $\frac{168}{25}\left(=6\frac{18}{25}\right)$

18 예 ❶ 대분수를 가분수로 고치지 않고 계산하여 잘못되었습니다. ▶3점

❷ $2\frac{4}{5} \div 2 = \frac{14}{5} \div 2 = \frac{14 \div 2}{5} = \frac{7}{5}\left(=1\frac{2}{5}\right)$ ▶2점

19 예 ❶ $10\frac{2}{3} \div 4 = \frac{32}{3} \div 4$

$= \frac{32}{3} \times \frac{1}{4} = \frac{32}{12} = 2\frac{8}{12}$,

$36 \div 7 = \frac{36}{7} = 5\frac{1}{7}$이므로 $2\frac{8}{12} < \square < 5\frac{1}{7}$ ▶3점

❷ 따라서 □ 안에 들어갈 수 있는 자연수는 3, 4, 5로 모두 3개입니다. ▶2점 / 3개

20 예 ❶ 어떤 수를 □라 하면 $\square \times 3 = \frac{36}{25}$이므로

$\square = \frac{36}{25} \div 3 = \frac{36}{25} \times \frac{1}{3} = \frac{36}{75}$ ▶3점

❷ $\frac{36}{75} \div 3 = \frac{36}{75} \times \frac{1}{3} = \frac{36}{225}\left(=\frac{4}{25}\right)$ ▶2점

/ $\frac{36}{225}\left(=\frac{4}{25}\right)$

---

05 (1) $\frac{7}{15} \div 2 = \frac{7}{15} \times \frac{1}{2} = \frac{7}{30}$

(2) $2\frac{4}{7} \div 9 = \frac{18}{7} \div 9 = \frac{18}{7} \times \frac{1}{9} = \frac{18}{63}\left(=\frac{2}{7}\right)$

06 (1) $\frac{2}{3} \div 3 = \frac{2}{3} \times \frac{1}{3} = \frac{2}{9}$

(2) $\frac{3}{5} \div 2 = \frac{3}{5} \times \frac{1}{2} = \frac{3}{10}$

07 ② $7 \div 8 = \frac{7}{8}$ ④ $21 \div 10 = \frac{21}{10}$

08 $\frac{4}{3} \div 10 = \frac{4}{3} \times \frac{1}{10} = \frac{4}{30}\left(=\frac{2}{15}\right)$

$2\frac{2}{5} \div 15 = \frac{12}{5} \div 15 = \frac{12}{5} \times \frac{1}{15} = \frac{12}{75}\left(=\frac{4}{25}\right)$

09 $\frac{7}{8} \div 7 = \frac{7}{8} \times \frac{1}{7} = \frac{7}{56}\left(=\frac{1}{8}\right)$

$\frac{5}{8} \div 10 = \frac{5}{8} \times \frac{1}{10} = \frac{5}{80}\left(=\frac{1}{16}\right)$

$\frac{1}{4} \div 2 = \frac{1}{4} \times \frac{1}{2} = \frac{1}{8}$

따라서 몫이 다른 하나는 $\frac{5}{8} \div 10$입니다.

10 $6\frac{5}{6} \div 7 = \frac{41}{6} \div 7 = \frac{41}{6} \times \frac{1}{7} = \frac{41}{42}$

11 ㉠ $\dfrac{3}{16}$　㉡ $\dfrac{7}{24}$　㉢ $\dfrac{1}{8}$

➡ $\dfrac{1}{8} < \dfrac{3}{16} < \dfrac{7}{24}$

12 (병 한 개에 담아야 하는 물의 양)

$= 4 \div 3 = \dfrac{4}{3}\,(\text{L})\left(= 1\dfrac{1}{3}\,\text{L}\right)$

13 (설탕의 무게)÷(밀가루의 무게)

$= 1\dfrac{1}{8} \div 2 = \dfrac{9}{8} \div 2 = \dfrac{9}{8} \times \dfrac{1}{2} = \dfrac{9}{16}(\text{배})$

14 $6 \times \square = 3\dfrac{3}{5}$ ➡ $3\dfrac{3}{5} \div 6 = \square$

$3\dfrac{3}{5} \div 6 = \dfrac{18}{5} \div 6 = \dfrac{18}{5} \times \dfrac{1}{6} = \dfrac{18}{30}\left(= \dfrac{3}{5}\right)$이므로

$\square$ 안에 알맞은 분수는 $\dfrac{18}{30}\left(= \dfrac{3}{5}\right)$입니다.

15 나누어지는 수가 클수록, 나누는 수가 작을수록 몫이 큽니다.

2, 5, 7 중 가장 작은 수는 2이고, 5와 7을 사용하여 만들 수 있는 진분수는 $\dfrac{5}{7}$이므로 몫이 가장 큰 나눗셈 식은 $\dfrac{5}{7} \div 2$입니다. ➡ $\dfrac{5}{7} \div 2 = \dfrac{5}{7} \times \dfrac{1}{2} = \dfrac{5}{14}$

16 (작은 눈금 한 칸의 크기) $= 2 \div 11 = \dfrac{2}{11}$

㉮는 0에서 오른쪽으로 작은 눈금 7칸 간 수이므로

㉮ $= \dfrac{2}{11} \times 7 = \dfrac{14}{11}\left(= 1\dfrac{3}{11}\right)$

17 (사각형의 넓이)

$= 4\dfrac{1}{5} \times 4 = \dfrac{21}{5} \times 4 = \dfrac{84}{5} = 16\dfrac{4}{5}\,(\text{m}^2)$

(삼각형의 넓이) $= \square \times 5 \div 2 = 16\dfrac{4}{5}\,(\text{m}^2)$,

$\square \times 5 = 16\dfrac{4}{5} \times 2 = \dfrac{168}{5}$,

$\square = \dfrac{168}{5} \div 5 = \dfrac{168}{5} \times \dfrac{1}{5} = \dfrac{168}{25}\left(= 6\dfrac{18}{25}\right)$

18
채점 기준		
❶ 이유 쓰기		3점
❷ 바르게 계산하기		2점

19
채점 기준		
❶ $\square$ 안에 들어갈 수 있는 자연수의 범위 구하기		3점
❷ $\square$ 안에 들어갈 수 있는 자연수의 개수 구하기		2점

20
채점 기준		
❶ 어떤 수 구하기		3점
❷ 바르게 계산했을 때의 몫 구하기		2점

---

2. 각기둥과 각뿔

STEP 1 개념 완성하기　034~035쪽

1 (1) 가, 나, 마, 바　(2) 가, 바　(3) 각기둥

2 (1)　(2)　(3) 밑면, 옆면

3 사각형, 칠각형, 사각기둥, 칠각기둥

4 (위에서부터) 모서리, 높이, 꼭짓점

5 (1)　(2)

6 (1) 면 ㄱㄴㄷㄹ, 면 ㅁㅂㅅㅇ
　(2) 면 ㄴㅂㅅㄷ, 면 ㄹㅇㅅㄷ, 면 ㄱㅁㅇㄹ, 면 ㄴㅂㅁㄱ

7 9 cm　　　**8** 8개, 18개, 12개

2 밑면: 서로 평행하고 합동인 두 면
옆면: 두 밑면과 만나는 면

3  : 밑면의 모양이 사각형이므로 사각기둥입니다.

: 밑면의 모양이 칠각형이므로 칠각기둥입니다.

중요 밑면의 모양이 ■각형인 각기둥: ■각기둥

5 겨냥도로 나타낼 때 보이는 모서리는 실선으로, 보이지 않는 모서리는 점선으로 나타냅니다.

6 (1) 서로 평행하고 합동인 두 면을 찾습니다.
　➡ 면 ㄱㄴㄷㄹ, 면 ㅁㅂㅅㅇ
(2) 두 밑면과 만나는 면을 찾습니다.
　➡ 면 ㄴㅂㅅㄷ, 면 ㄹㅇㅅㄷ, 면 ㄱㅁㅇㄹ,
　　면 ㄴㅂㅁㄱ

7 두 밑면 사이의 거리를 나타내는 모서리의 길이는 9 cm입니다. ➡ (높이) $=$ 9 cm
주의 밑면에 있는 직각 표시를 보고 각기둥의 높이를 6 cm 또는 8 cm로 답하지 않도록 주의합니다.

8 • 면: 밑면이 2개, 옆면이 6개이므로 면은 모두 $2+6=8$(개)입니다.
• 모서리: 면과 면이 만나는 선분을 세어 보면 18개입니다.
• 꼭짓점: 모서리와 모서리가 만나는 점을 세어 보면 12개입니다.

STEP ① 개념 완성하기 036~037쪽

1 (1) 전개도 (2) 오각형 (3) 오각기둥

2
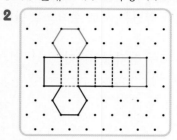

3 지윤

4
1 cm
1 cm

5 (1) 점 ㅇ (2) 선분 ㅊㅋ
(3) 면 ㅍㅎㅋㅌ, 면 ㄱㄴㄷㅎ, 면 ㅋㄹㅁㅊ,
　면 ㅁㅂㅅㅇ
(4) 면 ㅋㄹㅁㅊ

6 (위에서부터) 6, 7, 8

---

2 육각기둥의 밑면은 2개, 옆면은 6개입니다.
밑면(육각형)이 2개, 옆면(직사각형)이 6개가 되도록
빠진 부분을 그려 넣습니다.
중요 전개도를 그릴 때 잘리지 않은 모서리는 점선으로, 잘린 모
서리는 실선으로 그립니다.

3 지윤: 면이 5개이므로 전개도를 잘못 그렸습니다.

5 (2) 전개도를 접으면 점 ㅌ과 점 ㅊ이 만나므로
　　선분 ㅌㅋ과 선분 ㅊㅋ이 맞닿습니다.
(3) 전개도를 접으면 선분 ㅊㅈ과 선분 ㅌㅍ,
　　선분 ㅈㅇ과 선분 ㄱㄴ이 맞닿으므로
　　면 ㅊㅁㅇㅈ과 만나는 면은 면 ㅍㅎㅋㅌ,
　　면 ㄱㄴㄷㅎ, 면 ㅋㄹㅁㅊ, 면 ㅁㅂㅅㅇ입니다.
(4) 전개도를 접으면 면 ㄱㄴㄷㅎ과 면 ㅋㄹㅁㅊ이 서
　　로 마주 봅니다.
　　따라서 면 ㄱㄴㄷㅎ과 평행한 면은 면 ㅋㄹㅁㅊ입
　　니다.

6 각기둥의 전개도를 접었을 때 맞닿는 선분의 길이는
같습니다.

STEP ① 개념 완성하기 038~039쪽

1 (1) 가, 나, 다 (2) 가, 다 (3) 가, 다 (4) 각뿔

2 (1) (2) 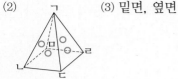 (3) 밑면, 옆면

3 (위에서부터) 각뿔의 꼭짓점, 높이, 모서리, 꼭짓점

4 나 　　**5**

6 (1) 면 ㄴㄷㄹㅁㅂ
(2) 면 ㄱㄴㄷ, 면 ㄱㄷㄹ, 면 ㄱㄹㅁ, 면 ㄱㅂㅁ,
　면 ㄱㄴㅂ

7 삼각형 　　　**8** 8개, 14개, 8개

---

5 각뿔은 밑면의 모양에 따라 이름이 정해집니다.
밑면의 모양이 ■각형 ➡ ■각뿔

6 (2) 밑면과 만나는 면을 찾습니다.
➡ 면 ㄱㄴㄷ, 면 ㄱㄷㄹ, 면 ㄱㄹㅁ, 면 ㄱㅂㅁ,
　면 ㄱㄴㅂ

8 • 면: 밑면이 1개, 옆면이 7개이므로 면은 모두
　　　1＋7＝8(개)입니다.
• 모서리: 면과 면이 만나는 선분을 세어 보면 14개
　　　　입니다.
• 꼭짓점: 모서리와 모서리가 만나는 점을 세어 보면
　　　　8개입니다.

STEP ② 실력 다지기 040~045쪽

01 에 ○표 / 삼각기둥 　　**02** ㉢

03 ❶ 나 ▶2점
　❷ 위와 아래에 있는 면이 서로 평행하지만 합동
이 아니므로 각기둥이 아닙니다. ▶3점

04 민선

05 ❶ ㉡ ▶2점
　❷ 각기둥의 밑면은 항상 2개입니다. ▶3점

06 다, 칠각뿔

07 밑면이 다각형이 아니므로 각뿔이 아닙니다. ▶5점

08 1 cm 　　　　**09** 주연, 윤호

10 ❶ 밑면의 모양이 육각형입니다. ▶2점
　❷ 밑면이 2개입니다. / 밑면이 1개입니다. ▶3점

11 (왼쪽에서부터) 8, 11, 6   **12** 5개

13 ❶ 가 ▶2점

   (예) ❷ 밑면의 모양은 육각형이지만 옆면은 5개 있으므로 각기둥의 전개도가 아닙니다. ▶3점

14 (예)

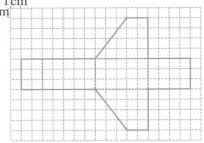

15 (예)

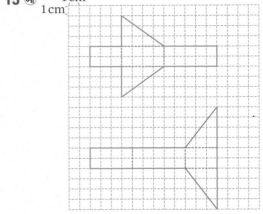

16 8, 10, 6, 7, 9, 12, 15 / ① 2 ② 2 ③ 3

17 (위에서부터) ○, ×, ○   **18** 16개, 24개

19 ㉢   **20** 팔각뿔, 9, 9, 16

21 18   **22** 30개, 18개   **23** ㉠, ㉢

24 12개   **25** ㉡, ㉢   **26** 85 cm

27 3 cm   **28** 칠각뿔   **29** 4 cm

02 각기둥의 밑면은 면 ㄱㄴㄷㄹ과 면 ㅁㅂㅅㅇ입니다. 높이는 두 밑면 사이의 거리이므로 높이를 잴 수 있는 선분은 선분 ㄱㅁ, 선분 ㄴㅂ, 선분 ㄷㅅ, 선분 ㄹㅇ입니다.

03
채점 기준	❶ 각기둥이 아닌 도형의 기호 쓰기	2점
	❷ 이유 쓰기	3점

04 종현: 밑면의 모양이 삼각형이므로 삼각기둥입니다.

   (참고) 만든 각기둥에서 밑면의 모양은 삼각형이고, 옆면의 모양은 사각형입니다.

05
채점 기준	❶ 틀린 것의 기호 쓰기	2점
	❷ 이유 쓰기	3점

   (중요) 각기둥의 밑면은 2개입니다.

07
채점 기준	각뿔이 아닌 이유 쓰기	5점

09 주연: 밑면의 모양이 오각형이므로 오각뿔입니다.

   수현: 각뿔에서 밑면과 옆면은 서로 수직으로 만나지 않습니다.

   윤호: 각뿔의 옆면은 모두 삼각형입니다.

10
채점 기준	❶ 공통점 쓰기	2점
	❷ 차이점 쓰기	3점

12 면 가는 밑면입니다.

따라서 전개도를 접었을 때 면 가와 수직인 면은 옆면으로 면 나, 면 다, 면 라, 면 마, 면 바입니다. ➡ 5개

13
채점 기준	❶ 각기둥의 전개도가 아닌 것을 찾아 기호 쓰기	2점
	❷ 이유 쓰기	3점

나: 밑면의 모양은 사각형이고 옆면은 4개 있으므로 사각기둥의 전개도입니다.

14 (중요) 전개도를 그릴 때 잘린 모서리는 실선으로, 잘리지 않은 모서리는 점선으로 그립니다.

15 삼각기둥의 모양은 오른쪽과 같습니다.

16 (중요) ■각기둥에서 (꼭짓점의 수)=■×2, (면의 수)=■+2, (모서리의 수)=■×3

17 • (구각기둥의 꼭짓점의 수)=9×2=18(개)

   • 한 밑면의 변의 수를 □개라 하면

    (면의 수)=□+2=9(개), □=7

    따라서 한 밑면의 모양이 칠각형이므로 칠각기둥입니다.

   • (십각기둥의 모서리의 수)=10×3=30(개)

    (오각기둥의 모서리의 수)=5×3=15(개)

    ➡ 30÷15=2(배)

18 한 밑면의 변의 수를 □개라 하면

(면의 수)=□+2=10(개), □=8이므로

밑면의 모양은 팔각형입니다.

   ➡ (꼭짓점의 수)=8×2=16(개)

    (모서리의 수)=8×3=24(개)

19 주어진 세 각뿔에서 면의 수는 밑면의 변의 수보다 1 큽니다.

   ➡ (면의 수)=(밑면의 변의 수)+1

따라서 틀린 것은 ㉢입니다.

   (중요) ▲각뿔에서 (꼭짓점의 수)=▲+1, (면의 수)=▲+1, (모서리의 수)=▲×2

20 밑면의 모양이 팔각형이므로 팔각뿔입니다.
(꼭짓점의 수)=8+1=9(개)
(면의 수)=8+1=9(개)
(모서리의 수)=8×2=16(개)

21 • 밑면의 변의 수를 □개라 하면
(모서리의 수)=□×2=14(개), □=7이므로
밑면의 모양은 칠각형입니다.
(면의 수)=7+1=8(개) ➡ ㉠=8
• 각뿔에서 면의 수와 꼭짓점의 수는 같으므로
(꼭짓점의 수)=10개 ➡ ㉡=10
➡ ㉠+㉡=8+10=18

22 약점 포인트 　　　　　　　　　　정답률 80%
모서리는 빨대를, 꼭짓점은 고무찰흙을 사용하여 만들었으므로
• 사용한 빨대의 수 ➡ 모서리의 수
• 사용한 고무찰흙의 수 ➡ 꼭짓점의 수

기둥 모형은 2층으로 이루어진 육각기둥 모양입니다.
2층으로 이루어진 육각기둥에는 모서리가 30개, 꼭짓점이 18개 있으므로
빨대는 30개, 고무찰흙은 18개 사용했습니다.

23

각뿔	모서리의 수(개)	꼭짓점의 수(개)
㉠ 사각뿔	8	5
㉡ 구각뿔	18	10
㉢ 육각뿔	12	7
㉣ 팔각뿔	16	9

➡ 주어진 재료로 만들 수 있는 각뿔은 사각뿔, 육각뿔입니다.

24 약점 포인트 　　　　　　　　　　정답률 75%
① 만들어지는 각기둥의 이름을 구합니다.
② 각기둥의 구성 요소의 수의 규칙을 이용하여 모서리의 수를 구합니다.

밑면의 모양이 사각형이므로 전개도를 접으면 사각기둥이 만들어집니다.
(사각기둥의 모서리의 수)=4×3=12(개)

25 밑면의 모양이 육각형이므로 전개도를 접으면 육각기둥이 만들어집니다.
㉠ 밑면: 2개　　㉡ 옆면: 6개
㉢ (꼭짓점의 수)=6×2=12(개)
㉣ (모서리의 수)=6×3=18(개)
구성 요소의 수를 바르게 짝 지은 것은 ㉡, ㉢입니다.

26 약점 포인트 　　　　　　　　　　정답률 70%
① 각기둥에서 길이가 5 cm인 모서리와 7 cm인 모서리의 수를 각각 세어 봅니다.
② 식을 세워 모든 모서리의 길이의 합을 구합니다.

밑면의 변의 길이가 모두 같으므로 길이가 5 cm인 모서리는 10개 있습니다. 높이는 모두 같으므로 길이가 7 cm인 모서리는 5개 있습니다.
(모든 모서리의 길이의 합)=5×10+7×5
=50+35=85 (cm)

27 (삼각뿔의 모서리의 수)=3×2=6(개)
(한 모서리의 길이)=18÷6=3 (cm)

28 약점 포인트 　　　　　　　　　　정답률 65%
조건을 만족하는 도형을 ■각기둥, ▲각뿔이라 하고 각 도형의 구성 요소의 수의 규칙을 이용하여 조건에 맞는 도형을 찾습니다.

• 조건을 모두 만족하는 도형을 ■각기둥이라 하면
(■각기둥의 꼭짓점의 수)=■×2=8(개), ■=4
이므로 사각기둥입니다.
사각기둥의 면은 4+2=6(개), 모서리는
4×3=12(개)이므로 조건을 만족하지 않습니다.
• 조건을 모두 만족하는 도형을 ▲각뿔이라 하면
(▲각뿔의 꼭짓점의 수)=▲+1=8(개), ▲=7이
므로 칠각뿔입니다.
칠각뿔의 면은 7+1=8(개), 모서리는
7×2=14(개)이므로 조건을 모두 만족합니다.

29 밑면의 한 변의 길이를 □cm라 하면
각기둥에는 □cm인 모서리가 6개,
5 cm인 모서리가 3개 있습니다.
(모든 모서리의 길이의 합)
=□×6+5×3=39 (cm),
□×6+15=39, □×6=24, □=4

STEP ❸ 서술형 해결하기　　　046~047쪽

01 ❶ 5, 5, 같습니다, 5, 오각형 ▸3점
❷ 오각뿔 ▸2점 / 오각뿔

02 예 ❶ 전개도에서 옆면이 8개이므로 한 밑면의 변은 8개입니다. ➡ 밑면의 모양이 팔각형이므로 팔각기둥입니다. ▸3점
❷ (모서리의 수)=8×3=24(개) ▸2점 / 24개

03 예 ❶ 밑면이 1개인 입체도형이므로 각뿔입니다.
각뿔의 옆면이 7개이므로 밑면의 변은 7개입니다.
➡ 밑면의 모양이 칠각형이므로 칠각뿔입니다. ▶3점
❷ (꼭짓점의 수)=7+1=8(개) ▶2점 / 8개

04 ❶ 3, 합동, 3 ▶3점
❷ 3, 14, 3×14=42 (cm) ▶2점 / 42 cm

05 예 ❶ 전개도를 접었을 때 맞닿는 선분의 길이는 같
고, 밑면이 정오각형이므로 선분 ㄱㄹ의 길이는 밑
면의 한 변의 길이의 5배입니다.
(선분 ㄱㄹ)=4×5=20 (cm) ▶3점
❷ (직사각형 ㄱㄴㄷㄹ의 둘레)
=20+3+20+3=46 (cm) ▶2점 / 46 cm

06 예 ❶ 전개도를 접었을 때 맞닿는 선분의 길이는 같
고, 밑면이 정팔각형이므로 색칠한 부분의 가로는
밑면의 한 변의 길이의 8배입니다.
(색칠한 부분의 가로)=5×8=40 (cm) ▶3점
❷ (색칠한 부분의 넓이)=40×7=280 (cm²) ▶2점
/ 280 cm²

01	채점기준	❶ 밑면의 모양 구하기	3점
		❷ 만든 각뿔의 이름 구하기	2점

중요 (밑면의 변의 수)=(옆면의 수)

02	채점기준	❶ 각기둥의 이름 구하기	3점
		❷ 모서리의 수 구하기	2점

03	채점기준	❶ 각뿔의 이름 구하기	3점
		❷ 꼭짓점의 수 구하기	2점

04	채점기준	❶ 전개도의 각 선분의 길이 구하기	3점
		❷ 전개도의 둘레 구하기	2점

05	채점기준	❶ 선분 ㄱㄹ의 길이 구하기	3점
		❷ 직사각형 ㄱㄴㄷㄹ의 둘레 구하기	2점

06	채점기준	❶ 색칠한 부분의 가로 구하기	3점
		❷ 색칠한 부분의 넓이 구하기	2점

단원 마무리
048~050쪽

01 나, 마   **02** 가, 바
03 (위에서부터) 밑면, 모서리, 높이, 옆면, 꼭짓점
04 (1) 오각기둥 (2) 육각뿔
05 육각기둥

06 면 ㄱㄴㄷ, 면 ㄱㄷㄹ, 면 ㄱㄹㅁ, 면 ㄱㄴㅁ
07 ㄷ   **08** 1 cm
09 (왼쪽에서부터) 6, 5, 8
10 1개, 9개
11 예

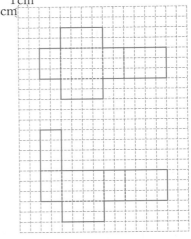

1 cm
1 cm

12 육각형, 육각형, 12, 7, 8, 7, 18, 12
13 10개, 6개   **14** ㄴ, ㄱ, ㄷ
15 11개, 11개, 20개   **16** 칠각기둥
17 7 cm
18 예 ❶ 밑면의 모양이 삼각형입니다. ▶2점
❷ 옆면의 모양이 삼각기둥은 직사각형이고, 삼각
뿔은 삼각형입니다. ▶3점
19 예 ❶ 밑면의 변의 수를 □개라 하면
(면의 수)=□+1=9(개), □=8이므로 팔각뿔입
니다. ▶3점
❷ (모서리의 수)=8×2=16(개) ▶2점 / 16개
20 예 ❶ (선분 ㄱㅈ)=(선분 ㄴㄷ)=8 cm,
(선분 ㅈㅇ)=(선분 ㄷㄹ)=(선분 ㅁㄹ)=4 cm,
(선분 ㅇㅅ)=(선분 ㅊㄱ)=8 cm이므로
(선분 ㄱㅅ)=8+4+8=20 (cm) ▶3점
❷ (직사각형 ㄱㄴㅂㅅ의 둘레)
=20+5+20+5=50 (cm) ▶2점
/ 50 cm

04 (1) 밑면의 모양이 오각형이므로 오각기둥입니다.
(2) 밑면의 모양이 육각형이므로 육각뿔입니다.

05 밑면이 육각형이고, 옆면이 6개 있으므로 육각기둥의
전개도입니다.

07 ㄷ 밑면의 모양이 사각형이므로 사각뿔입니다.

08 (각기둥의 높이)=11 cm, (각뿔의 높이)=12 cm
➡ (높이의 차)=12-11=1 (cm)

10 • 각뿔의 밑면은 항상 1개입니다.
• (구각뿔의 옆면의 수)=(밑면의 변의 수)=9개

12 • 육각기둥의 밑면의 모양은 육각형입니다.
➡ (꼭짓점의 수)=6×2=12(개)
(면의 수)=6+2=8(개)
(모서리의 수)=6×3=18(개)
• 육각뿔의 밑면의 모양은 육각형입니다.
➡ (꼭짓점의 수)=6+1=7(개)
(면의 수)=6+1=7(개)
(모서리의 수)=6×2=12(개)

13 (오각뿔의 모서리의 수)=5×2=10(개)
(오각뿔의 꼭짓점의 수)=5+1=6(개)

14 ㉠ (오각기둥의 꼭짓점의 수)=5×2=10(개)
→ □=10
㉡ (칠각뿔의 모서리의 수)=7×2=14(개)
→ □=14
㉢ (삼각기둥의 면의 수)=3+2=5(개) → □=5
➡ ㉡ 14>㉠ 10>㉢ 5

15 밑면의 모양이 십각형이므로 십각뿔입니다.
➡ (꼭짓점의 수)=10+1=11(개)
(면의 수)=10+1=11(개)
(모서리의 수)=10×2=20(개)

16 조건을 모두 만족하는 도형을 □각기둥이라 하면
(□각기둥의 꼭짓점의 수)=□×2=14(개), □=7
이므로 밑면의 모양은 칠각형입니다. ➡ 칠각기둥
칠각기둥의 모서리는 7×3=21(개),
면은 7+2=9(개)이므로 조건을 모두 만족합니다.

17 육각기둥의 높이를 □cm라 하면 4cm인 모서리는
12개, □cm인 모서리는 6개 있습니다.
(모든 모서리의 길이의 합)
=4×12+□×6=90 (cm),
48+□×6=90, □×6=42, □=7
따라서 육각기둥의 높이는 7cm입니다.

18
채점 기준	❶ 공통점 쓰기	2점
	❷ 차이점 쓰기	3점

19
채점 기준	❶ 각뿔의 이름 구하기	3점
	❷ 모서리의 수 구하기	2점

20
채점 기준	❶ 선분 ㄱㅅ의 길이 구하기	3점
	❷ 직사각형 ㄱㄴㅂㅅ의 둘레 구하기	2점

3. 소수의 나눗셈

STEP 1 개념 완성하기
056~057쪽

1 (1) 3 (2) 예   (3) 1.2 kg

2 824, 824, 412, 412, 4.12

3 (위에서부터) 122, $\frac{1}{10}$, 12.2, $\frac{1}{100}$, 1.22

4 세찬

5 (1) 31.4, 3.14 (2) 22.2, 2.22

6 (선 연결) **7** 1.32

　　　　　　　　8 3.69, 1.23

4 39.6은 396의 $\frac{1}{10}$배입니다.
나누어지는 수가 $\frac{1}{10}$배가 되었으므로 몫도 $\frac{1}{10}$배가
됩니다. ➡ 39.6÷3=13.2

5 (1) 628÷2=314 ➡ 62.8÷2=31.4
628÷2=314 ➡ 6.28÷2=3.14
(2) 888÷4=222 ➡ 88.8÷4=22.2
888÷4=222 ➡ 8.88÷4=2.22

6 (1) 826÷2=413 ➡ 82.6÷2=41.3
(2) 693÷3=231 ➡ 6.93÷3=2.31
(3) 884÷4=221 ➡ 8.84÷4=2.21

7 소수를 자연수로 나눈 몫을 구하므로 2.64÷2를 계
산합니다.
264÷2=132 ➡ 2.64÷2=1.32

8 (물병 한 개에 담아야 하는 물의 양)
=(전체 물의 양)÷(물병의 수)
=3.69÷3=1.23 (L)

STEP 1 개념 완성하기
058~059쪽

1 675, 675, 5, 135, 1.35 / 1.35

2 (1) 8.1.8 (2) 3.2.3

3 $6.88÷8=\frac{688}{100}÷8=\frac{688÷8}{100}=\frac{86}{100}=0.86$

4 (1) 224, 22.4 (2) 65, 0.65

5 (1) 3.16 (2) 0.23 (3) 2.41 (4) 0.92

6 1.27, 0.93

7 예 방법① $7.56 \div 2 = \dfrac{756}{100} \div 2 = \dfrac{756 \div 2}{100} = \dfrac{378}{100}$
$= 3.78$

방법② $756 \div 2 = 378 \Rightarrow 7.56 \div 2 = 3.78$

8 혜영 　　　**9** 83.4, 13.9

---

4 (1) 89.6은 896의 $\dfrac{1}{10}$배이므로 89.6÷4의 몫은

896÷4의 몫의 $\dfrac{1}{10}$배입니다.

5 (3)
$$\begin{array}{r} 2.4\,1 \\ 9\overline{)21.6\,9} \\ \underline{1\,8} \\ 3\,6 \\ \underline{3\,6} \\ 9 \\ \underline{9} \\ 0 \end{array}$$

(4)
$$\begin{array}{r} 0.9\,2 \\ 8\overline{)7.3\,6} \\ \underline{7\,2} \\ 1\,6 \\ \underline{1\,6} \\ 0 \end{array}$$

6 $1016 \div 8 = 127 \Rightarrow 10.16 \div 8 = 1.27$
$744 \div 8 = 93 \Rightarrow 7.44 \div 8 = 0.93$

8 소연: $32.8 \div 8 = 4.1$　　혜영: $4.26 \div 6 = 0.71$
→ 몫이 1보다 작은 소수인 나눗셈식을 들고 있는 사람은 혜영입니다.

다른 풀이 소연: 32.8>8이므로 몫은 1보다 큽니다.
혜영: 4.26<6이므로 몫은 1보다 작습니다.

중요 나누어지는 수가 나누는 수보다 작으면 몫은 1보다 작습니다.

9 (색연필 한 자루의 무게)
=(색연필 6자루의 무게의 합)÷(색연필의 수)
=$83.4 \div 6 = 13.9$ (g)

STEP ② **실력 다지기**　　060~065쪽

01 (1) $47.1 \div 3 = \dfrac{471}{10} \div 3 = \dfrac{471 \div 3}{10} = \dfrac{157}{10} = 15.7$

(2) $5.88 \div 2 = \dfrac{588}{100} \div 2 = \dfrac{588 \div 2}{100} = \dfrac{294}{100} = 2.94$

02 $17.1 \div 3$

03 ❶ (위에서부터) $\dfrac{1}{100}$, 368, 3.68, $\dfrac{1}{100}$ ▶2점

예 ❷ $2944 \div 8 = 368$이고, 29.44는 2944의

$\dfrac{1}{100}$배이므로 29.44÷8의 몫은 368의 $\dfrac{1}{100}$배인

3.68입니다. ▶3점

04 $0.78 \div 3 = \dfrac{78}{100} \div 3 = \dfrac{78 \div 3}{100} = \dfrac{26}{100} = 0.26$

---

05 5.4에 ○표 /
$$\begin{array}{r} 0.5\,4 \\ 6\overline{)3.2\,4} \\ \underline{3\,0} \\ 2\,4 \\ \underline{2\,4} \\ 0 \end{array}$$

06 ❶
$$\begin{array}{r} 6.3\,2 \\ 8\overline{)50.5\,6} \\ \underline{4\,8} \\ 2\,5 \\ \underline{2\,4} \\ 1\,6 \\ \underline{1\,6} \\ 0 \end{array}$$ ▶2점

/ 예 ❷ 몫의 소수점을 나누어지는 수의 소수점 자리에 맞추어 찍어야 하는데 잘못 찍었습니다. ▶3점

07 1.48, 0.37　　**08** 2.34　　**09** 대한민국

10 (○) (　)

11
② $$\begin{array}{r} 2.3 \\ 7\overline{)16.1} \\ \underline{1\,4} \\ 2\,1 \\ \underline{2\,1} \\ 0 \end{array}$$
① $$\begin{array}{r} 5.1 \\ 5\overline{)25.5} \\ \underline{2\,5} \\ 5 \\ \underline{5} \\ 0 \end{array}$$
③ $$\begin{array}{r} 0.3\,1 \\ 12\overline{)3.7\,2} \\ \underline{3\,6} \\ 1\,2 \\ \underline{1\,2} \\ 0 \end{array}$$

12 예 ❶ ㉠ $19.26 \div 6 = 3.21$ ㉡ $17.48 \div 23 = 0.76$
㉢ $20.24 \div 8 = 2.53$ ㉣ $34.5 \div 15 = 2.3$ ▶4점

❷ 0.76<2.3<2.53<3.21이므로 몫이 가장 작은 나눗셈식은 ㉡입니다. ▶1점 / ㉡

13 4.2 L　　　**14** 88.33 km　　**15** 1.36배

16 현승

17 예 ❶ (철근 가의 1 m 무게)
=$86.38 \div 7 = 12.34$ (kg)
(철근 나의 1 m 무게)=$65.75 \div 5 = 13.15$ (kg) ▶4점

❷ 12.34<13.15이므로 1 m의 무게가 더 가벼운 것은 철근 가입니다. ▶1점 / 철근 가

18 가　　　**19** 4.78　　　**20** 7.2

21 ㉡　　　**22** 6　　　**23** 2.2, 2.3

24 예 ❶ $5.68 \div 8 = 0.71 \Rightarrow 0.71 < 0.\square$
→ □ 안에는 8과 같거나 8보다 큰 수가 들어가야 합니다. ▶3점

❷ 따라서 □ 안에 들어갈 수 있는 수는 8, 9로 모두 2개입니다. ▶2점 / 2개

25 13.58 / 6.79　**26** 2.18　　**27** 3.5 cm

28 0.26 m　　**29** (위에서부터) 9, 8, 5, 8, 6

30 ■=8에 ×표　　**31** 34분

32 오전 10시 21분

02 계산한 값이 $171 \div 3$의 $\dfrac{1}{10}$배이므로 나눗셈식의 나

누어지는 수는 171의 $\dfrac{1}{10}$배인 17.1이고, 나누는 수

는 3입니다. ➡ $17.1 \div 3$

03
채점 기준	❶ □ 안에 알맞은 수 써넣기	2점
	❷ 계산하는 방법 쓰기	3점

05 3은 6으로 나눌 수 없으므로 몫의 일의 자리에 0을 쓰고 소수점을 찍어야 합니다.

06
채점 기준	❶ 바르게 계산하기	2점
	❷ 이유 쓰기	3점

07 $10.36 \div 7 = 1.48$, $1.48 \div 4 = 0.37$

08 $16.38 > 8.68 > 8 > 7$ ➡ $16.38 \div 7 = 2.34$

09 ① $3.48 \div 6 = 0.58$(대) ② $18.9 \div 9 = 2.1$(한)
③ $29.38 \div 26 = 1.13$(민) ④ $25.5 \div 15 = 1.7$(국)

10 $8.4 \div 4 = 2.1$, $10.85 \div 7 = 1.55$ ➡ $2.1 > 1.55$

12
채점 기준	❶ 나눗셈식의 몫 각각 구하기	4점
	❷ 몫이 가장 작은 나눗셈식의 기호 쓰기	1점

13 (1분 동안 나오는 물의 양) $= 16.8 \div 4 = 4.2$ (L)

14 (한 시간 동안 달린 거리)
$= 441.65 \div 5 = 88.33$ (km)

15 $4.08 > 3.42 > 3$이므로 가장 무거운 암석은 화성암이고, 가장 가벼운 암석은 퇴적암입니다.
➡ $4.08 \div 3 = 1.36$(배)

16 (재우가 한 봉지에 담은 쌀의 무게)
$= 4.75 \div 5 = 0.95$ (kg)
(현승이가 한 봉지에 담은 쌀의 무게)
$= 6.84 \div 6 = 1.14$ (kg)
$0.95 < 1.14$이므로 한 봉지에 담은 쌀의 무게가 더 무거운 사람은 현승입니다.

17
채점 기준	❶ 철근 가와 철근 나의 1 m 무게 각각 구하기	4점
	❷ 1 m의 무게가 더 가벼운 철근 구하기	1점

18 (가 자동차가 연료 1 L로 갈 수 있는 거리)
$= 257.6 \div 14 = 18.4$ (km)
(나 자동차가 연료 1 L로 갈 수 있는 거리)
$= 424.8 \div 24 = 17.7$ (km)
$18.4 > 17.7$이므로 연료 1 L로 더 멀리 갈 수 있는 자동차는 가입니다.

19 $\square \times 11 = 52.58$ ➡ $52.58 \div 11 = \square$
$52.58 \div 11 = 4.78$이므로
□ 안에 알맞은 소수는 4.78입니다.

20 보이지 않는 부분의 소수를 □라 하면
$64.8 \div \square = 9$ ➡ $64.8 \div 9 = \square$
$64.8 \div 9 = 7.2$이므로
보이지 않는 부분에 알맞은 소수는 7.2입니다.

21 ㉠ $\square \times 6 = 75.6$ ➡ $75.6 \div 6 = \square$, $\square = 12.6$
㉡ $4 \times \square = 21.28$ ➡ $21.28 \div 4 = \square$, $\square = 5.32$
㉢ $27.36 \div \square = 3$ ➡ $27.36 \div 3 = \square$, $\square = 9.12$
따라서 □ 안에 알맞은 수가 잘못된 것은 ㉡입니다.

22 $89.83 \div 13 = 6.91$
➡ $6.91 > \square$에서 □ 안에 들어갈 수 있는 가장 큰 자연수는 6입니다.

23 $16.8 \div 8 = 2.1$, $21.6 \div 9 = 2.4$ ➡ $2.1 < \square < 2.4$
따라서 □ 안에 들어갈 수 있는 소수 한 자리 수는 2.2, 2.3입니다.

24
채점 기준	❶ □ 안에 들어갈 수 있는 수의 범위 구하기	3점
	❷ □ 안에 들어갈 수 있는 수의 개수 구하기	2점

25 [약점 포인트] 정답률 80%
4장의 수 카드로 소수 두 자리 수를 만들므로 4장 중 2장은 자연수 부분, 남은 2장은 소수 부분에 놓습니다.

$1 < 3 < 5 < 8$이므로 만들 수 있는 가장 작은 소수 두 자리 수는 13.58입니다. ➡ $13.58 \div 2 = 6.79$

26 가장 큰 소수 두 자리 수를 만들어야 하므로 수 카드의 수 중 큰 수부터 차례로 3개를 골라 소수 두 자리 수를 만듭니다.
$6 > 5 > 4 > 3$이므로 만들 수 있는 가장 큰 소수 두 자리 수는 6.54입니다. ➡ $6.54 \div 3 = 2.18$

27 [약점 포인트] 정답률 75%
정■각형은 ■개의 변의 길이가 모두 같습니다.
(정■각형의 둘레) $=$ (한 변의 길이) $\times$ ■

(정칠각형의 둘레) $= 2.5 \times 7 = 17.5$ (cm)
➡ (정오각형의 한 변의 길이) $= 17.5 \div 5 = 3.5$ (cm)

28 (정육각형의 둘레) $= 0.32 \times 6 = 1.92$ (m)
(정팔각형을 만드는 데 사용한 철사의 길이)
$= 4 - 1.92 = 2.08$ (m)
(정팔각형의 한 변의 길이) $= 2.08 \div 8 = 0.26$ (m)

29 정답률 70%

① 자연수 부분부터 차례로 각 자리 나눗셈의 과정에 맞게 식으로 나타냅니다.

② ①의 식을 이용하여 □ 안에 알맞은 수를 구합니다.

```
       1.⊙8
  ⓒ)1ⓒ.8 4
      8
      7 ⓔ
      7 2
        6 4
        ⓜ4
          0
```

· ⓒ×1=8, ⓒ=8
· 1ⓒ-8=7, ⓒ=5
· ⓔ=8
· ⓒ×⊙=8×⊙=72, ⊙=9
· ⓒ×8=8×8=ⓜ4, ⓜ=6

30
```
      1 6.■8
  ▲)6 6.7 ●
     4
     2 6
     2 ★
       2 7
       2 4
         3 ●
         3 2
           0
```

· ▲×1=4, ▲=4
· ▲×6=4×6=2★, ★=4
· ▲×■=4×■=24, ■=6
· 3●-32=0, ●=2

31 정답률 70%

●일 동안 ■분 늦어지는 시계

➡ 하루 동안 (■÷●)분 늦어집니다.

(하루 동안 늦어지는 시간)=47.6÷14=3.4(분)

➡ (10일 동안 늦어지는 시간)=3.4×10=34(분)

32 (하루 동안 빨라지는 시간)=18.9÷7=2.7(분)
(30일 동안 빨라지는 시간)=2.7×30=81(분)
시계는 30일 동안 81분=1시간 21분 빨라집니다.

➡ (30일 후 오전 9시에 시계가 가리키는 시각)
  =오전 9시+1시간 21분=오전 10시 21분

STEP ❶ 개념 완성하기 066~067쪽

1 34, 340, 340, 85, 0.85 / 0.85

2 ⊙ 615 ⓒ 205 ⓒ 2.05

3 (위에서부터)
  (1) 2.55, 4, 11, 10, 10, 10
  (2) 3.08, 9, 24, 24

4 (1) 115, 1.15 (2) 307, 3.07

---

5 (1) 4.45 (2) 3.74 (3) 1.45 (4) 2.62

6 (1) 1.07 (2) 3.08 (3) 2.05 (4) 4.03

7
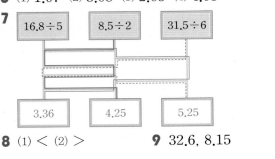

| 16.8÷5 | 8.5÷2 | 31.5÷6 |
| 3.36 | 4.25 | 5.25 |

8 (1) < (2) >   **9** 32.6, 8.15

---

3 (1) 나누어지는 수의 오른쪽 끝자리에 0이 계속 있는 것으로 생각하고 계산합니다.

(2) 2를 3으로 나눌 수 없으므로 몫의 소수 첫째 자리에 0을 씁니다.

4 (1) 2.3은 230의 $\frac{1}{100}$배이므로 2.3÷2의 몫은 230÷2의 몫의 $\frac{1}{100}$배입니다.

(2) 9.21은 921의 $\frac{1}{100}$배이므로 9.21÷3의 몫은 921÷3의 몫의 $\frac{1}{100}$배입니다.

중요 나눗셈식에서 나누어지는 수가 $\frac{1}{■}$배가 되면 몫도 $\frac{1}{■}$배가 됩니다.

5 (3)
```
      1.4 5
  8)1 1.6 0
    8
    3 6
    3 2
      4 0
      4 0
        0
```
(4)
```
      2.6 2
  5)1 3.1 0
    1 0
    3 1
    3 0
      1 0
      1 0
        0
```

6 (3)
```
      2.0 5
  9)1 8.4 5
    1 8
      4 5
      4 5
        0
```
(4)
```
      4.0 3
  6)2 4.1 8
    2 4
      1 8
      1 8
        0
```

7 16.8÷5=3.36, 8.5÷2=4.25, 31.5÷6=5.25

8 (1) 54.27÷9=6.03 ➡ 6.03<7
(2) 12.3÷6=2.05 ➡ 2.05>2

9 (한 명에게 준 털실의 길이)
  =(전체 털실의 길이)÷(사람 수)
  =32.6÷4=8.15 (m)

STEP ① 개념 완성하기 068~069쪽

1 7, 35, 3.5
2 3.75, 12, 30, 28, 20, 20
3 (1) 18÷6 (2) 25÷5 (3) 27÷9
4 (1) 3.5 (2) 1.5 (3) 1.25 (4) 2.35
5 (1) 예 27, 3, 9 / 9□0□2
　　(2) 예 96, 8, 12 / 1□1□9□5
6 (　) (　) (○)
7 (1) 14.21÷7=2.03에 ○표
　　(2) 8.55÷9=0.95에 ○표
8 ㉡
9 6, 1.2

---

2 몫의 소수점은 나누어지는 수인 자연수 바로 뒤에서 올려 찍습니다.

4 (3)
$$\begin{array}{r} 1.25 \\ 8\overline{)10.00} \\ 8 \\ \hline 20 \\ 16 \\ \hline 40 \\ 40 \\ \hline 0 \end{array}$$
(4)
$$\begin{array}{r} 2.35 \\ 20\overline{)47.00} \\ 40 \\ \hline 70 \\ 60 \\ \hline 100 \\ 100 \\ \hline 0 \end{array}$$

5 (1) 27.06을 소수 첫째 자리에서 반올림하면 27이므로 몫을 어림하면 27÷3=9입니다.
　 (2) 95.6을 소수 첫째 자리에서 반올림하면 96이므로 몫을 어림하면 96÷8=12입니다.

6 25÷4=6.25, 28÷8=3.5, 16÷5=3.2(○)

7 (1) 14.21을 소수 첫째 자리에서 반올림하면 14입니다.
　　➡ 14÷7=2
　　따라서 몫이 2에 가장 가까운 식을 찾으면
　　14.21÷7=2.03입니다.
　 (2) 8.55를 소수 첫째 자리에서 반올림하면 9입니다.
　　➡ 9÷9=1
　　따라서 몫이 1에 가장 가까운 식을 찾으면
　　8.55÷9=0.95입니다.

8 ㉠ 13÷4=3.25 ㉡ 7÷2=3.5 ㉢ 26÷8=3.25
따라서 계산 결과가 다른 하나는 ㉡입니다.

9 (한 명이 가질 수 있는 방울토마토의 무게)
　=(전체 방울토마토의 무게)÷(사람 수)
　=6÷5=1.2 (kg)

STEP ② 실력 다지기 070~075쪽

01 ㉡
02 0.6
03 6.55 cm
04 (위에서부터) 8.5, 4.25, 6.8
05 2.25
06 1.75배
07 예 13, 12.9 / 예 1, 0.98 / 예 3, 2.96
08 2.94÷3, 6.58÷7, 9.36÷13에 색칠
09 ❶ 민우 ▶2점
　　예 ❷ 나눗셈식의 몫을 18÷9로 어림하면 몫은 약 2입니다. 18.36>18이므로 나눗셈식의 몫은 2보다 큽니다. ▶3점
10 2.7÷2=1.35 / 1.35배
11 11.05 cm
12 감자
13 1.2배
14 12.5분
15 예 ❶ (가로 방향으로 필요한 장판의 수)
　　=67÷4=16.75(장)
　　(세로 방향으로 필요한 장판의 수)
　　=52÷4=13(장) ▶3점
　　❷ 가로 방향으로 장판을 덮으려면 적어도 17장 필요하므로 장판은 17×13=221(장) 필요합니다.
　　▶2점 / 221장
16 2.24 g
17 재은
18 0.15 mm
19 3.5 cm
20 8.07 cm
21 1.25 m
22 9.12
23 3.68 cm²
24 2.75
25 5.25
26 예 ❶ 어떤 수를 □라 하면 □×5=100.5입니다.
　　□×5=100.5 ➡ 100.5÷5=□, □=20.1 ▶3점
　　❷ 20.1÷5=4.02 ▶2점 / 4.02
27 5
28

29 6.85 m
30 89.25 m
31 9, 8, 6, 4 / 24.65
32 0.24

---

01 ㉠ 23.1÷6=3.85
　　㉡ 32.4÷8=4.05

02 65.4÷12=5.45, 48.4÷8=6.05
　　➡ (몫의 차)=6.05-5.45=0.6

03 (재인이네 모둠 학생들의 검지 길이의 합)
　　=6.3+6.6+6.4+6.9=26.2 (cm)
　　(평균)=26.2÷4=6.55 (cm)

04 34÷4=8.5, 34÷8=4.25, 34÷5=6.8

정답 및 풀이

05 $8 \times \square = 18$ ➡ $\square = 18 \div 8 = 2.25$
참고 ■ $\times$ ▲ $=$ ● ➡ ● $\div$ ■ $=$ ▲, ● $\div$ ▲ $=$ ■

06 $35 \div 4 = 8.75$ ➡ $8.75 \div 5 = 1.75$(배)

07 ・$38.7 \div 3$ ➡ [어림한 몫] $39 \div 3 = 13$
　　　　　　　　[계산한 값] $38.7 \div 3 = 12.9$
・$5.88 \div 6$ ➡ [어림한 몫] $6 \div 6 = 1$
　　　　　　　　[계산한 값] $5.88 \div 6 = 0.98$
・$23.68 \div 8$ ➡ [어림한 몫] $24 \div 8 = 3$
　　　　　　　　　[계산한 값] $23.68 \div 8 = 2.96$

08 나누어지는 수가 나누는 수보다 작으면 몫은 1보다 작습니다. 나누어지는 수가 나누는 수보다 작은 나눗셈식을 찾으면 $2.94 \div 3$, $6.58 \div 7$, $9.36 \div 13$입니다.

09

채점 기준	❶ 잘못 말한 사람의 이름 쓰기	2점
	❷ 이유 쓰기	3점

10 (민수네 집~은행) $\div$ (민수네 집~병원)
$= 2.7 \div 2 = 1.35$(배)

11 지훈이가 만든 피자의 반지름은 선영이가 만든 피자의 반지름의 2배이므로
(선영이가 만든 피자의 반지름)
$= 22.1 \div 2 = 11.05$ (cm)

12 (고구마 한 개의 무게) $= 1.7 \div 5 = 0.34$ (kg)
(감자 한 개의 무게) $= 3.36 \div 8 = 0.42$ (kg)
$0.34 < 0.42$이므로 감자 한 개의 무게가 더 무겁습니다.

13 (성준이의 몸무게) $\div$ (태연이의 몸무게)
$= 54 \div 45 = 1.2$(배)

14 1시간 15분 $=$ 75분
(공원을 한 바퀴 도는 데 걸린 시간)
$= 75 \div 6 = 12.5$(분)

15

채점 기준	❶ 가로 방향과 세로 방향으로 필요한 장판의 수 각각 구하기	3점
	❷ 필요한 장판의 수 구하기	2점

16 (색종이 한 장의 무게) $= 44.8 \div 20 = 2.24$ (g)

17 (연필 한 자루의 무게) $= 123 \div 12$
$123 \div 12$를 $120 \div 12$로 어림하면 연필 한 자루의 무게는 약 10 g입니다.
따라서 연필 한 자루의 무게를 가장 잘 어림한 사람은 재은입니다.
참고 (연필 한 자루의 무게) $= 123 \div 12 = 10.25$ (g)

18 (A4 용지 한 장의 두께) $= 30 \div 200 = 0.15$ (mm)
다른 풀이 $30 \div 200$의 몫을 다음과 같은 방법으로 구할 수 있습니다.
30을 10배 하면 300이고, $300 \div 200 = 1.5$입니다.
다시 1.5를 $\frac{1}{10}$배 하면 0.15이므로 $30 \div 200$의 몫은 0.15입니다.

19 (오각기둥의 모서리의 수)
$=$ (한 밑면의 변의 수) $\times 3 = 5 \times 3 = 15$(개)
(한 모서리의 길이) $= 52.5 \div 15 = 3.5$ (cm)

20 (삼각뿔의 모서리의 수)
$=$ (밑면의 변의 수) $\times 2 = 3 \times 2 = 6$(개)
(한 모서리의 길이) $= 48.42 \div 6 = 8.07$ (cm)

21 위와 아래에 있는 면이 서로 평행하고 합동인 기둥 모양의 입체도형이므로 각기둥이고, 밑면의 모양이 사각형이므로 사각기둥입니다.
(사각기둥의 모서리의 수)
$=$ (한 밑면의 변의 수) $\times 3 = 4 \times 3 = 12$(개)
(한 모서리의 길이) $= 15 \div 12 = 1.25$ (m)

22 똑같이 나눈 색 테이프에서 한 부분의 길이를 구한 다음 색칠한 부분의 길이를 구합니다.
(한 부분의 길이) $= 18.24 \div 6 = 3.04$ (m)
(색칠한 부분의 길이) $= 3.04 \times 3 = 9.12$ (m)
➡ $\square = 9.12$

23 (전체 직사각형의 넓이) $= 9.2 \times 6 = 55.2$ (cm^2)
(색칠한 부분의 넓이) $= 55.2 \div 15 = 3.68$ (cm^2)

24 (큰 눈금 한 칸의 크기) $= 4 - 2 = 2$
(작은 눈금 한 칸의 크기) $= 2 \div 8 = 0.25$
➡ (화살표가 가리키는 곳의 소수)
$= 2 + 0.25 \times 3 = 2 + 0.75 = 2.75$

25 약점 포인트　　　　　　　　　정답률 75%

① 어떤 수를 $\square$라 하고 잘못 계산한 식을 세워 어떤 수를 구합니다.
② 어떤 수를 2로 나눈 몫을 구합니다.

어떤 수를 $\square$라 하면 $\square \div 14 = 0.75$입니다.
$\square \div 14 = 0.75$ ➡ $0.75 \times 14 = \square$, $\square = 10.5$
따라서 어떤 수는 10.5입니다.
(어떤 수) $\div 2 = 10.5 \div 2 = 5.25$

26

채점 기준	❶ 어떤 수 구하기	3점
	❷ 바르게 계산한 값 구하기	2점

27 　　　　　　　　　　정답률 70%

방법 **1** 3번째 조건에서 ★이 될 수 있는 수를 구하여 나눗셈식에 넣어 봅니다.

방법 **2** 주어진 나눗셈식의 과정에 맞게 식을 세워 ★을 구한 후 나눗셈식에 넣어 봅니다.

★은 2보다 크고 6보다 작은 수이므로 3, 4, 5 중 하나입니다.

• ★=3인 경우

　★×★=▲★에서 3×3=9이므로 조건을 만족하지 않습니다.

• ★=4인 경우

　★×★=▲★에서 4×4=16이므로 조건을 만족하지 않습니다.

• ★=5인 경우

　★×★=▲★에서 5×5=25이므로 조건을 만족합니다.

➡ ★=5, ▲=2를 넣으면 주어진 나눗셈식을 만족합니다.

다른 풀이　★×★=▲★에서 ★×★의 일의 자리 숫자가 ★인 경우를 찾습니다.

➡ ★=1, 5, 6

3번째 조건에서 ★은 2보다 크고 6보다 작은 수이므로 ★은 5입니다.

★×★=▲★에서

★=5인 경우 5×5=25이므로 ▲=2입니다.

➡ ★=5, ▲=2를 넣으면 주어진 나눗셈식을 만족합니다.

28
$$\begin{array}{r} 0.3 \\ ㉠\overline{)1.5} \\ \underline{㉡㉠} \\ 0 \end{array}$$

㉡㉠=15이므로 ㉠=5, ㉡=1입니다.

➡ ㉠=5, ㉡=1을 넣으면 주어진 나눗셈식을 만족합니다.

$$\begin{array}{r} 0.6 \\ ㉢\overline{)㉣.3} \\ \underline{㉣\ 3} \\ 0 \end{array}$$

㉢×6=㉣3에서 ㉢×6을 계산했을 때 일의 자리 숫자가 3인 경우는 없습니다.

➡ 기호에 알맞은 수를 구할 수 없습니다.

$$\begin{array}{r} 0.㉤ \\ 9\overline{)㉥.6} \\ \underline{㉥\ 6} \\ 0 \end{array}$$

9×㉤=㉥6에서 9×㉤을 계산했을 때 일의 자리 숫자가 6인 경우는 ㉤=4일 때입니다.

9×㉤=9×4=㉥6에서 9×4=36이므로 ㉥=3입니다.

➡ ㉤=4, ㉥=3을 넣으면 주어진 나눗셈식을 만족합니다.

29 　　　　　　　　　　정답률 70%

길이가 ■ m인 도로에 ●개의 깃발을 같은 간격으로 꽂을 때
• (간격 수)=●−1
• (깃발과 깃발 사이의 거리)=■÷(●−1)

(간격 수)=29−1=28(군데)

➡ (깃발과 깃발 사이의 거리)
　=191.8÷28=6.85 (m)

30 (간격 수)=25−1=24(군데)

➡ (가로등과 가로등 사이의 거리)
　=102÷24=4.25 (m)

따라서 22번째 가로등은 1번째 가로등으로부터
4.25×21=89.25 (m) 떨어진 곳에 세워야 합니다.

31 　　　　　　　　　　정답률 65%

㉠>㉡>㉢>㉣일 때
• 몫이 가장 큰 나눗셈식 ➡ ㉠㉡.㉢÷㉣
• 몫이 가장 작은 나눗셈식 ➡ ㉣㉢.㉡÷㉠

9>8>6>4이므로 나누어지는 수를 98.6, 나누는 수를 4로 할 때 몫이 가장 큽니다.

➡ 98.6÷4=24.65

32 나누어지는 수가 작을수록, 나누는 수가 클수록 몫은 작습니다.

종현이가 뽑은 수는 8, 1이므로 만들 수 있는 수 18과 81 중 더 작은 수인 18을 나누어지는 수에 놓습니다.

수진이가 뽑은 수는 5, 7이므로 만들 수 있는 수 57과 75 중 더 큰 수인 75를 나누는 수에 놓습니다.

➡ 18÷75=0.24

STEP 3 서술형 해결하기　　　　076~079쪽

01 ❶ 90÷36=2.5 (mL), 55÷25=2.2 (mL) ▶4점
　　❷ 은진 ▶1점 / 은진

02 예 ❶ (벽의 넓이)=4×3=12 (m²) ▶2점
　　❷ (1 m²의 벽을 칠하는 데 사용한 페인트의 양)
　　　=32.4÷12=2.7 (L) ▶3점 / 2.7 L

03 예 ❶ (벽의 넓이)=8×2.5=20 (m²) ▶2점
　　❷ (1 m²의 벽을 칠하는 데 사용한 페인트의 양)
　　　=62÷20=3.1 (L) ▶3점 / 3.1 L

04 ❶ 0.96, 0.12, 0.96−0.12=0.84 (kg) ▶2점
　　❷ 0.84÷6=0.14 (kg) ▶3점 / 0.14 kg

05 예 ❶ (사전 3권의 무게)
　＝(사전 8권이 들어 있는 상자의 무게)
　　－(사전 5권이 들어 있는 상자의 무게)
　＝14.71－9.25＝5.46 (kg) ▶2점
　❷ (사전 한 권의 무게)
　＝(사전 3권의 무게)÷3
　＝5.46÷3＝1.82 (kg) ▶3점 / 1.82 kg

06 예 ❶ (사과 10개가 들어 있는 바구니의 무게)
　＝3 kg 300 g＝3.3 kg
　(사과 5개가 들어 있는 바구니의 무게)
　＝1 kg 700 g＝1.7 kg
　(사과 5개의 무게)
　＝(사과 10개가 들어 있는 바구니의 무게)
　　－(사과 5개가 들어 있는 바구니의 무게)
　＝3.3－1.7＝1.6 (kg) ▶2점
　❷ (사과 한 개의 무게)
　＝(사과 5개의 무게)÷5
　＝1.6÷5＝0.32 (kg) ▶3점 / 0.32 kg

07 ❶ 같습니다, 4, 94.4÷4＝23.6 (cm) ▶3점
　❷ 23.6×23.6＝556.96 (cm²) ▶2점 / 556.96 cm²

08 예 ❶ (평행사변형의 둘레)
　＝5.5＋3.5＋5.5＋3.5＝18 (cm)
　➡ (정사각형의 둘레)＝(평행사변형의 둘레)
　　　　＝18 cm
　(정사각형의 한 변의 길이)＝18÷4＝4.5 (cm) ▶3점
　❷ (정사각형의 넓이)
　＝4.5×4.5＝20.25 (cm²) ▶2점 / 20.25 cm²

09 예 ❶ (이등변삼각형의 둘레)
　＝2.9＋2.9＋4.2＝10 (cm)
　➡ (정사각형의 둘레)＝(이등변삼각형의 둘레)
　　　　＝10 cm
　(정사각형의 한 변의 길이)＝10÷4＝2.5 (cm) ▶3점
　❷ (정사각형의 넓이)＝2.5×2.5＝6.25 (cm²) ▶2점
　/ 6.25 cm²

10 ❶ 3, 11.04, 9.08, 1.96 ▶2점
　❷ 1.96, 1.96÷2＝0.98 (cm) ▶3점 / 0.98 cm

11 예 ❶ (겹쳐진 부분의 길이의 합)
　＝12×15－174.4
　＝180－174.4＝5.6 (cm) ▶2점
　❷ 색 테이프 15장을 이어 붙였으므로
　겹쳐진 부분은 15－1＝14(군데)입니다.
　따라서 색 테이프를 5.6÷14＝0.4 (cm)씩 겹쳐서
　이어 붙인 것입니다. ▶3점 / 0.4 cm

12 예 ❶ (겹쳐진 부분의 길이의 합)
　＝8×8＋10×8－132
　＝64＋80－132＝12 (cm) ▶2점
　❷ 색 테이프 8＋8＝16(장)을 이어 붙였으므로
　겹쳐진 부분은 16－1＝15(군데)입니다.
　따라서 색 테이프를 12÷15＝0.8 (cm)씩 겹쳐서
　이어 붙인 것입니다. ▶3점 / 0.8 cm

01	채점 기준	❶ 1 cm²의 도화지를 칠하는 데 사용한 물감의 양 각각 구하기	4점
		❷ 1 cm²의 도화지를 칠하는 데 사용한 물감의 양이 더 많은 사람의 이름 쓰기	1점
02	채점 기준	❶ 벽의 넓이 구하기	2점
		❷ 1 m²의 벽을 칠하는 데 사용한 페인트의 양 구하기	3점
03	채점 기준	❶ 벽의 넓이 구하기	2점
		❷ 1 m²의 벽을 칠하는 데 사용한 페인트의 양 구하기	3점
04	채점 기준	❶ 야구공 6개의 무게 구하기	2점
		❷ 야구공 한 개의 무게 구하기	3점
05	채점 기준	❶ 사전 3권의 무게 구하기	2점
		❷ 사전 한 권의 무게 구하기	3점
06	채점 기준	❶ 사과 5개의 무게 구하기	2점
		❷ 사과 한 개의 무게 구하기	3점
07	채점 기준	❶ 국기의 한 변의 길이 구하기	3점
		❷ 국기의 넓이 구하기	2점
08	채점 기준	❶ 정사각형의 한 변의 길이 구하기	3점
		❷ 정사각형의 넓이 구하기	2점
09	채점 기준	❶ 정사각형의 한 변의 길이 구하기	3점
		❷ 정사각형의 넓이 구하기	2점
10	채점 기준	❶ 겹쳐진 부분의 길이의 합 구하기	2점
		❷ ■에 알맞은 길이 구하기	3점
11	채점 기준	❶ 겹쳐진 부분의 길이의 합 구하기	2점
		❷ 색 테이프를 몇 cm씩 겹쳐서 이어 붙인 것인지 구하기	3점

참고 겹쳐진 부분의 수는 색 테이프의 수보다 1 작습니다.

| 12 | 채점 기준 | ❶ 겹쳐진 부분의 길이의 합 구하기 | 2점 |
| | | ❷ 색 테이프를 몇 cm씩 겹쳐서 이어 붙인 것인지 구하기 | 3점 |

01 4452, 4452, 742, 7.42

02 1.7, 0.17　　**03** 0.23, 18, 27, 27

04 (예) 14, 7 / 2　**05** (1) 2.46　(2) 3.18

06 ·⟨교차⟩·　　**07** 0.19, 8.75　　**08** >

09 ①, ③　　　　　　**10** 0.29

11 188.4

12 632.7÷45=14.06 / 14.06 km

13 6.75 cm　　**14** 3.5, 3.6, 3.7　**15** 4.84 cm²

16 곰 인형　　**17** ㉠ 5 ㉡ 4 ㉢ 3 ㉣ 6

18 ❶
```
       8.0 2
    ┌─────────
  7 )5 6.1 4
     5 6
     ─────
         1 4
         1 4
     ─────
           0   ▶2점
```
／ (예) ❷ 소수 첫째 자리 계산에서 1은 7로 나눌 수 없으므로 몫의 소수 첫째 자리에 0을 써야 합니다. ▶3점

19 (예) ❶ (한 명이 마신 우유의 양)

= (전체 우유의 양)÷(사람 수)=1.84÷4

➡ $1.84 \div 4 = \frac{184}{100} \div 4 = \frac{184 \div 4}{100} = \frac{46}{100} = 0.46$

따라서 한 명이 마신 우유는 0.46 L입니다. ▶3점

❷ (한 명이 마신 우유의 양)

= (전체 우유의 양)÷(사람 수)=1.84÷4

➡ 184÷4=46이므로 1.84÷4=0.46

따라서 한 명이 마신 우유는 0.46 L입니다. ▶2점

20 (예) ❶ 나누어지는 수가 클수록, 나누는 수가 작을수록 몫은 큽니다. 8>7>5>2이므로 몫이 가장 큰 나눗셈식은 87÷25입니다. ▶3점

❷ 87÷25=3.48 ▶2점 / 3.48

04 14.28을 소수 첫째 자리에서 반올림하면 14입니다.
➡ 14÷7=2

05 (2) 나누어지는 수의 오른쪽 끝자리에 0이 계속 있는 것으로 생각하고 계산합니다.

06 (1) 17.4÷6=2.9
(2) 25.2÷9=2.8

07 0.76÷4=0.19, 70÷8=8.75

08 62.8÷8=7.85, 42.9÷6=7.15
➡ 7.85>7.15

09 나누어지는 수가 나누는 수보다 크면 몫은 1보다 큽니다. 나누어지는 수가 나누는 수보다 큰 나눗셈식을 찾으면 ① 9.6÷6, ③ 5.7÷2입니다.

10 ㉠ 8.24÷4=2.06　㉡ 16.45÷7=2.35
➡ (몫의 차)=2.35−2.06=0.29

11 12.56은 125.6의 $\frac{1}{10}$배이므로

□ 안에 알맞은 수는 1884의 $\frac{1}{10}$배인 188.4입니다.

12 (연료 1 L로 갈 수 있는 거리)
=632.7÷45=14.06 (km)

13 마름모는 네 변의 길이가 모두 같습니다.
(한 변의 길이)=27÷4=6.75 (cm)

14 20.64÷6=3.44, 29.92÷8=3.74이므로
3.44<□<3.74입니다.
따라서 □ 안에 들어갈 수 있는 소수 한 자리 수는 3.5, 3.6, 3.7입니다.

15 정사각형은 네 변의 길이가 모두 같습니다.
(한 변의 길이)=8.8÷4=2.2 (cm)
➡ (정사각형의 넓이)=2.2×2.2=4.84 (cm²)

16 (곰 인형 4개의 무게)=1.44−0.24=1.2 (kg)
➡ (곰 인형 한 개의 무게)=1.2÷4=0.3 (kg)
(토끼 인형 2개의 무게)=0.8−0.24=0.56 (kg)
➡ (토끼 인형 한 개의 무게)=0.56÷2=0.28 (kg)
0.3>0.28이므로 곰 인형 한 개의 무게가 더 무겁습니다.

17 • 9×㉠=㉡㉠에서 9×㉠의 일의 자리 숫자가 ㉠이므로 ㉠=5입니다.
➡ 9×㉠=9×5=45이므로 ㉡=4입니다.
• 9×㉡=㉢㉣에서 9×㉡=9×4=36이므로 ㉢=3, ㉣=6입니다.
➡ ㉠=5, ㉡=4, ㉢=3, ㉣=6을 넣으면 주어진 나눗셈식을 만족합니다.

18

채점 기준		
❶ 바르게 계산하기		2점
❷ 이유 쓰기		3점

19

채점 기준		
❶ 한 명이 마신 우유의 양 구하기		3점
❷ ❶과 다른 방법으로 한 명이 마신 우유의 양 구하기		2점

20

채점 기준		
❶ 몫이 가장 큰 나눗셈식 만들기		3점
❷ 만든 식의 몫 구하기		2점

중요 ㉠>㉡>㉢>㉣일 때
• 몫이 가장 큰 나눗셈 ➡ ㉠㉡÷㉣㉢
• 몫이 가장 작은 나눗셈식 ➡ ㉣㉢÷㉠㉡

4. 비와 비율

STEP **1** 개념 완성하기   086~087쪽

1 (1) 12, 18, 24 / 4, 6, 8 (2) 4, 8, 12, 16 (3) 3

2 5, 4   **3** ㉡   **4** (1) 4 (2) 4, 6

5 (1) 13, 16 (2) 15, 20 (3) 12, 25 (4) 10, 30

6 (1)

민주의 키				

그림자 길이			

     0   50   100   150 200 (cm)

(2) 예 민주의 키는 그림자 길이의 3배입니다.

7 예

8 예 방법 1 남학생은 여학생보다 10−8=2(명) 더 많습니다.

방법 2 남학생 수는 여학생 수의 10÷8=1.25(배) 입니다.

4 (1) 파란색 구슬 수와 빨간색 구슬 수의 비
    ➡ (파란색 구슬 수) : (빨간색 구슬 수)=6 : 4
(2) 파란색 구슬 수에 대한 빨간색 구슬 수의 비
    ➡ (빨간색 구슬 수) : (파란색 구슬 수)=4 : 6

5 (1) ● 대 ▲ ➡ ● : ▲
(2) ▲에 대한 ●의 비 ➡ ● : ▲
(3) ●의 ▲에 대한 비 ➡ ● : ▲
(4) ●와 ▲의 비 ➡ ● : ▲

6 (2) 색칠한 부분을 비교하면 민주의 키는 그림자 길이 의 3배입니다.

7 전체에 대한 색칠한 부분의 비가 3 : 8이므로 전체 8칸 중 3칸을 색칠합니다.

STEP **1** 개념 완성하기   088~089쪽

1 (1) 10, 25 (2) $\frac{10}{25}$ (3) $\frac{10}{25}$

2 15, 30 / 8, 20 / 7, 25

3 (1) $\frac{1}{5}$, 0.2 (2) $\frac{13}{20}$, 0.65   **4**

5 6, 3, 2 / 18, 9, 2 / 같습니다에 ○표

6 (1) 2, 160 (2) 160, 2, $\frac{160}{2}$ (=80)

7 192000, 12, $\frac{192000}{12}$ (=16000)

8 140, 400, $\frac{140}{400}$ $\left(=\frac{7}{20}=0.35\right)$

4 • 10에 대한 4의 비 ➡ 4 : 10
    ➡ (비율)=4÷10=$\frac{4}{10}$=0.4
• 7의 20에 대한 비 ➡ 7 : 20
    ➡ (비율)=7÷20=$\frac{7}{20}$=0.35

5 가: (세로에 대한 가로의 비율)=6÷3=2
나: (세로에 대한 가로의 비율)=18÷9=2

6 (1) 기준량: 걸린 시간 ➡ 2시간
    비교하는 양: 달린 거리 ➡ 160 km
(2) (걸린 시간에 대한 달린 거리의 비율)
    =160÷2=$\frac{160}{2}$ (=80)

7 기준량: 지역의 넓이 ➡ 12 km²
비교하는 양: 인구 ➡ 192000명
(넓이에 대한 인구의 비율)
=192000÷12=$\frac{192000}{12}$ (=16000)

8 기준량: 오렌지 주스의 양 ➡ 400 mL
비교하는 양: 오렌지 원액의 양 ➡ 140 mL
(오렌지 주스 양에 대한 오렌지 원액 양의 비율)
=140÷400=$\frac{140}{400}$ $\left(=\frac{7}{20}=0.35\right)$

STEP **1** 개념 완성하기   090~091쪽

1 (1)

0		10		20 (문제)

(2) 80 (3) 80 %

2 (1) 100, 32 (2) 100, 76

3 100, $\frac{19}{100}$ / 100, 0.19   **4** (1) 27 (2) 30

5 37 / $\frac{79}{100}$, 79 / 0.58, 58   **6** 지민

7 (1) 15000, 3000 (2) $\frac{3000}{15000}$, 20

8 $\frac{13}{25}$, 52   **9** $\frac{60}{500}$, 12

4 (1) 전체: 100칸, 색칠한 부분: 27칸

➡ (전체에 대한 색칠한 부분의 비율)$=\dfrac{27}{100}$

(전체에 대한 색칠한 부분의 백분율)

$=\dfrac{27}{100}\times100=27\,(\%)$

(2) 전체: 20칸, 색칠한 부분: 6칸

➡ (전체에 대한 색칠한 부분의 비율)$=\dfrac{6}{20}$

(전체에 대한 색칠한 부분의 백분율)

$=\dfrac{6}{20}\times100=30\,(\%)$

5 $\dfrac{37}{100}$ ➡ $\dfrac{37}{100}\times100=37\,(\%)$

0.79 ➡ $0.79\times100=79\,(\%)$

$\dfrac{29}{50}$ ➡ $\dfrac{29}{50}\times100=58\,(\%)$

6 수현: $\dfrac{8}{10}$ ➡ $\dfrac{8}{10}\times100=80\,(\%)$

지민: $15\,\%$ ➡ $15\div100=0.15$

7 (1) 기준량: 원래 가격 ➡ 15000원

비교하는 양: 할인 금액 ➡ 3000원

(2) (할인율)$=\dfrac{3000}{15000}\times100=20\,(\%)$

8 기준량: 공을 던진 횟수 ➡ 25번

비교하는 양: 공을 넣은 횟수 ➡ 13번

(성공률)$=\dfrac{13}{25}\times100=52\,(\%)$

9 기준량: 소금물의 양 ➡ 500 g

비교하는 양: 소금의 양 ➡ 60 g

(소금물 양에 대한 소금 양의 비율)

$=\dfrac{60}{500}\times100=12\,(\%)$

STEP ② 실력 다지기 092~097쪽

01 '선생님 수는 학생 수의 30배입니다.'에 ×표 /

(예) 선생님 수는 학생 수의 $\dfrac{1}{30}$배입니다.

02 2 / 8, 8, 12, 16 / 2 / 16, 16, 17, 18

03 (예) 서율이는 배 수와 귤 수를 나눗셈으로 비교했고, 정희는 정희 나이와 언니 나이를 뺄셈으로 비교했습니다. ▶5점

04 ④

05 (예) 휴대전화의 가로와 세로의 비는 7 : 15입니다.

---

06 ❶ 다릅니다에 ○표 ▶2점

(예) **❷** 12 : 11은 11을 기준으로 하여 12를 비교한 것이고, 11 : 12는 12를 기준으로 하여 11을 비교한 것입니다. ▶3점

07 $\dfrac{400}{320}\left(=\dfrac{5}{4}\right)$, 1.25 **08** (예) 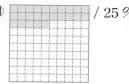 / 25 %

09 $\dfrac{3}{5}(=0.6)$, $\dfrac{2}{6}\left(=\dfrac{1}{3}\right)$ **10** <

11 ㉠   **12** 서준   **13** 0.4

14 $\dfrac{5}{40000}\left(=\dfrac{1}{8000}\right)$ **15** $\dfrac{450}{15}(=30)$, $\dfrac{400}{25}(=16)$

16 ㉰ 지역   **17** 나

18 ❶ 희정 ▶2점

(예) **❷** 흰색 물감 양에 대한 빨간색 물감 양의 비율을 구하면 희정이는 0.25, 연수는 0.22이므로 희정이가 만든 분홍색 물감이 더 진합니다. ▶3점

19 ㉡   **20** 20 %

21 (1) 46 %, 52 % (2) 2 %   **22** 70, 64 / 윤진

23 가   **24** B 비커   **25** $\dfrac{25}{130}\left(=\dfrac{5}{26}\right)$

26 24 %   **27** 7 %, 16 %   **28** 8 %, 28 %

29 168명   **30** 675 cm²

31 (1) 0.03 (2) 6000원   **32** 56 cm

01 다른 정답 학생 수는 선생님 수의 30배입니다.

02 서율: (귤 수)÷(배 수)=2(배)

정희: (언니 나이)−(정희 나이)=2(살)

03 | 채점 기준 | 차이점 쓰기 | 5점 |
|---|---|---|

04 ④ 9 : 1은 1을 기준으로 하여 9를 비교한 것입니다.

05 다른 정답 사진의 가로와 세로의 비는 8 : 6입니다.

06 | 채점 기준 | ❶ 알맞은 말에 ○표 하기 | 2점 |
|---|---|---|
| | ❷ 이유 쓰기 | 3점 |

07 (집~은행) : (은행~서점)=400 : 320

➡ (비율)$=\dfrac{400}{320}=\dfrac{5}{4}=1.25$

08 (한 칸의 넓이)=800÷100=8 (cm²)

➡ 200÷8=25(칸)을 색칠합니다.

색칠한 부분은 전체 100칸 중 25칸입니다. ➡ 25 %

09 ① 'ㄱ'의 가로: 5 cm, 'ㄱ'의 세로: 3 cm
　　　가로에 대한 세로의 비 ➡ 3 : 5
　　　　➡ (비율)$= 3 \div 5 = \frac{3}{5} (= 0.6)$

　　② 'ㄱ'의 가로: 6 cm, 'ㄱ'의 세로: 2 cm
　　　가로에 대한 세로의 비 ➡ 2 : 6
　　　　➡ (비율)$= 2 \div 6 = \frac{2}{6} \left(= \frac{1}{3}\right)$

10 $1\frac{2}{5} = 1.4$, 151 % ➡ 1.51
　　➡ 1.4 < 1.51

11 ㉠ $\frac{13}{20} = 0.65$
　　㉡ 9 : 15 ➡ (비율)$= 9 \div 15 = 0.6$
　　㉢ 64 % ➡ $64 \div 100 = 0.64$
　　㉣ 29 : 50 ➡ (비율)$= 29 \div 50 = 0.58$
　　➡ ㉠ 0.65 > ㉢ 0.64 > ㉡ 0.6 > ㉣ 0.58

12 〔현지〕5에 대한 4의 비 ➡ 4 : 5
　　　　➡ (비율)$= 4 \div 5 = 0.8$
　　〔서준〕12와 16의 비 ➡ 12 : 16
　　　　➡ (비율)$= 12 \div 16 = 0.75$
　　〔재민〕17의 20에 대한 비 ➡ 17 : 20
　　　　➡ (비율)$= 17 \div 20 = 0.85$
　　0.75 < 0.8 < 0.85이므로 비율이 가장 작은 비를 만든 사람은 서준입니다.

13 (안타 수) : (전체 타수)= 16 : 40
　　➡ (타율)$= 16 \div 40 = 0.4$

14 (가와 나 사이의 실제 거리)= 400 m = 40000 cm
　　(지도에서의 거리) : (실제 거리)= 5 : 40000
　　➡ (축척)$= 5 \div 40000 = \frac{5}{40000} \left(= \frac{1}{8000}\right)$

15 〔치타〕(달린 거리) : (걸린 시간)= 450 : 15
　　　　➡ (비율)$= 450 \div 15 = \frac{450}{15} (= 30)$
　　〔사자〕(달린 거리) : (걸린 시간)= 400 : 25
　　　　➡ (비율)$= 400 \div 25 = \frac{400}{25} (= 16)$

16 〔㉮ 지역〕(인구) : (넓이)= 81600 : 12
　　　　➡ (비율)$= 81600 \div 12 = 6800$
　　〔㉯ 지역〕(인구) : (넓이)= 64800 : 9
　　　　➡ (비율)$= 64800 \div 9 = 7200$
　　6800 < 7200이므로 인구가 더 밀집한 곳은 ㉯ 지역입니다.

17 〔가 자동차〕(주행 거리) : (연료의 양)= 110 : 10
　　　　➡ (연비)$= 110 \div 10 = 11$
　　〔나 자동차〕(주행 거리) : (연료의 양)= 162 : 12
　　　　➡ (연비)$= 162 \div 12 = 13.5$
　　11 < 13.5이므로 나 자동차의 연비가 더 높습니다.

18

채점 기준	❶ 만든 분홍색 물감이 더 진한 사람의 이름 쓰기	2점
	❷ 이유 쓰기	3점

　　희정: (흰색 물감 양에 대한 빨간색 물감 양의 비율)
　　　　$= 25 \div 100 = 0.25$
　　연수: (흰색 물감 양에 대한 빨간색 물감 양의 비율)
　　　　$= 33 \div 150 = 0.22$

19 ㉠ (불량품 수의 비율)$= 24 \div 200 = 0.12$ ➡ 12 %
　　㉡ (결승점에 도착한 사람 수의 비율)
　　　　$= 180 \div 1200 = 0.15$ ➡ 15 %

20 (할인 금액)= 40000 − 32000 = 8000(원)
　　➡ (할인율)$= \frac{8000}{40000} \times 100 = 20 (\%)$

21 (1) (가 후보의 득표율)$= \frac{276}{600} \times 100 = 46 (\%)$
　　　　(나 후보의 득표율)$= \frac{312}{600} \times 100 = 52 (\%)$
　　(2) (무효표 수)= 600 − 276 − 312 = 12(표)
　　　　(무효표의 비율)$= \frac{12}{600} \times 100 = 2 (\%)$

　　다른 풀이 (2) 무효표의 비율: 100 − 46 − 52 = 2
　　　　　　　　　　➡ 2 %

22 〔윤진〕(넣은 화살 수) : (던진 화살 수)= 14 : 20
　　　　➡ (성공률)$= \frac{14}{20} \times 100 = 70 (\%)$
　　〔승준〕(넣은 화살 수) : (던진 화살 수)= 16 : 25
　　　　➡ (성공률)$= \frac{16}{25} \times 100 = 64 (\%)$
　　70 % > 64 %이므로 성공률이 더 높은 사람은 윤진입니다.

23 (가 캐릭터의 만족도)= 231 ÷ 350 = 0.66 ➡ 66 %
　　(나 캐릭터의 만족도)= 168 ÷ 280 = 0.6 ➡ 60 %
　　66 % > 60 %이므로 조사한 회원 수에 대한 만족하는 회원 수의 백분율이 더 높은 캐릭터는 가입니다.

24 〔A 비커〕(소금물의 양)= 100 g, (소금의 양)= 20 g
　　　　➡ (비율)$= 20 \div 100 = 0.2$ ➡ 20 %
　　〔B 비커〕(소금물의 양)= 160 g, (소금의 양)= 40 g
　　　　➡ (비율)$= 40 \div 160 = 0.25$ ➡ 25 %
　　20 % < 25 %이므로 B 비커의 소금물이 더 진합니다.

25 약점 포인트   정답률 80%

① 6학년 전체 학생 수를 구합니다.
② 6학년 전체 학생 수에 대한 1반 학생 수의 비를 나타낸 후 비율을 구합니다.

(6학년 전체 학생 수)
$=25+26+24+27+28=130$(명)
(1반 학생 수) : (6학년 전체 학생 수)$=25:130$
➡ (비율)$=\dfrac{25}{130}\left(=\dfrac{5}{26}\right)$

26 (위인전 수)$=200-62-40-50=48$(권)
(위인전 수) : (전체 책 수)$=48:200$
➡ (비율)$=\dfrac{48}{200}=\dfrac{24}{100}$ ➡ 24%

27 약점 포인트   정답률 75%

연도별로 전년도에 비해 오른 금액을 각각 구한 후 전년도 최저임금에 대한 오른 금액의 백분율을 각각 구합니다.

• 2016년: 6030원, 2017년: 6470원
(오른 금액)$=6470-6030=440$(원)
(인상률)$=\dfrac{440}{6030}\times100=7.2\cdots$ ➡ 7%

• 2017년: 6470원, 2018년: 7530원
(오른 금액)$=7530-6470=1060$(원)
(인상률)$=\dfrac{1060}{6470}\times100=16.3\cdots$ ➡ 16%

28 • 일반 요금
(할인 금액)$=1300-1200=100$(원)
(할인율)$=\dfrac{100}{1300}\times100=7.6\cdots$ ➡ 8%

• 청소년 요금
(할인 금액)$=1000-720=280$(원)
(할인율)$=\dfrac{280}{1000}\times100=28\,(\%)$

29 약점 포인트   정답률 70%

① 8 : 1의 비율을 구한 후 지원자 수와 비율을 이용하여 합격자 수를 구합니다.
② 불합격자 수를 구합니다.

기준량: 합격자 수
비교하는 양: 지원자 수 192명
$8:1$ ➡ (비율)$=8\div1=8$
(비율)$=$(비교하는 양)$\div$(기준량)이므로
$8=192\div$(합격자 수), (합격자 수)$=192\div8=24$(명)
➡ (불합격자 수)$=192-24=168$(명)

30 기준량: 세로
비교하는 양: 가로 45 cm
(비율)$=$(비교하는 양)$\div$(기준량)이므로
$3=45\div$(세로), (세로)$=45\div3=15$ (cm)
➡ (넓이)$=45\times15=675$ (cm^2)
참고 (직사각형의 넓이)$=$(가로)$\times$(세로)

31 약점 포인트   정답률 70%

백분율을 분수 또는 소수로 나타낸 후 비율 구하는 공식을 이용하여 비교하는 양을 구합니다.

(1) 3% ➡ 0.03
(2) 기준량: 예금한 금액 200000원
비교하는 양: 이자
(이자율)$=$(이자)$\div$(예금한 금액)이므로
$0.03=$(이자)$\div200000$
➡ (이자)$=200000\times0.03=6000$(원)
중요 (비율)$=$(비교하는 양)$\div$(기준량)
➡ (비교하는 양)$=$(기준량)$\times$(비율)

32 80% ➡ 0.8
(축소한 변의 길이)$=$(처음 변의 길이)$\times0.8$
(축소한 사진의 가로)$=20\times0.8$
                  $=16$ (cm)
(축소한 사진의 세로)$=15\times0.8$
                  $=12$ (cm)
➡ (축소한 사진의 둘레)$=(16+12)\times2$
                         $=28\times2=56$ (cm)

진도북
4
단원

STEP ❸ 서술형 해결하기   098~099쪽

01 ❶ 18, 24 / $18\div24=0.75$
/ 14, 20 / $14\div20=0.7$ ▶3점
❷ $0.75>0.7$이므로 영민이네 반 학생들이 소풍 장소에 대해 더 만족하였습니다. ▶2점

02 예 ❶ • 백설공주
좌석 수에 대한 관객 수의 비
➡ $102:120$ ➡ (비율)$=102\div120=0.85$
• 신데렐라
좌석 수에 대한 관객 수의 비
➡ $123:150$ ➡ (비율)$=123\div150=0.82$ ▶3점
❷ $0.85>0.82$이므로 백설공주가 더 인기가 많은 것입니다. ▶2점

03 예 ❶ • 은미네 모둠

방의 정원에 대한 방을 사용한 사람 수의 비

➜ 3 : 5 ➜ (비율)＝3÷5＝0.6

• 혜선이네 모둠

방의 정원에 대한 방을 사용한 사람 수의 비

➜ 5 : 8 ➜ (비율)＝5÷8＝0.625 ▶3점

❷ 두 비율을 비교하면 0.6＜0.625이므로 은미네 모둠이 더 넓게 느꼈을 것입니다. ▶2점

04 ❶ 20, 30 / 20÷30＝$\frac{20}{30}$＝$\frac{2}{3}$ ▶2점

❷ $\frac{2}{3}$, $\frac{2}{3}$ / 24×$\frac{2}{3}$＝16 (cm) ▶3점

/ 16 cm

05 예 ❶ 나무 막대의 길이와 그림자 길이의 비

➜ 180 : 150 ➜ (비율)＝180÷150＝1.2 ▶2점

❷ 나무의 높이와 그림자 길이의 비율은 1.2이므로

(나무의 높이)÷(그림자 길이)＝1.2

➜ (나무의 높이)＝225×1.2＝270 (cm) ▶3점

/ 270 cm

06 예 ❶ 주연이의 키와 그림자 길이의 비

➜ 140 : 70 ➜ (비율)＝140÷70＝2 ▶2점

❷ 재민이의 키와 그림자 길이의 비율은 2이므로

(재민이의 키)÷(그림자 길이)＝2

➜ (그림자 길이)＝136÷2＝68 (cm) ▶3점

/ 68 cm

01	채점 기준	❶ 전체 학생 수에 대한 만족하는 학생 수의 비율 각각 구하기	3점
		❷ 두 비율을 비교하여 알 수 있는 점 쓰기	2점

02	채점 기준	❶ 좌석 수에 대한 관객 수의 비율 각각 구하기	3점
		❷ 두 비율을 비교하여 알 수 있는 점 쓰기	2점

03	채점 기준	❶ 방의 정원에 대한 방을 사용한 사람 수의 비율 각각 구하기	3점
		❷ 두 비율을 비교하여 알 수 있는 점 쓰기	2점

04	채점 기준	❶ 마름모 가의 긴 대각선에 대한 짧은 대각선의 길이의 비율 구하기	2점
		❷ 마름모 나의 짧은 대각선의 길이 구하기	3점

05	채점 기준	❶ 나무 막대의 길이와 그림자 길이의 비율 구하기	2점
		❷ 나무의 높이 구하기	3점

06	채점 기준	❶ 주연이의 키와 그림자 길이의 비율 구하기	2점
		❷ 재민이의 그림자 길이 구하기	3점

단원 **마무리**

100~102쪽

01 (1) 4 (2) 2   **02** (1) 6, 7 (2) 7, 6

03 3, 8 / 3, 8 / 3, 8 / 8, 3   **04** 0.6

05 예   **06**

07 예 방법 **1** 꽃병 수에 따라 장미는 튤립보다 각각 1송이, 2송이, 3송이, 4송이…… 더 많습니다.

방법 **2** 장미 수는 튤립 수의 1.5배입니다.

08 ③, ④   **09** 40 : 100   **10** ㉢, ㉠, ㉣, ㉡

11 0.35   **12** 8 / 20, 32

13 120, 115 / 가   **14** 나 비커

15 3000원   **16** 인형   **17** 300 cm²

18 ❶ 틀렸습니다. ▶2점

예 ❷ 기준량은 내 나이, 비교하는 양은 오빠 나이이므로 비로 나타내면 15 : 13입니다. ▶3점

19 예 ❶ (안경을 쓰지 않은 학생 수)

＝30－18＝12(명) ▶2점

❷ 전체 학생 수에 대한 안경을 쓰지 않은 학생 수의 비 ➜ 12 : 30 ➜ (비율)＝12÷30＝0.4

➜ 40 % ▶3점 / 40 %

20 예 ❶ 70 % ➜ 0.7

(축소한 변의 길이)＝(처음 변의 길이)×0.7

(축소한 사진의 가로)＝40×0.7＝28 (cm)

(축소한 사진의 세로)＝30×0.7＝21 (cm) ▶4점

❷ (축소한 사진의 둘레)＝(28＋21)×2＝49×2

＝98 (cm) ▶1점 / 98 cm

04 9 : 15 ➜ (비율)＝9÷15＝0.6

05 75 % ➜ $\frac{75}{100}$＝$\frac{3}{4}$

따라서 12칸의 $\frac{3}{4}$만큼인 9칸을 색칠합니다.

06 (1) 4 대 10 ➜ 4 : 10 ➜ (비율)＝$\frac{4}{10}$＝0.4

(2) 4에 대한 10의 비

➜ 10 : 4 ➜ (비율)＝$\frac{10}{4}$＝2.5

09 (더 달려야 하는 거리)＝100－60＝40 (m)

전체 거리에 대한 더 달려야 하는 거리의 비

➜ (더 달려야 하는 거리) : (전체 거리)＝40 : 100

11 (안타 수) : (전체 타수)=28 : 80

➡ (타율)=28÷80=0.35

12 과학관: $\dfrac{5}{25}×100=20$ (%)

유적지: (득표수)=25−12−5=8

➡ $\dfrac{8}{25}×100=32$ (%)

13 • 가 버스

(간 거리) : (걸린 시간)=240 : 2

➡ (비율)=240÷2=120

• 나 버스

(간 거리) : (걸린 시간)=345 : 3

➡ (비율)=345÷3=115

120>115이므로 더 빠른 버스는 가입니다.

14 가: 소금물 양에 대한 소금 양의 비 ➡ 48 : 300

➡ (비율)=48÷300=0.16 ➡ 16 %

나: 소금물 양에 대한 소금 양의 비 ➡ 40 : 200

➡ (비율)=40÷200=0.2 ➡ 20 %

16 %<20 %이므로 나 비커의 소금물이 더 진합니다.

15 2 % ➡ 0.02

(이자율)=(이자)÷(예금한 금액)이므로

0.02=(이자)÷150000

➡ (이자)=150000×0.02=3000(원)

16 자동차: (할인 금액)=25000−23000=2000(원)

➡ (할인율)=$\dfrac{2000}{25000}×100=8$ (%)

인형: (할인 금액)=20000−18000=2000(원)

➡ (할인율)=$\dfrac{2000}{20000}×100=10$ (%)

8 %<10 %이므로 인형의 할인율이 더 높습니다.

17 왼쪽 직사각형의 가로에 대한 세로의 비

➡ 18 : 24 ➡ (비율)=18÷24=0.75

오른쪽 직사각형에서 (세로)÷(가로)=0.75

➡ (세로)=20×0.75=15 (cm)

(넓이)=20×15=300 (cm²)

18
채점 기준	❶ 희연이가 한 말이 맞는지, 틀린지 쓰기	2점
	❷ 이유 쓰기	3점

19
채점 기준	❶ 안경을 쓰지 않은 학생 수 구하기	2점
	❷ 전체 학생 수에 대한 안경을 쓰지 않은 학생 수의 백분율 구하기	3점

20
채점 기준	❶ 축소한 사진의 가로와 세로 각각 구하기	4점
	❷ 축소한 사진의 둘레 구하기	1점

5. 여러 가지 그래프

STEP ➊ 개념 완성하기 106~107쪽

1 10만 명, 1만 명 **2** 4만 명 **3** 서울·인천·경기

4 (1) 353, 3, 5, 3 (2) 405, 4, 5

5 마을별 학생 수

마을	학생 수
가 마을	😊😊😊😊😊◓◓◓
나 마을	😊😊😊😊😊😊◓◓◓◓
다 마을	😊😊😊😊😊😊😊😊😊
라 마을	😊😊😊◓◓◓◓◓

😊100명 ◓10명 ●1명

6 다 마을

7 15만 t

8 지역별 가구 수

지역	가 지역	나 지역	다 지역	라 지역
가구 수				

🏠1000가구 ⌂100가구

4 백의 자리 숫자만큼 😊으로, 십의 자리 숫자만큼 ◓으로, 일의 자리 숫자만큼 ●으로 나타냅니다.

6 학생 수가 가장 적은 마을은 100명을 나타내는 그림의 수가 가장 적은 다 마을입니다.

7 경상도: 🍉 2개, 🍈 7개 ➡ 27만 t

전라도: 🍉 1개, 🍈 2개 ➡ 12만 t

(수확량의 차)=27만−12만=15만 (t)

STEP ➊ 개념 완성하기 108~109쪽

1 띠그래프 **2** 6, 30 **3** 40, 30

4 1 % **5** 19 % **6** 봄

7 여름, 겨울 **8** 30, 20, 25, 15, 10, 100

9 취미별 학생 수

0 10 20 30 40 50 60 70 80 90 100(%)

운동 (30 %)	음악 감상 (20 %)	영화 감상 (25 %)	독서 (15 %)	기타 (10 %)

10 ⓔ 전체에 대한 각 부분의 비율을 한눈에 알아보기 쉽습니다.

6 띠그래프에서 차지하는 부분의 길이가 가장 긴 계절은 봄입니다.

7 띠그래프에서 차지하는 부분의 길이가 서로 같은 계절을 찾으면 여름과 겨울입니다.

10 다른정답 각 항목이 차지하는 부분의 길이를 이용하여 비율을 쉽게 비교할 수 있습니다.

STEP 2 실력 다지기   110~113쪽

01 762대

02 ❶
도별 감 수확량

🍅 10만 t
🍅 1만 t ▶3점

❷ 감 수확량이 가장 많은 지역은 경상북도이고, 가장 적은 지역은 강원도입니다. ▶2점

03 ㉡   **04** 2배   **05** (1) 31 % (2) 200, 31, 62

06 ❶ 띠그래프에서 차지하는 부분의 길이가 가장 긴 후보는 나 후보이므로 가장 많은 표를 얻은 후보는 나 후보입니다. ▶2점

❷ (나 후보의 득표수)$=400 \times \dfrac{29}{100} = 116$(표) ▶3점

/ 116표

07 42 /
마을별 쌀 수확량

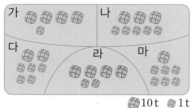

🍙10t 🍙1t

08
권역별 외국인 수

👤 10만 명
👤 1만 명

---

09 75, 125, 100, 50 / 15, 25, 20, 10 /

방과 후 하는 활동별 학생 수

0 10 20 30 40 50 60 70 80 90 100(%)				
컴퓨터 (30 %)	한자 (15 %)	미술 (25 %)	스포츠 (20 %)	← 기타 (10 %)

10 25, 200 /

선호하는 행사별 사람 수

0 10 20 30 40 50 60 70 80 90 100(%)				
민속놀이 (35 %)	마술 쇼 (25 %)	국악 공연 (15 %)	전통문화 체험 (20 %)	기타 (5 %)

11 44, 56, 72, 28 / 22, 28, 36, 14

12 120, 90, 600 / 35, 30, 100 /   **13** 280개

강좌별 회원 수

0 10 20 30 40 50 60 70 80 90 100(%)			
외국어 (35 %)	요가 (30 %)	미술 (20 %)	기타 (15 %)

14 예 ❶ 줄넘기: $100-36-16-28-8=12$

➡ 12 % ▶2점

❷ 축구를 좋아하는 학생 수의 백분율은 줄넘기를 좋아하는 학생 수의 백분율의 $36÷12=3$(배)입니다. (줄넘기를 좋아하는 학생 수)$=54÷3=18$(명) ▶3점

/ 18명

15 (1) 68 % (2) 17명   **16** 124명

---

01 판매량이 가장 많은 가게: 다 가게 ➡ 502대
판매량이 가장 적은 가게: 나 가게 ➡ 260대
(판매량의 합)$=502+260=762$(대)

02
채점 기준	❶ 그림그래프로 나타내기	3점
	❷ 알 수 있는 내용 쓰기	2점

03 ㉠ 유관순을 존경하는 학생 수는 전체의 16 %입니다.
㉡ 이순신: 28 %, 유관순: 16 %
➡ $28÷16=1.75$(배)

04 (가 동과 다 동의 음식물 쓰레기 배출량을 더한 비율)
$=16+32=48$ (%) ➡ $48÷24=2$(배)

05 (2) (오렌지 주스를 좋아하는 사람 수)
$=200 \times \dfrac{31}{100} = 62$(명)

06
채점 기준	❶ 가장 많은 표를 얻은 후보 구하기	2점
	❷ 가장 많은 표를 얻은 후보의 득표수 구하기	3점

07 (라 마을의 쌀 수확량)
$=159-41-35-25-16=42$ (t)

10 마술 쇼: $\dfrac{250}{1000} \times 100 = 25$ (%)
전통문화 체험:
$1000-350-250-150-50=200$(명)

11 채팅: 22 % ➡ (학생 수)=$200 \times \dfrac{22}{100}$=44(명)

게임: 28 % ➡ (학생 수)=$200 \times \dfrac{28}{100}$=56(명)

인터넷: 36 % ➡ (학생 수)=$200 \times \dfrac{36}{100}$=72(명)

기타: 14 % ➡ (학생 수)=$200 \times \dfrac{14}{100}$=28(명)

13 약점 포인트   정답률 75%

A 항목의 비율이 B 항목의 비율의 ■배일 때
(A 항목의 수량)=(B 항목의 수량)×■

B 제품: 14 %, D 제품: 28 %
D 제품의 판매량은 B 제품의 판매량의
28÷14=2(배)이므로
(D 제품의 판매량)=140×2=280(개)

14

채점기준	❶ 줄넘기를 좋아하는 학생 수의 백분율 구하기	2점
	❷ 줄넘기를 좋아하는 학생 수 구하기	3점

15 약점 포인트   정답률 65%

· ■ 이상인 수: ■보다 크거나 같은 수
· ▲ 미만인 수: ▲보다 작은 수

(1) (30분 이상 1시간 미만인 학생과 1시간 이상 1시간 30분 미만인 학생 수를 더한 비율)
=36+32=68 (%)

(2) $25 \times \dfrac{68}{100}$=17(명)

16 (3권 미만인 회원과 3권 이상 5권 미만인 회원 수를 더한 비율)=25+37=62 (%)
➡ $200 \times \dfrac{62}{100}$=124(명)

STEP ① 개념 완성하기   114~115쪽

1 원그래프   **2** 40, 100   **3** (위에서부터) 40, 20
4 1 %   **5** 33 %, 9 %   **6** 마트   **7** 학원
8 35, 30, 25, 10, 100
9

종류별 공 수

10 예 전체에 대한 각 부분의 비율을 한눈에 알아보기 쉽습니다.

4 10 %가 똑같이 작은 눈금 10칸으로 나누어져 있으므로 작은 눈금 한 칸은 1 %를 나타냅니다.

6 원그래프에서 차지하는 부분의 넓이가 가장 넓은 항목은 마트입니다.

7 원그래프에서 차지하는 부분의 넓이가 외식과 같은 항목을 찾으면 학원입니다.

8 야구공: $\dfrac{21}{60} \times 100$=35 (%)

농구공: $\dfrac{18}{60} \times 100$=30 (%)

축구공: $\dfrac{15}{60} \times 100$=25 (%)

배구공: $\dfrac{6}{60} \times 100$=10 (%)

(합계)=35+30+25+10=100 (%)

STEP ① 개념 완성하기   116~117쪽

1 캠핑하기, 놀이공원 가기   **2** 32.6 %
3 예 유적지 가기, 동물원 가기
4 마을별 초등학생 수

마을	학생 수
가 마을	◉◉◉◉◉◉◉◉
나 마을	◉◉◉◉◉◉
다 마을	◉◉◉◉◉◉◉◉◉◉◉
라 마을	◉◉◉◉◉◉

◉10명
◉1명

마을별 초등학생 수

0 10 20 30 40 50 60 70 80 90 100(%)

가 (25 %)	나 (20 %)	다 (35 %)	라 (20 %)

5 띠그래프   **6** ✕(교차선)   **7** 2배
8 72마리   **9** 소, 토끼   **10** 3배

5 띠그래프에서 각 항목이 차지하는 부분의 길이를 이용하여 항목의 비율을 쉽게 비교할 수 있습니다.

참고 그림그래프는 그림의 크기와 개수로 수량을 쉽게 비교할 수 있습니다.

7 소: 36 %, 토끼: 18 % ➡ 36÷18=2(배)

8 (소의 수)=36×2=72(마리)

10 2017년 돼지 수의 백분율: 12 %
2018년 돼지 수의 백분율: 36 %
➡ 36÷12=3(배)

STEP 2 실력 다지기 118~121쪽

01 2배

02 ⓜ ❶ 승용차의 등록 대수는 이륜자동차의 등록 대수의 4배입니다. ▸3점

❷ 등록 대수가 많은 자동차부터 차례로 쓰면 승용차, 버스, 화물차, 이륜자동차입니다. ▸2점

03 18 t   **04** 10명

05

좋아하는 곤충별 학생 수

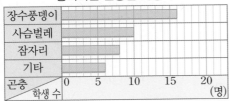

좋아하는 곤충별 학생 수

0 10 20 30 40 50 60 70 80 90 100(%)
장수풍뎅이 (40%) / 사슴벌레 (25%) / 잠자리 (20%) / 기타 (15%)

/ 막대그래프

06 ❶ 원그래프에 ○표 ▸2점

ⓜ ❷ 각 항목이 차지하는 넓이를 이용하여 활동별 학생 수의 비율을 비교할 수 있습니다. ▸3점

07 해외여행 지역별 사람 수   해외여행 목적별 사람 수

 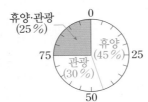

08 25, 20 /   **09** 30 /

과학 기술별 공학자 수   용돈의 쓰임새별 금액

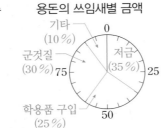

10 받고 싶은 선물별 학생 수

0 10 20 30 40 50 60 70 80 90 100(%)
가방 (20%) / 노트북 (40%) / 옷 (20%) / 자전거 (15%) / 기타 (5%)

11 (1) 좋다

(2) ⓜ 2018년 대기 환경 체감도가 '좋다'고 생각하는 사람 수는 '보통이다'라고 생각하는 사람 수의 약 0.5배입니다.

12 ⓜ 1인 가구 수는 17.8 %에서 21.1 %로 증가하였고, 4인 이상의 가구 수는 22.5 %에서 19.3 %로 감소하였습니다. ▸5점

13 (1) 5배 (2) 850명   **14** 325개

15 18, 14, 8, 40 / 45, 35, 20, 100 /

숲의 기능

0 10 20 30 40 50 60 70 80 90 100(%)
산소 공급 (45%) / 동·식물 보호 (35%) / 산사태 예방 (20%)

16 반별 자원봉사 참가자 수

01 가 동: 35 %, 라 동: 19 %

$35 \div 19 = 1.8 \cdots \rightarrow$ 2배

02
채점 기준	❶ 알 수 있는 내용 쓰기	3점
	❷ 알 수 있는 내용을 한 가지 더 쓰기	2점

03 (나 과수원의 수확량)$= 50 \times \dfrac{36}{100} = 18$ (t)

04 (윷놀이를 좋아하는 학생 수)$= 250 \times \dfrac{28}{100} = 70$(명)

(널뛰기를 좋아하는 학생 수)$= 250 \times \dfrac{24}{100} = 60$(명)

따라서 윷놀이를 좋아하는 학생은 널뛰기를 좋아하는 학생보다 $70 - 60 = 10$(명) 더 많습니다.

05 막대그래프는 항목별 학생 수를 비교하기에 편리하고, 띠그래프는 전체에 대한 항목별 학생 수의 비율을 비교하기에 편리합니다.

06
채점 기준	❶ 가장 적당한 그래프를 찾아 ○표 하기	2점
	❷ 이유 쓰기	3점

08 로봇: $\dfrac{90}{360} \times 100 = 25$ (%)

가상현실: $\dfrac{72}{360} \times 100 = 20$ (%)

09 군것질: $100 - 35 - 25 - 10 = 30 \rightarrow 30$ %

10 (가방과 옷을 더한 비율)
$= 100 - 40 - 15 - 5 = 40 \rightarrow 40$ %
$\rightarrow$ (가방의 비율)=(옷의 비율)$= 40 \div 2 = 20$ (%)

11 (2) $21.5 \div 44 = 0.48 \cdots \rightarrow 0.5$배

12 | 채점
기준 | 원그래프를 보고 기사문 쓰기 | 5점 |

13 약점 포인트   정답률 75%

비율 그래프에서 전체(100 %)는 A 항목의 비율의 ■배
일 때 ➡ (전체 수량)=(A 항목의 수량)×■

⑴ 전체는 100 %, 울릉도의 백분율은 20 %이므로
전체 학생 수는 울릉도에 가고 싶은 학생 수의
100÷20=5(배)입니다.

⑵ (전체 학생 수)=170×5=850(명)

14 (딸기 맛과 포도 맛을 더한 비율)
=24+16=40 (%)
전체는 100 %이므로 전체 사탕 수는 딸기 맛 사탕과
포도 맛 사탕 수의 합의 100÷40=2.5(배)입니다.
(전체 사탕 수)=130×2.5=325(개)

15 약점 포인트   정답률 65%

① 각 항목의 수량 및 합계 구하기
② 전체에 대한 각 항목의 백분율 구하기
③ 비율 그래프로 나타내기

(산소 공급)=18명, (동·식물 보호)=14명,
(산사태 예방)=8명
➡ (전체 학생 수)=18+14+8=40(명)

산소 공급: $\dfrac{18}{40}×100=45$ (%)

동·식물 보호: $\dfrac{14}{40}×100=35$ (%)

산사태 예방: $\dfrac{8}{40}×100=20$ (%)

STEP ③ 서술형 해결하기   122~125쪽

01 ❶ 2620, 3820,
2620만+3820만=6440만 (명) ▶2점
❷ 2720,
2620만+6440만+2720만=1억 1780만 (명) ▶3점
/ 1억 1780만 명

02 예 ❶ (라 지역의 딸기 수확량)=32 t
➡ (가 지역의 딸기 수확량)=32−12=20 (t) ▶2점
❷ 수확량이 가장 많은 지역은 나 지역으로 33 t이
고, 수확량이 가장 적은 지역은 가 지역으로 20 t
입니다.
(수확량의 차)=33−20=13 (t) ▶3점 / 13 t

03 예 ❶ (다 공장의 철 생산량)=135 kg
➡ (나 공장의 철 생산량)=135+108
=243 (kg) ▶2점
❷ 생산량이 가장 많은 공장은 가 공장으로 260 kg
이고, 생산량이 가장 적은 공장은 다 공장으로 135 kg
입니다.
(생산량의 합)=260+135=395 (kg) ▶3점
/ 395 kg

04 ❶ ■×2, 100, ■×2, 100 ▶3점
❷ 19, 38, 19 ▶2점 / 38 %, 19 %

05 예 ❶ 지리산을 좋아하는 회원 수의 백분율을 □ %
라 하면 한라산을 좋아하는 회원 수의 백분율은
(□×2) %입니다.
□×2+46+□+12=100,
□×2+□=42, □×3=42, □=14
따라서 지리산을 좋아하는 회원 수의 백분율은
14 %입니다. ▶3점
❷ (지리산을 좋아하는 회원 수)
=$300×\dfrac{14}{100}=42$(명) ▶2점 / 42명

06 예 ❶ 최씨인 사람 수의 백분율을 □ %라 하면
김씨인 사람 수의 백분율은 (□×3) %입니다.
□×3+29+19+□+8=100,
□×3+□=44, □×4=44, □=11
따라서 최씨인 사람 수의 백분율은 11 %, 김씨인
사람 수의 백분율은 11×3=33 (%)입니다. ▶3점
❷ (김씨인 사람 수)
=$4200×\dfrac{33}{100}=1386$(명) ▶2점 / 1386명

07 ❶ 32, $250×\dfrac{32}{100}=80$(권),

28, $250×\dfrac{28}{100}=70$ (권) ▶3점

❷ 65, 85 ▶2점 / 65권, 85권

08 예 ❶ 24 % ➡ $\dfrac{24}{100}$이므로

(공 구입비)=$500000×\dfrac{24}{100}=120000$(원)
회식비를 40000원 줄이고, 공 구입비를 40000원
늘리면
(공 구입비)=120000+40000=160000(원)이
고, 전체 금액은 변하지 않습니다. ▶3점

❷ 공 구입비: $\dfrac{160000}{500000}×100=32$ (%) ▶2점
/ 32 %

09 예 ❶ $42 \% \Rightarrow \dfrac{42}{100}$ 이므로

(상추를 심은 밭의 넓이)

$=2000 \times \dfrac{42}{100} = 840 \ (\text{m}^2)$

상추를 심은 밭을 $320 \ \text{m}^2$ 줄이고,

고추를 심은 밭을 $320 \ \text{m}^2$ 늘리면

(상추를 심은 밭의 넓이)$=840-320=520 \ (\text{m}^2)$

이고, 전체 밭의 넓이는 변하지 않습니다. ▶3점

❷ 상추: $\dfrac{520}{2000} \times 100 = 26 \ (\%)$ ▶2점

/ 26%

10 ❶ $48, \ 450 \times \dfrac{48}{100} = 216$(명) ▶3점

❷ $25, \ 216 \times \dfrac{25}{100} = 54$(명) ▶2점

/ 54명

11 예 ❶ (남학생 수의 백분율)$=45 \% \Rightarrow \dfrac{45}{100}$

(남학생 수)$=500 \times \dfrac{45}{100} = 225$(명) ▶3점

❷ (한식의 백분율)$=28 \% \Rightarrow \dfrac{28}{100}$

(한식을 좋아하는 남학생 수)

$=225 \times \dfrac{28}{100} = 63$(명) ▶2점

/ 63명

12 예 ❶ (아파트의 백분율)$=36 \% \Rightarrow \dfrac{36}{100}$

(아파트에 거주하는 직원 수)

$=1000 \times \dfrac{36}{100} = 360$(명) ▶3점

❷ (여자 직원 수의 백분율)$=65 \% \Rightarrow \dfrac{65}{100}$

(아파트에 거주하는 여자 직원 수)

$=360 \times \dfrac{65}{100} = 234$(명) ▶2점

/ 234명

01	채점 기준	❶ 일본의 취업자 수 구하기	2점
		❷ 세 나라의 취업자 수의 합 구하기	3점

02	채점 기준	❶ 가 지역의 딸기 수확량 구하기	2점
		❷ 수확량이 가장 많은 지역과 가장 적은 지역의 수확량의 차 구하기	3점

03	채점 기준	❶ 나 공장의 철 생산량 구하기	2점
		❷ 생산량이 가장 많은 공장과 가장 적은 공장의 생산량의 합 구하기	3점

04	채점 기준	❶ 캐러멜을 좋아하는 학생 수의 백분율을 ■ % 라 하고 식 세우기	3점
		❷ 초콜릿을 좋아하는 학생 수와 캐러멜을 좋아하는 학생 수의 백분율 각각 구하기	2점

05	채점 기준	❶ 지리산을 좋아하는 회원 수의 백분율 구하기	3점
		❷ 지리산을 좋아하는 회원 수 구하기	2점

06	채점 기준	❶ 김씨인 사람 수의 백분율 구하기	3점
		❷ 김씨인 사람 수 구하기	2점

07	채점 기준	❶ 처음 꽂혀 있던 동화책 수와 역사책 수 각각 구하기	3점
		❷ 동화책 수와 역사책 수는 각각 몇 권이 되는 지 구하기	2점

08	채점 기준	❶ 공 구입비 구하기	3점
		❷ 공 구입비는 전체의 몇 %가 되는지 구하기	2점

09	채점 기준	❶ 상추를 심은 밭의 넓이 구하기	3점
		❷ 상추를 심은 밭은 전체의 몇 %가 되는지 구하기	2점

10	채점 기준	❶ 박물관에 입장한 초등학생 수 구하기	3점
		❷ 박물관에 입장한 6학년 학생 수 구하기	2점

11	채점 기준	❶ 남학생 수 구하기	3점
		❷ 한식을 좋아하는 남학생 수 구하기	2점

12	채점 기준	❶ 아파트에 거주하는 직원 수 구하기	3점
		❷ 아파트에 거주하는 여자 직원 수 구하기	2점

단원 마무리

126~128쪽

01 10만 t, 1만 t

02 도별 쌀 수확량

03 강원도   **04** 82만 t   **05** 19 %

06 32 %   **07** 과학   **08** 52명

09 15, 25, 40, 20, 100

10

농장별 닭 수

0 10 20 30 40 50 60 70 80 90 100(%)
가농장 (15%)	나 농장 (25%)	다 농장 (40%)	라 농장 (20%)

농장별 닭 수

11 19 %, 46 %

12 도시별 버스 이용자 수

나 가 라
다

😊10만 명 🙂1만 명

13 중·고등학생 **14** 3배 **15** 40 %, 20 %

16 210 kg **17** 54 kg

18 예 ❶ A형인 사람은 23200명입니다. ▸3점

❷ 가장 적은 혈액형은 O형입니다. ▸2점

19 예 ❶ (공부한 시간이 30분 미만인 학생 수의 백분율)
$=100-38-32-14=16 ➔ 16\%$ ▸2점

❷ 공부한 시간이 60분 이상 90분 미만인 학생 수
는 30분 미만인 학생 수의 $32÷16=2$(배)입니다.
▸3점 / 2배

20 예 ❶ (공부한 시간이 60분 이상인 학생 수의 백분율)
$=32+14=46(\%)$ ▸2점

❷ (공부한 시간이 60분 이상인 학생 수)
$=150×\frac{46}{100}=69$(명) ▸3점 / 69명

---

02 경상도: 93만 t ➔ 🍚 9개, 🍙 3개

04 쌀 수확량이 가장 많은 지역: 전라도 ➔ 98만 t
쌀 수확량이 가장 적은 지역: 강원도 ➔ 16만 t
(수확량의 차)$=98만-16만=82만 (t)$

06 과학: $100-26-19-13-10=32 ➔ 32\%$

08 (국어를 좋아하는 학생 수)$=200×\frac{26}{100}=52$(명)

11 나 농장에서 키우는 닭 30마리를 다 농장으로 옮기면
나 농장의 닭은 $125-30=95$(마리), 다 농장의 닭
은 $200+30=230$(마리)가 되고, 전체 닭 수는 변하
지 않습니다.

나 농장: $\frac{95}{500}×100=19 (\%)$

다 농장: $\frac{230}{500}×100=46 (\%)$

12 가 도시: 😊 2개, 🙂 2개 ➔ 22만 명
나 도시: 😊 1개, 🙂 6개 ➔ 16만 명
다 도시: 😊 3개, 🙂 2개 ➔ 32만 명
(라 도시의 버스 이용자 수)
$=94만-22만-16만-32만=24만 (명)$
➔ 😊 2개, 🙂 4개를 그립니다.

14 2000년 초등학생 수의 백분율: 49.8 %
2000년 대학생 수의 백분율: 16.0 %
$49.8÷16=3.1…… ➔ 약 3배$

15 고철류의 백분율을 □ %라 하면
종이류의 백분율은 (□×2) %입니다.
원그래프에서 전체는 100 %이므로
$□×2+28+□+12=100, □×2+□=60,$
$□×3=60, □=20$
➔ 종이류: $20×2=40 (\%)$, 고철류: 20 %

16 플라스틱류: 28 %, 고철류: 20 %
$28÷20=1.4$이므로 플라스틱류의 배출량은 고철류
의 배출량의 1.4배입니다.
(플라스틱류의 배출량)$=150×1.4=210 (kg)$
다른 풀이 100 %는 20 %의 5배이므로
(전체 재활용품의 배출량)$=150×5=750 (kg)$
(플라스틱류의 배출량)$=750×\frac{28}{100}=210 (kg)$

17 (기타 재활용품의 배출량)
$=1000×\frac{12}{100}=120 (kg)$

➔ (비닐류의 배출량)$=120×\frac{45}{100}=54 (kg)$

18
채점 기준	❶ 알 수 있는 내용 쓰기	3점
	❷ 알 수 있는 내용을 한 가지 더 쓰기	2점

19
채점 기준	❶ 공부한 시간이 30분 미만인 학생 수의 백분 율 구하기	2점
	❷ 공부한 시간이 60분 이상 90분 미만인 학생 수는 30분 미만인 학생 수의 몇 배인지 구하기	3점

20
채점 기준	❶ 공부한 시간이 60분 이상인 학생 수의 백분 율 구하기	2점
	❷ 공부한 시간이 60분 이상인 학생 수 구하기	3점

6. 직육면체의 부피와 겉넓이

1

2 (1) 18, 16 (2) 가

3 캐러멜

4 (1) 1 cm³ (2) 6개 (3) 6 cm³

5 1, 3, 2

6 >

7 (1) 40개, 36개 (2) 가

8 4, 3, 2 / 24

9 6, 2, 3 / 36

4 (3) 1 cm³가 6개이므로 직육면체의 부피는 6 cm³입니다.

5 세 직육면체의 높이가 모두 같으므로 밑에 놓인 면의 넓이가 넓을수록 부피가 큽니다.

6 (왼쪽 직육면체의 쌓기나무 수)=4×4×3=48(개)
(오른쪽 직육면체의 쌓기나무 수)
=4×2×5=40(개)
48>40이므로 왼쪽 직육면체의 부피가 더 큽니다.

7 (1) 가: (담을 수 있는 블록 수)=2×5×4=40(개)
나: (담을 수 있는 블록 수)=3×4×3=36(개)
(2) 40>36이므로 부피가 더 큰 상자는 가입니다.

8 (쌓기나무의 수)=4×3×2=24(개)
➡ (직육면체의 부피)=24 cm³

1 5, 4, 5, 100

2 5, 5, 5, 125

3 1, 1000000, 1000000

4 (1) 2000000 (2) 3500000 (3) 5 (4) 1.4

5 (1) 120 cm³ (2) 343 cm³

6 (1) 2 m, 3 m, 2 m (2) 12 m³ **7** 75 cm³

8 (1) < (2) > **9** 5, 20, 4, 400

3 (정육면체를 쌓는 데 필요한 쌓기나무의 수)
=100×100×100=1000000(개)
➡ 1000000 cm³ ➡ 1 m³

4 (1) 1 m³=1000000 cm³ ➡ 2 m³=2000000 cm³
(3) 1000000 cm³=1 m³ ➡ 5000000 cm³=5 m³
중요 ■ m³=■000000 cm³

5 (1) (직육면체의 부피)=5×6×4=120 (cm³)
(2) (정육면체의 부피)=7×7×7=343 (cm³)

6 (2) (직육면체의 부피)=2×3×2=12 (m³)

7 (직육면체의 부피)=5×3×5=75 (cm³)

8 (1) 3000000 cm³=3 m³ ➡ 3 m³<4 m³
(2) 7.6 m³=7600000 cm³
➡ 7600000 cm³>7300000 cm³

9 (필통의 부피)=(가로)×(세로)×(높이)
=5×20×4=400 (cm³)

01 (△) ( ) (○) **02** 다, 가, 나

03 ❶ (가, 나), (나, 다) ▶2점
예 ❷ 직접 맞대어 비교하려면 가로, 세로, 높이 중 두 종류 이상의 길이가 같아야 합니다.
가와 나는 5 cm, 2 cm인 모서리의 길이가 각각 같고, 나와 다는 2 cm, 4 cm인 모서리의 길이가 각각 같으므로 부피를 직접 맞대어 비교할 수 있습니다. ▶3점

04 12 cm³ **05** 202 cm³ **06** 140 cm³

07 729 cm³ **08** 24 cm³

09 예 ❶ 나무토막을 잘라 가장 큰 정육면체를 만들려면 한 모서리의 길이를 나무토막의 가장 짧은 모서리인 12 cm로 해야 합니다. ▶3점
❷ (가장 큰 정육면체의 부피)
=12×12×12=1728 (cm³) ▶2점
/ 1728 cm³

10 < **11** 현희

12 블록, 지우개, 주사위 **13** 9000000, 9

14 1.44 m³ **15** ㉢, ㉣, ㉠, ㉡

16 10 cm **17** 4 cm **18** 16

19 120 cm³ **20** 2 cm

21 예 ❶ (주사위의 부피)=2×2×2=8 (cm³)
주사위 27개를 쌓아 정육면체를 만들었으므로
(만든 정육면체의 부피)=8×27=216 (cm³) ▶2점
❷ 만든 정육면체의 한 모서리의 길이를 □ cm라 하면 □×□×□=216이고, 6×6×6=216이므로 □=6입니다. 따라서 만든 정육면체의 한 모서리의 길이는 6 cm입니다. ▶3점 / 6 cm

22 45개   **23** 800개   **24** 180개

25 8 / 예 3, 8, 8 / 예 2, 6, 16   **26** 4가지

27 8배   **28** 9배   **29** 1200 cm³

30 48 cm³   **31** 400 cm³   **32** 3 cm

---

02 • 가와 나를 비교하면 세로, 높이가 각각 같고 가의
가로가 나의 가로보다 더 깁니다.
→ (가의 부피) > (나의 부피)

• 가와 다를 비교하면 가로, 세로가 각각 같고 다의
높이가 가의 높이보다 더 높습니다.
→ (가의 부피) < (다의 부피)

→ (다의 부피) > (가의 부피) > (나의 부피)

03

채점 기준	❶ 직접 맞대었을 때 부피를 비교할 수 있는 상 자끼리 짝 짓기	2점
	❷ 이유 쓰기	3점

04 (가의 쌓기나무의 수) = 3×3×4 = 36(개) → 36 cm³
(나의 쌓기나무의 수) = 6×4×2 = 48(개) → 48 cm³
→ (부피의 차) = 48 − 36 = 12 (cm³)

05 (왼쪽 직육면체의 부피) = 5×6×3 = 90 (cm³)
(오른쪽 직육면체의 부피) = 4×7×4 = 112 (cm³)
→ (부피의 합) = 90 + 112 = 202 (cm³)

06 직육면체의 세로를 □ cm라 하면
(모든 모서리의 길이의 합)
= 4×4 + □×4 + 7×4 = 64 (cm),
16 + □×4 + 28 = 64, □×4 = 20, □ = 5
→ (직육면체의 부피) = 4×5×7 = 140 (cm³)

07 여섯 면이 모두 합동이므로 정육면체의 전개도입니다.
(한 모서리의 길이) = 18÷2 = 9 (cm)
→ (입체도형의 부피) = 9×9×9 = 729 (cm³)

08 (가로, 세로, 높이가 각각 6 cm, 8 cm, 4 cm인 직
육면체의 부피)
= 6×8×4 = 192 (cm³)
(한 모서리의 길이가 6 cm인 정육면체의 부피)
= 6×6×6 = 216 (cm³)
→ (부피의 차) = 216 − 192 = 24 (cm³)

09

채점 기준	❶ 가장 큰 정육면체의 한 모서리의 길이 구하기	3점
	❷ 가장 큰 정육면체의 부피 구하기	2점

10 (왼쪽 직육면체의 부피) = 8×5×6 = 240 (cm³)
(오른쪽 직육면체의 부피) = 7×9×4 = 252 (cm³)
→ 240 cm³ < 252 cm³

11 (수연이가 만든 상자의 부피)
= 12×10×8 = 960 (cm³)
(현희가 만든 상자의 부피)
= 10×10×10 = 1000 (cm³)
→ 960 cm³ < 1000 cm³

12 (주사위의 부피) = 3×3×3 = 27 (cm³)
(지우개의 부피) = 4×3×2 = 24 (cm³)
(블록의 부피) = 5×3×1 = 15 (cm³)
→ 15 cm³ < 24 cm³ < 27 cm³

13 3 m = 300 cm
(직육면체의 부피) = 200×150×300
= 9000000 (cm³) → 9 m³

다른 풀이   200 cm = 2 m, 150 cm = 1.5 m
(직육면체의 부피) = 2×1.5×3
= 9 (m³) → 9000000 cm³

14 80 cm = 0.8 m
→ (직육면체의 부피) = 1.2×1.5×0.8 = 1.44 (m³)

15 ㉠ 21.6 m³   ㉡ 21500000 cm³ = 21.5 m³
㉢ (직육면체의 부피) = 4×0.9×9 = 32.4 (m³)
㉣ (정육면체의 부피) = 3×3×3 = 27 (m³)
→ 32.4 m³ > 27 m³ > 21.6 m³ > 21.5 m³

16 (밑면의 넓이) = 9×5 = 45 (cm²)이므로
높이를 □ cm라 하면
(직육면체의 부피) = 45×□ = 450 (cm³), □ = 10
→ (높이) = 10 cm

17 정육면체의 한 모서리의 길이를 □ cm라 하면
(정육면체의 부피) = □×□×□ = 64 (cm³)이고,
4×4×4 = 64이므로 □ = 4입니다.
→ (한 모서리의 길이) = 4 cm

18 (정육면체의 부피) = 8×8×8 = 512 (cm³)
(직육면체의 부피) = □×4×8 = 512 (cm³),
□×32 = 512, □ = 16

19 만든 직육면체의 가로, 세로, 높이는 각각
1×4 = 4 (cm), 1×5 = 5 (cm), 2×3 = 6 (cm)입
니다. → (부피) = 4×5×6 = 120 (cm³)

20 쌓은 정육면체 모양의 부피는 1000 cm³이고,
10×10×10 = 1000이므로
한 모서리의 길이는 10 cm입니다.
(작은 정육면체의 한 모서리의 길이)
= 10÷5 = 2 (cm)

21

채점 기준	❶ 정육면체의 부피 구하기	2점
	❷ 정육면체의 한 모서리의 길이 구하기	3점

22 쌓기나무를 가로로 $20 \div 4 = 5$(개)씩,
세로로 $12 \div 4 = 3$(개)씩, 높이에 $12 \div 4 = 3$(층)으
로 쌓을 수 있습니다.
(쌓을 수 있는 쌓기나무의 수)$= 5 \times 3 \times 3 = 45$(개)

23 $5\ m = 500\ cm$, $4\ m = 400\ cm$
상자를 가로와 세로로 각각 $500 \div 50 = 10$(개)씩,
높이에 $400 \div 50 = 8$(층)으로 쌓을 수 있습니다.
(쌓을 수 있는 상자의 수)$= 10 \times 10 \times 8 = 800$(개)

24 (가로로 쌓은 블록의 수)$= 15 \div 3 = 5$(개)
(세로로 쌓은 블록의 수)$= 24 \div 4 = 6$(개)
(높이에 쌓은 블록의 수)$= 12 \div 2 = 6$(개)
➡ (쌓은 블록의 수)$= 5 \times 6 \times 6 = 180$(개)

25 약점 포인트   정답률 80%
가로, 세로, 높이가 자연수이고, 부피가 $192\ cm^3$이므로
가로, 세로, 높이에 각각 192의 약수를 넣어 봅니다.

(직육면체의 부피)$=$(가로)$\times$(세로)$\times$(높이)이므로
세 수의 곱이 192인 경우를 찾습니다.
$(4, 6, 8)$ ➡ $4 \times 6 \times 8 = 192$
$(3, 8, 8)$ ➡ $3 \times 8 \times 8 = 192$
$(2, 6, 16)$ ➡ $2 \times 6 \times 16 = 192$

26

가로(cm)	세로(cm)	높이(cm)	부피(cm³)
1	1	12	12
1	2	6	12
1	3	4	12
2	2	3	12

➡ 만들 수 있는 직육면체는 모두 4가지입니다.

27 약점 포인트   정답률 75%
(정육면체의 부피)$=$(한 모서리의 길이)$\times$(한 모서리의 길이)$\times$(한 모서리의 길이)이므로 모든 모서리의 길이를 ■배 하면 부피는 (■×■×■)배가 됩니다.

성현이가 만든 도장의 한 모서리의 길이는 재윤이가 만든 도장의 한 모서리의 길이의 2배입니다.
(정육면체의 부피)$=$(한 모서리의 길이)$\times$(한 모서리의 길이)$\times$(한 모서리의 길이)이므로 정육면체의 각 모서리의 길이를 2배로 늘이면 부피는 처음 부피의 $2 \times 2 \times 2 = 8$(배)가 됩니다.
➡ 성현이가 만든 도장의 부피는 재윤이가 만든 도장의 부피의 8배입니다.

다른 풀이 (재윤이가 만든 도장의 부피)
$= 2 \times 2 \times 2 = 8\ (cm^3)$
(성현이가 만든 도장의 부피)
$= 4 \times 4 \times 4 = 64\ (cm^3)$ ➡ $64 \div 8 = 8$(배)

28 (직육면체의 부피)$=$(가로)$\times$(세로)$\times$(높이)
직육면체의 가로와 세로를 각각 3배로 늘이면
부피는 처음 부피의 $3 \times 3 = 9$(배)가 됩니다.

29 약점 포인트   정답률 70%
그림에 주어진 모서리의 길이를 이용하여 모르는 모서리의 길이를 구한 후 입체도형의 부피를 구합니다.

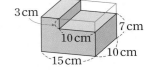

(큰 직육면체의 부피)
$= 15 \times 10 \times (3 + 7)$
$= 15 \times 10 \times 10$
$= 1500\ (cm^3)$
(작은 직육면체의 부피)$= 10 \times 10 \times 3 = 300\ (cm^3)$
➡ (입체도형의 부피)$= 1500 - 300 = 1200\ (cm^3)$

다른 풀이

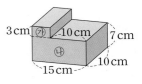

(입체도형의 부피)
$=$(㉮의 부피)$+$(㉯의 부피)
$= (15 - 10) \times 10 \times 3$
$\quad + 15 \times 10 \times 7$
$= 150 + 1050 = 1200\ (cm^3)$

30 큰 정육면체의 부피에서 가운데 비어 있는 직육면체의 부피를 뺍니다.
(큰 정육면체의 부피)$= 4 \times 4 \times 4 = 64\ (cm^3)$
(비어 있는 직육면체의 부피)$= 2 \times 2 \times 4 = 16\ (cm^3)$
➡ (입체도형의 부피)$= 64 - 16 = 48\ (cm^3)$

31 약점 포인트   정답률 65%
왕관을 물속에 완전히 잠기도록 넣으면 왕관의 부피만큼 물의 부피가 늘어납니다.
① 늘어난 물의 부피 구하기 ➡ ② 왕관의 부피 구하기

수조의 가로와 세로는 각각 $20\ cm$, $10\ cm$이고
물의 높이가 $2\ cm$ 높아졌으므로
(늘어난 물의 부피)$= 20 \times 10 \times 2 = 400\ (cm^3)$
➡ (왕관의 부피)$=$(늘어난 물의 부피)$= 400\ cm^3$

32 (늘어나는 물의 부피)$=$(돌의 부피)$= 540\ cm^3$
높아지는 물의 높이를 $\square\ cm$라 하면
(늘어나는 물의 부피)$= 15 \times 12 \times \square = 540\ (cm^3)$,
$180 \times \square = 540$, $\square = 3$
따라서 물의 높이는 $3\ cm$ 높아집니다.

STEP ① 개념 완성하기 144~145쪽

1 (1) 4, 4, 4, 4, 94 (2) 4, 4, 2, 94
2 (1) 24 cm² (2) 100 cm² (3) 148 cm²
3 376 cm² **4** (1) 104 cm² (2) 108 cm² **5** 석준
6 16, 20, 20, 20, 20, 16 /

> **예** **방법 ①** (여섯 면의 넓이의 합)
> =16+20+20+20+20+16
> =112 (cm²)
>
> **방법 ②** (한 꼭짓점에서 만나는 세 면의 넓이의 합)×2
> =(16+20+20)×2=56×2=112 (cm²)
>
> **방법 ③** (한 밑면의 넓이)×2+(옆면의 넓이)
> =16×2+(20+20+20+20)
> =32+80=112 (cm²)

7 6, 6, 133, 266

---

2 (3) (직육면체의 겉넓이)=24×2+100
=48+100=148 (cm²)

3 (직육면체의 겉넓이)=(48+60+80)×2
=188×2=376 (cm²)

4 (1) (직육면체의 겉넓이)=(2×5+2×6+5×6)×2
=52×2=104 (cm²)

5 (직육면체의 겉넓이)
=(4×5)×2+(4+5+4+5)×7

> **중요** 직육면체는 밑면이 2개이므로 한 밑면의 넓이를 2배 하고 옆면의 넓이를 더해야 합니다.

STEP ① 개념 완성하기 146~147쪽

1 2, 6, 5, 15, 5, 10 / **예** 6, 15, 10, 62
2 (1) 4, 4, 4, 4, 96 (2) 4, 96 **3** 54 cm²
4 (1) **예**

(2) 38 cm²
5 (1) 24 cm² (2) 216 cm² **6** 12, 12, 864
7 126 cm² **8** 294 cm²

---

3 (정육면체의 겉넓이)=(한 면의 넓이)×6
=9×6=54 (cm²)

4 (2) (직육면체의 겉넓이)
=3×1+1×4+3×4+1×4+3×4+3×1
=3+4+12+4+12+3=38 (cm²)

5 (1) (정육면체의 겉넓이)=2×2×6=24 (cm²)

6 (모빌의 겉넓이)=(한 면의 넓이)×6
=12×12×6=864 (cm²)

7 (직육면체의 겉넓이)=(5×3+5×6+3×6)×2
=63×2=126 (cm²)

8 (정육면체의 겉넓이)=7×7×6=294 (cm²)

STEP ② 실력 다지기 148~151쪽

01 640 cm² **02** 50 cm² **03** 192 cm²
04 96 cm², 600 cm² **05** 216 cm²
06 128 cm² **07** (△) ( )
08 1, 3, 2
09 **예** ❶ (㉠의 겉넓이)
=(8×10+8×6+10×6)×2
=188×2=376 (cm²)
(㉡의 겉넓이)=9×9×6=486 (cm²) ▸4점
❷ 376 cm²<486 cm²이므로 겉넓이가 더 넓은 것은 ㉡입니다. ▸1점 / ㉡
10 나, 30 **11** 600 cm² **12** 11 cm
13 8 **14** 5 cm **15** 6
16 **예** ❶ 전개도를 접어서 만들 수 있는 정육면체의 한 모서리의 길이를 ☐ cm라 하면
(정육면체의 겉넓이)=☐×☐×6=486 (cm²),
☐×☐=81입니다. 9×9=81이므로 ☐=9 ▸3점
❷ ㉠=☐×2=9×2=18 ▸2점 / 18
17 4배 **18** 4배
19 (1) 104 cm² (2) 240 cm² (3) 448 cm²
20 460 cm²

01 (필요한 포장지의 넓이)
=(10×11+10×10+11×10)×2
=320×2=640 (cm²)

02 (종현이가 만든 상자의 겉넓이)
$= (8 \times 5 + 8 \times 7 + 5 \times 7) \times 2$
$= 131 \times 2 = 262 \ (cm^2)$
(민영이가 만든 상자의 겉넓이)
$= (10 \times 6 + 10 \times 6 + 6 \times 6) \times 2$
$= 156 \times 2 = 312 \ (cm^2)$
➡ (겉넓이의 차) $= 312 - 262 = 50 \ (cm^2)$

03 (직육면체의 높이) $= 16 \div 4 = 4 \ (cm)$
➡ (직육면체의 겉넓이)
$= (4 \times 10 + 4 \times 4 + 10 \times 4) \times 2$
$= 96 \times 2 = 192 \ (cm^2)$

05 (정육면체의 겉넓이) $=$ (한 면의 넓이) $\times 6$
$= 6 \times 6 \times 6 = 216 \ (cm^2)$

06 메밀묵을 똑같이 2조각으로 자르면 겉넓이는 자른 단면의 넓이의 2배만큼 늘어납니다.
➡ (늘어나는 겉넓이) $=$ (자른 단면의 넓이) $\times 2$
$= 8 \times 8 \times 2 = 128 \ (cm^2)$

07 (왼쪽 직육면체의 겉넓이)
$= (7 \times 5 + 7 \times 4 + 5 \times 4) \times 2$
$= 83 \times 2 = 166 \ (cm^2)$
(오른쪽 직육면체의 겉넓이)
$= (6 \times 6 + 6 \times 5 + 6 \times 5) \times 2$
$= 96 \times 2 = 192 \ (cm^2)$
➡ $166 \ cm^2 < 192 \ cm^2$

08 (왼쪽 직육면체의 겉넓이)
$= (8 \times 3) \times 2 + (8 + 3 + 8 + 3) \times 5$
$= 24 \times 2 + 22 \times 5 = 48 + 110 = 158 \ (cm^2)$
(가운데 직육면체의 겉넓이)
$= (4 \times 3) \times 2 + (4 + 3 + 4 + 3) \times 7$
$= 12 \times 2 + 14 \times 7 = 24 + 98 = 122 \ (cm^2)$
(오른쪽 정육면체의 겉넓이)
$= 5 \times 5 \times 6 = 150 \ (cm^2)$
➡ $158 \ cm^2 > 150 \ cm^2 > 122 \ cm^2$

09

채점 기준	❶ ㉠과 ㉡의 겉넓이 각각 구하기	4점
	❷ 겉넓이가 더 넓은 것의 기호 쓰기	1점

10 (가의 겉넓이)
$= (8 \times 6) \times 2 + (6 + 8 + 6 + 8) \times 6$
$= 48 \times 2 + 28 \times 6 = 96 + 168 = 264 \ (cm^2)$
(나의 겉넓이) $= 7 \times 7 \times 6 = 294 \ (cm^2)$
나의 겉넓이가 $294 - 264 = 30 \ (cm^2)$ 더 넓습니다.

11 정육면체는 모든 모서리의 길이가 같으므로
(한 모서리의 길이) $= 30 \div 3 = 10 \ (cm)$
(정육면체의 겉넓이) $= 10 \times 10 \times 6 = 600 \ (cm^2)$

12 정육면체의 한 모서리의 길이를 $\square \ cm$라 하면
(정육면체의 겉넓이) $= \square \times \square \times 6 = 726 \ (cm^2)$,
$\square \times \square = 121$입니다.
$11 \times 11 = 121$이므로 $\square = 11$입니다.
➡ (정육면체의 한 모서리의 길이) $= 11 \ cm$

13 (직육면체의 겉넓이)
$= (10 \times 9) \times 2 + (10 + 9 + 10 + 9) \times \square$
$= 484 \ (cm^2)$,
$90 \times 2 + 38 \times \square = 484$, $180 + 38 \times \square = 484$,
$38 \times \square = 304$, $\square = 8$

14 (직육면체의 겉넓이)
$= (4 \times 9 + 4 \times 3 + 9 \times 3) \times 2$
$= 75 \times 2 = 150 \ (cm^2)$
정육면체의 겉넓이는 직육면체의 겉넓이와 같으므로
정육면체의 한 모서리의 길이를 $\square \ cm$라 하면
$\square \times \square \times 6 = 150$, $\square \times \square = 25$, $\square = 5$입니다.
➡ (정육면체의 한 모서리의 길이) $= 5 \ cm$

15 직육면체의 가로, 세로, 높이는 각각 $15 \ cm$, $12 \ cm$, $\square \ cm$입니다.
(직육면체의 겉넓이)
$= (15 \times 12) \times 2 + (15 + 12 + 15 + 12) \times \square$
$= 684 \ (cm^2)$,
$180 \times 2 + 54 \times \square = 684$, $360 + 54 \times \square = 684$,
$54 \times \square = 324$, $\square = 6$

16

채점 기준	❶ 전개도를 접어서 만들 수 있는 정육면체의 한 모서리의 길이 구하기	3점
	❷ ㉠에 알맞은 수 구하기	2점

17 약점 포인트　　　　　　　　　　　정답률 75%

① 가의 겉넓이 구하기
② 나의 겉넓이 구하기
③ 겉넓이는 몇 배가 되는지 알아보기

(가의 겉넓이) $= 5 \times 5 \times 6 = 150 \ (cm^2)$
(나의 겉넓이) $= 10 \times 10 \times 6 = 600 \ (cm^2)$
➡ $600 \div 150 = 4$이므로 정육면체 나의 겉넓이는 정육면체 가의 겉넓이의 4배입니다.

중요 정육면체의 모든 모서리의 길이를 ■배로 늘이면 겉넓이는 처음 겉넓이의 (■ × ■)배가 됩니다.

18 (연희가 만든 카스텔라의 겉넓이)
$$= (5 \times 6) \times 2 + (5+6+5+6) \times 4$$
$$= 30 \times 2 + 22 \times 4 = 60 + 88 = 148 \ (\text{cm}^2)$$
준호가 만들려는 카스텔라의 가로, 세로, 높이는 각각 10 cm, 12 cm, 8 cm입니다.
(준호가 만들려는 카스텔라의 겉넓이)
$$= (10 \times 12) \times 2 + (10+12+10+12) \times 8$$
$$= 120 \times 2 + 44 \times 8 = 240 + 352 = 592 \ (\text{cm}^2)$$
➡ $592 \div 148 = 4$이므로 준호가 만들려는 카스텔라의 겉넓이는 연희가 만든 카스텔라의 겉넓이의 4배입니다.

중요 직육면체의 모든 모서리의 길이를 ■배로 늘이면 겉넓이는 처음 겉넓이의 (■×■)배가 됩니다.

19 약점 포인트   정답률 65%

입체도형에서 서로 평행하고 합동인 두 면을 밑면, 밑면에 수직인 면을 옆면이라 하고 두 밑면의 넓이와 옆면의 넓이의 합을 구하여 겉넓이를 구합니다.

(1) (한 밑면의 넓이) $= 10 \times 14 - 4 \times 9$
$$= 140 - 36 = 104 \ (\text{cm}^2)$$
(2) (옆면의 넓이의 합)
$$= 6 \times 5 + 14 \times 5 + 10 \times 5 + 5 \times 5 + 4 \times 5$$
$$\quad + 9 \times 5$$
$$= 30 + 70 + 50 + 25 + 20 + 45 = 240 \ (\text{cm}^2)$$
(3) (입체도형의 겉넓이)
$$= 104 \times 2 + 240 = 208 + 240 = 448 \ (\text{cm}^2)$$

20 입체도형의 각 모서리의 길이는 오른쪽과 같습니다.

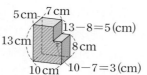

(빗금 친 부분의 넓이)
$$= 10 \times 13 - 3 \times 5$$
$$= 130 - 15 = 115 \ (\text{cm}^2)$$
(빗금 친 부분과 수직인 면의 넓이의 합)
$$= 13 \times 5 + 10 \times 5 + 8 \times 5 + 3 \times 5 + 5 \times 5 + 7 \times 5$$
$$= 65 + 50 + 40 + 15 + 25 + 35 = 230 \ (\text{cm}^2)$$
➡ (입체도형의 겉넓이) $= 115 \times 2 + 230$
$$= 230 + 230 = 460 \ (\text{cm}^2)$$

STEP ③ 서술형 해결하기   152~155쪽

01 ❶ 20, 20, 40, 15, 20 ▸2점
    ❷ $(40 \times 15 + 40 \times 20 + 15 \times 20) \times 2$
$$= 3400 \ (\text{cm}^2) \ \text{▸3점 / } 3400 \ \text{cm}^2$$

02 예 ❶ (가로)$= 10+10+10 = 30 \ (\text{cm})$,
    (세로)$= 12 \ \text{cm}$, (높이)$= 8 \ \text{cm}$ ▸2점
    ❷ (새로 만든 직육면체의 겉넓이)
$$= (30 \times 12 + 30 \times 8 + 12 \times 8) \times 2$$
$$= 696 \times 2 = 1392 \ (\text{cm}^2) \ \text{▸3점}$$
  / 1392 cm²

03 예 ❶ 새로 만든 직육면체의 가로, 세로, 높이를 각각 구하면
    (가로)$= 15+15 = 30 \ (\text{cm})$, (세로)$= 15 \ \text{cm}$,
    (높이)$= 15+15 = 30 \ (\text{cm})$ ▸2점
    ❷ (새로 만든 직육면체의 겉넓이)
$$= (30 \times 15 + 30 \times 30 + 15 \times 30) \times 2$$
$$= 1800 \times 2 = 3600 \ (\text{cm}^2) \ \text{▸3점 / } 3600 \ \text{cm}^2$$

04 ❶ 250, 5000000 ▸2점
    ❷ 250, 5000000, 200 ▸3점 / 200

05 예 ❶ $1 \ \text{m}^3 = 1000000 \ \text{cm}^3$이므로
    (부피)$= 0.027 \ \text{m}^3 = 27000 \ \text{cm}^3$ ▸2점
    ❷ 정육면체의 한 모서리의 길이를 □ cm라 하면
    (부피)$= □ \times □ \times □ = 27000 \ (\text{cm}^3)$입니다.
    $30 \times 30 \times 30 = 27000$이므로 □$= 30$입니다.
    따라서 정육면체의 한 모서리의 길이는 30 cm입니다. ▸3점 / 30 cm

06 예 ❶ $1000000 \ \text{cm}^3 = 1 \ \text{m}^3$이므로
    (부피)$= 12000000 \ \text{cm}^3 = 12 \ \text{m}^3$ ▸2점
    ❷ 직육면체에서 밑면은 정사각형이므로 밑면의 한 변의 길이를 □ m라 하면
    (부피)$= □ \times □ \times 3 = 12 \ (\text{m}^3)$, □$\times$□$= 4$입니다.
    $2 \times 2 = 4$이므로 □$= 2$입니다.
    따라서 밑면의 한 변의 길이는 2 m입니다. ▸3점
  / 2 m

07 ❶ 같습니다, 30, $30 \div 2 = 15 \ (\text{cm})$ ▸3점
    ❷ $15 \times 15 \times 15 = 3375 \ (\text{cm}^3)$ ▸2점
  / 3375 cm³

08 예 ❶ 정육면체의 전개도이므로 모든 선분의 길이는 같습니다.
    전개도에서 한 선분의 길이를 □ cm라 하면 둘레에는 □ cm인 선분이 14개 있습니다.
    (전개도의 둘레)$= □ \times 14 = 280 \ (\text{cm})$, □$= 20$
    ➡ 만들어지는 정육면체의 한 모서리의 길이는 20 cm입니다. ▸3점
    ❷ (정육면체의 겉넓이)
$$= 20 \times 20 \times 6 = 2400 \ (\text{cm}^2) \ \text{▸2점}$$
  / 2400 cm²

09 ⓔ ❶ 직육면체에서 서로 다른 세 모서리 중 길이를 모르는 모서리의 길이를 $\square$ cm라 하면 전개도의 둘레에는 3 cm인 선분이 8개, 7 cm인 선분이 4개, $\square$ cm인 선분이 2개 있습니다.

(전개도의 둘레)$=3\times8+7\times4+\square\times2$
$=68$ (cm),

$24+28+\square\times2=68$, $\square\times2=16$, $\square=8$

→ 직육면체의 서로 다른 세 모서리는 3 cm, 7 cm, 8 cm입니다. ▶3점

❷ (직육면체의 부피)
$=3\times7\times8=168$ (cm³) ▶2점 / 168 cm³

10 ❶ 144, 12, 12 ▶3점

❷ 144, 12, 1728 ▶2점 / 1728 cm³

11 ⓔ ❶ 정육면체의 한 모서리의 길이를 $\square$ cm라 하면
(정육면체의 겉넓이)$=\square\times\square\times6=384$ (cm²),
$\square\times\square=64$, $\square=8$입니다.

→ (한 모서리의 길이)$=8$ cm ▶3점

❷ (정육면체의 부피)$=8\times8\times8=512$ (cm³) ▶2점
/ 512 cm³

12 ⓔ ❶ 블록의 높이를 $\square$ cm라 하면
(블록의 겉넓이)
$=(8\times5)\times2+(8+5+8+5)\times\square=236$ (cm²),
$40\times2+26\times\square=236$, $80+26\times\square=236$,
$26\times\square=156$, $\square=6$입니다.

→ (블록의 높이)$=6$ cm ▶3점

❷ (블록의 부피)$=8\times5\times6=240$ (cm³) ▶2점
/ 240 cm³

01

	채점 기준	
	❶ 상자 2개를 면끼리 꼭맞게 붙였을 때 가로, 세로, 높이 각각 구하기	2점
	❷ 필요한 포장지의 넓이 구하기	3점

02

	채점 기준	
	❶ 새로 만든 직육면체의 가로, 세로, 높이 각각 구하기	2점
	❷ 새로 만든 직육면체의 겉넓이 구하기	3점

03

	채점 기준	
	❶ 새로 만든 직육면체의 가로, 세로, 높이 각각 구하기	2점
	❷ 새로 만든 직육면체의 겉넓이 구하기	3점

참고 정육면체는 모든 모서리의 길이가 같다는 것을 이용하여 새로 만든 직육면체의 가로, 세로, 높이를 각각 구합니다.

04

	채점 기준	
	❶ 길이와 부피의 단위를 한 가지로 나타내기	2점
	❷ ■에 알맞은 수 구하기	3점

05

	채점 기준	
	❶ 정육면체의 부피를 cm³로 나타내기	2점
	❷ 정육면체의 한 모서리의 길이 구하기	3점

06

	채점 기준	
	❶ 직육면체의 부피를 m³로 나타내기	2점
	❷ 밑면의 한 변의 길이 구하기	3점

07

	채점 기준	
	❶ 정육면체의 한 모서리의 길이 구하기	3점
	❷ 정육면체의 부피 구하기	2점

08

	채점 기준	
	❶ 정육면체의 한 모서리의 길이 구하기	3점
	❷ 정육면체의 겉넓이 구하기	2점

09

	채점 기준	
	❶ 직육면체의 서로 다른 세 모서리의 길이 구하기	3점
	❷ 직육면체의 부피 구하기	2점

10

	채점 기준	
	❶ 정육면체의 한 모서리의 길이 구하기	3점
	❷ 정육면체의 부피 구하기	2점

11

	채점 기준	
	❶ 정육면체의 한 모서리의 길이 구하기	3점
	❷ 정육면체의 부피 구하기	2점

12

	채점 기준	
	❶ 블록의 높이 구하기	3점
	❷ 블록의 부피 구하기	2점

단원 마무리
156~158쪽

01 가 **02** 54 cm³ **03** · ┃ ·

04 1014 cm² **05** 나, 가, 다

06 (1) 280 cm³ (2) 216 cm³ **07** 148 cm²

08 8, 8000000 **09** ②, ③ **10** 가

11 6 **12** 1350 cm² **13** 729 cm³

14 864 cm² **15** 250개 **16** 96 cm²

17 240 cm³

18 ⓔ ❶ 여섯 면의 넓이의 합을 구해야 하는데 세 면의 넓이의 합만 구해서 잘못되었습니다. ▶3점

❷ $10\times6+10\times9+6\times9+10\times6+10\times9+6\times9=408$ (cm²) ▶2점

19 ⓔ ❶ 200 cm$=$2 m이므로
(왼쪽 직육면체의 부피)$=3\times4\times2=24$ (m³)
300 cm$=$3 m이므로
(오른쪽 정육면체의 부피)$=3\times3\times3$
$=27$ (m³) ▶4점

❷ (부피의 차)$=27-24=3$ (m³) ▶1점
/ 3 m³

20 예 ❶ (직육면체의 겉넓이)
    $= (12 \times 4) \times 2 + (12 + 4 + 12 + 4) \times 9$
    $= 48 \times 2 + 32 \times 9$
    $= 96 + 288 = 384 \ (\text{cm}^2)$ ▶2점
  ❷ 정육면체의 한 모서리의 길이를 □ cm라 하면
(정육면체의 겉넓이)$= □ \times □ \times 6 = 384 \ (\text{cm}^2)$,
□$\times$□$=64$입니다.
$8 \times 8 = 64$이므로 □$=8$입니다.
  ➔ (한 모서리의 길이)$=8$ cm ▶3점 / 8 cm

02 (쌓기나무의 수)$= 3 \times 6 \times 3 = 54$(개)
  ➔ (직육면체의 부피)$= 54 \ \text{cm}^3$

04 (상자의 겉넓이)
  $=$ (한 면의 넓이)$\times 6$
  $= 13 \times 13 \times 6 = 1014 \ (\text{cm}^2)$

05 (가 상자에 담을 수 있는 쌓기나무의 수)
  $= 3 \times 3 \times 2 = 18$(개)
  (나 상자에 담을 수 있는 쌓기나무의 수)
  $= 2 \times 3 \times 4 = 24$(개)
  (다 상자에 담을 수 있는 쌓기나무의 수)
  $= 4 \times 2 \times 2 = 16$(개)
24개>18개>16개이므로 부피가 큰 상자부터 차례
로 쓰면 나, 가, 다입니다.

06 (1) (직육면체의 부피)$= 8 \times 5 \times 7 = 280 \ (\text{cm}^3)$
  (2) (정육면체의 부피)$= 6 \times 6 \times 6 = 216 \ (\text{cm}^3)$

07 (직육면체의 겉넓이)
  $= (5 \times 4 + 4 \times 6 + 5 \times 6) \times 2$
  $= 74 \times 2 = 148 \ (\text{cm}^2)$

08 (조각품의 부피)$= 2 \times 2 \times 2 = 8 \ (\text{m}^3)$
  ➔ $8000000 \ \text{cm}^3$

09 ① $11 \ \text{m}^3 = 11000000 \ \text{cm}^3$
  ④ $3.6 \ \text{m}^3 = 3600000 \ \text{cm}^3$
  ⑤ $17000000 \ \text{cm}^3 = 17 \ \text{m}^3$

10 (가의 겉넓이)
  $= (4 \times 7) \times 2 + (4 + 7 + 4 + 7) \times 6$
  $= 28 \times 2 + 22 \times 6 = 56 + 132 = 188 \ (\text{cm}^2)$
  (나의 겉넓이)
  $= (7 \times 3) \times 2 + (7 + 3 + 7 + 3) \times 7$
  $= 21 \times 2 + 20 \times 7 = 42 + 140 = 182 \ (\text{cm}^2)$
  ➔ $188 \ \text{cm}^2 > 182 \ \text{cm}^2$이므로 겉넓이가 더 넓은 것
    은 가입니다.

11 (직육면체의 부피)$= 8 \times 4 \times □ = 192 \ (\text{cm}^3)$,
  $32 \times □ = 192$, □$=6$

12 (정육면체의 한 모서리의 길이)
  $= 30 \div 2 = 15 \ (\text{cm})$
  (정육면체의 겉넓이)$= 15 \times 15 \times 6 = 1350 \ (\text{cm}^2)$

13 두부를 잘라 가장 큰 정육면체를 만들려면 한 모서리
의 길이를 두부의 가장 짧은 모서리인 9 cm로 해야
합니다.
  (가장 큰 정육면체의 부피)
  $= 9 \times 9 \times 9 = 729 \ (\text{cm}^3)$

14 새로 만든 정육면체의 한 모서리의 길이는 12 cm입
니다.
  (새로 만든 정육면체의 겉넓이)
  $= 12 \times 12 \times 6 = 864 \ (\text{cm}^2)$

15 $3 \ \text{m} = 300 \ \text{cm}$, $6 \ \text{m} = 600 \ \text{cm}$
  상자를 가로로 $300 \div 60 = 5$(개)씩,
  세로로 $600 \div 60 = 10$(개)씩,
  높이에 $300 \div 60 = 5$(층)으로 쌓을 수 있습니다.
  ➔ (쌓을 수 있는 상자 수)$= 5 \times 10 \times 5 = 250$(개)

16 정육면체의 한 모서리의 길이를 □ cm라 하면
  (정육면체의 부피)$= □ \times □ \times □ = 64 \ (\text{cm}^3)$입니다.
  $4 \times 4 \times 4 = 64$이므로 □$=4$입니다.
  (정육면체의 겉넓이)$= 4 \times 4 \times 6 = 96 \ (\text{cm}^2)$

17 입체도형을 3개의 직육면체로 나누어 부피를 구합니다.

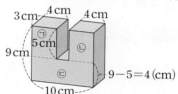

  (㉠의 부피)$= 4 \times 3 \times 5 = 60 \ (\text{cm}^3)$
  (㉡의 부피)$= 4 \times 3 \times 5 = 60 \ (\text{cm}^3)$
  (㉢의 부피)$= 10 \times 3 \times 4 = 120 \ (\text{cm}^3)$
  ➔ (입체도형의 부피)$= 60 + 60 + 120 = 240 \ (\text{cm}^3)$

18

채점 기준		
❶ 잘못된 이유 쓰기		3점
❷ 겉넓이를 바르게 구하기		2점

19

채점 기준		
❶ 두 직육면체의 부피 각각 구하기		4점
❷ 부피의 차 구하기		1점

20

채점 기준		
❶ 직육면체의 겉넓이 구하기		2점
❷ 정육면체의 한 모서리의 길이 구하기		3점

1. 분수의 나눗셈

STEP 1 한번더 개념 완성하기 01쪽

1 5÷12에 색칠 **2** (1) < (2) > **3** $\frac{1}{7}$ L

4 •——•——• **5** ③ **6** $\frac{4}{9}$ kg

2 (1) $1÷4=\frac{1}{4}$ ➡ $\frac{1}{4}<1$

(2) $9÷8=\frac{9}{8}$ ➡ $\frac{9}{8}>1$

참고 (나누어지는 수)÷(나누는 수)에서
· (나누어지는 수)>(나누는 수)이면 (몫)>1
· (나누어지는 수)<(나누는 수)이면 (몫)<1

3 (한 컵에 담아야 하는 물의 양)
= (전체 물의 양)÷(컵의 수)
= $1÷7=\frac{1}{7}$ (L)

5 ③ $\frac{2}{9}÷5=\frac{10}{45}÷5=\frac{10÷5}{45}=\frac{2}{45}$

6 (한 봉지에 담은 쌀의 무게)
= (전체 쌀의 무게)÷(봉지의 수)
= $\frac{8}{9}÷2=\frac{8÷2}{9}=\frac{4}{9}$ (kg)

STEP 2 한번더 실력 다지기 02~03쪽

01 예 $\frac{5}{9}÷3=\frac{15}{27}÷3=\frac{15÷3}{27}=\frac{5}{27}$

02 예 ❶ (자연수)÷(자연수)의 몫은 나누어지는 수를 분자, 나누는 수를 분모로 나타내어야 합니다. ▶3점

❷ $5÷8=\frac{5}{8}$ ▶2점

03 ㉠, ㉢ **04** $\frac{12}{5}\left(=2\frac{2}{5}\right)$

05

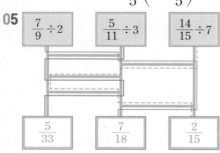

06 $\frac{8}{13}$ **07** ㉡ **08** 3, 2, 1

09 $\frac{3}{4}$ L **10** 하은

11 예 밀가루 $\frac{9}{10}$ kg을 그릇 8개에 똑같이 나누어 담았습니다. 그릇 한 개에 담은 밀가루의 무게는 몇 kg인가요? / $\frac{9}{80}$ kg

12 $\frac{3}{44}$ m **13** $\frac{9}{2}\left(=4\frac{1}{2}\right)$

02

채점 기준		
❶ 이유 쓰기		3점
❷ 바르게 계산하기		2점

03 나누어지는 수가 나누는 수보다 큰 경우 몫은 1보다 큽니다.
몫이 1보다 큰 나눗셈식: ㉠ 10÷9, ㉢ 15÷14

참고 ㉠ $10÷9=\frac{10}{9}\left(=1\frac{1}{9}\right)$ ㉡ $2÷7=\frac{2}{7}$

㉢ $15÷14=\frac{15}{14}\left(=1\frac{1}{14}\right)$ ㉣ $11÷13=\frac{11}{13}$

04 (한 부분의 길이)$=3÷5=\frac{3}{5}$ (m)

➡ □$=\frac{3}{5}×4=\frac{12}{5}\left(=2\frac{2}{5}\right)$

05 $\frac{7}{9}÷2=\frac{14}{18}÷2=\frac{14÷2}{18}=\frac{7}{18}$

$\frac{5}{11}÷3=\frac{15}{33}÷3=\frac{15÷3}{33}=\frac{5}{33}$

$\frac{14}{15}÷7=\frac{14÷7}{15}=\frac{2}{15}$

06 $6\xrightarrow{÷13}㉠\xrightarrow{÷3}㉡\xrightarrow{×4}▲$

$㉠=6÷13=\frac{6}{13}$, $㉡=\frac{6}{13}÷3=\frac{6÷3}{13}=\frac{2}{13}$,

$▲=\frac{2}{13}×4=\frac{8}{13}$

참고 앞에서부터 차례로 계산합니다.

07 ㉠ $\frac{1}{6}÷2=\frac{2}{12}÷2=\frac{2÷2}{12}=\frac{1}{12}$

㉡ $\frac{5}{12}÷2=\frac{10}{24}÷2=\frac{10÷2}{24}=\frac{5}{24}$

㉢ $\frac{3}{8}÷3=\frac{3÷3}{8}=\frac{1}{8}$

➡ ㉡ $\frac{5}{24}$ > ㉢ $\frac{1}{8}\left(=\frac{3}{24}\right)$ > ㉠ $\frac{1}{12}\left(=\frac{2}{24}\right)$

08
$$\frac{11}{12} \div 4 = \frac{44}{48} \div 4 = \frac{44 \div 4}{48} = \frac{11}{48}$$
$$\frac{5}{8} \div 3 = \frac{15}{24} \div 3 = \frac{15 \div 3}{24} = \frac{5}{24}$$
$$\frac{3}{4} \div 6 = \frac{18}{24} \div 6 = \frac{18 \div 6}{24} = \frac{3}{24}$$
➡ $\frac{3}{24}\left(=\frac{6}{48}\right) < \frac{5}{24}\left(=\frac{10}{48}\right) < \frac{11}{48}$

09 (전체 주스의 양)$= \frac{3}{5} \times 5 = 3$ (L)

(하루에 마시는 주스의 양)$= 3 \div 4 = \frac{3}{4}$ (L)

10 (하은이가 자른 한 도막의 길이)
$$= \frac{9}{20} \div 3 = \frac{9 \div 3}{20} = \frac{3}{20}$$ (m)
(경연이가 자른 한 도막의 길이)
$$= \frac{3}{8} \div 5 = \frac{15}{40} \div 5 = \frac{15 \div 5}{40} = \frac{3}{40}$$ (m)
➡ $\frac{3}{20} > \frac{3}{40}$ 이므로 자른 한 도막의 길이가 더 긴 사람은 하은입니다.

12 (정사각형 한 개를 만드는 데 사용한 철사의 길이)
$$= \frac{9}{11} \div 3 = \frac{9 \div 3}{11} = \frac{3}{11}$$ (m)
(정사각형의 한 변의 길이)
$$= \frac{3}{11} \div 4 = \frac{12}{44} \div 4 = \frac{12 \div 4}{44} = \frac{3}{44}$$ (m)

13 나눗셈식에서 나누어지는 수가 클수록, 나누는 수가 작을수록 몫이 큽니다. 9>7>5>2이므로 나누어지는 수에 9를 넣고, 나누는 수에 2를 넣습니다.
➡ $9 \div 2 = \frac{9}{2}\left(=4\frac{1}{2}\right)$

STEP 1 한번더 **개념 완성하기** 04쪽

1 (○) (　)　　**2** ㉢　　**3** $\frac{4}{15}$ kg

4 예 $1\frac{2}{5} \div 4 = \frac{7}{5} \div 4 = \frac{28}{20} \div 4 = \frac{28 \div 4}{20} = \frac{7}{20}$ /

$1\frac{2}{5} \div 4 = \frac{7}{5} \div 4 = \frac{7}{5} \times \frac{1}{4} = \frac{7}{20}$

5 ⑴ <　⑵ =　　**6** $\frac{13}{36}$ m

---

3 (인형을 만든 지점토의 무게)
$$= \frac{8}{15} \div 2 = \frac{8 \div 2}{15} = \frac{4}{15}$$ (kg)

5 ⑴ $1\frac{7}{8} \div 5 = \frac{15}{8} \div 5 = \frac{15}{8} \times \frac{1}{5} = \frac{15}{40}\left(=\frac{3}{8}\right)$
➡ $\frac{3}{8} < \frac{5}{8}$
⑵ $2\frac{1}{4} \div 3 = \frac{9}{4} \div 3 = \frac{9}{4} \times \frac{1}{3} = \frac{9}{12}\left(=\frac{3}{4}\right)$

6 (철사 한 도막의 길이)
$$= 2\frac{1}{6} \div 6 = \frac{13}{6} \div 6 = \frac{13}{6} \times \frac{1}{6} = \frac{13}{36}$$ (m)

STEP 2 한번더 **실력 다지기** 05~06쪽

01 미호, $\frac{3}{16}$

02 예 분수의 분자를 자연수로 나누어야 하는데 분모를 자연수로 나누어 잘못되었습니다. ▶5점

03 $\frac{27}{28}$　　　　　　　　　**04** 8, 9에 ○표

05 $\frac{14}{28}$ km$\left(=\frac{1}{2}$ km$\right)$　　**06** 매실 주스

07 $\frac{213}{35}$ mL$\left(=6\frac{3}{35}$ mL$\right)$　**08** $\frac{28}{36}$ L$\left(=\frac{7}{9}$ L$\right)$

09 ⑴ $\frac{63}{16}\left(=3\frac{15}{16}\right)$ ⑵ $\frac{48}{63}\left(=\frac{16}{21}\right)$　**10** $\frac{36}{49}$

11 $\frac{35}{126}\left(=\frac{5}{18}\right)$, $\frac{35}{42}\left(=\frac{5}{6}\right)$　**12** 1, 2

13 $9\frac{7}{8} \div 6$ / $\frac{79}{48}\left(=1\frac{31}{48}\right)$

14 $\frac{122}{27}\left(=4\frac{14}{27}\right)$

---

02 | 채점 기준 | 이유 쓰기 | 5점 |

03 $6\frac{3}{4} > 5\frac{3}{7} > 3\frac{1}{9}$ 이므로 가장 큰 수는 $6\frac{3}{4}$ 입니다.
➡ $6\frac{3}{4} \div 7 = \frac{27}{4} \div 7 = \frac{27}{4} \times \frac{1}{7} = \frac{27}{28}$

04 $7\frac{1}{3} \div \square$ 의 몫이 1보다 작으려면 $7\frac{1}{3} < \square$ 이어야 합니다. 따라서 $\square$ 안에 들어갈 수 있는 자연수는 8, 9입니다.

중요 (나누어지는 수)>(나누는 수)인 경우: (몫)>1
(나누어지는 수)<(나누는 수)인 경우: (몫)<1

05 (명헌이가 1분 동안 달린 거리)
$$= \frac{7}{4} \div 7 = \frac{7}{4} \times \frac{1}{7} = \frac{7}{28} \text{ (km)}$$
(명헌이가 2분 동안 달린 거리)
$$= \frac{7}{28} \times 2 = \frac{14}{28} \text{ (km)}\left(= \frac{1}{2} \text{ km}\right)$$

06 (한 컵에 담긴 딸기 주스의 양)
$$= 1\frac{1}{9} \div 4 = \frac{10}{9} \div 4 = \frac{10}{9} \times \frac{1}{4} = \frac{10}{36} \text{ (L)}$$
(한 컵에 담긴 매실 주스의 양)
$$= 1\frac{5}{6} \div 6 = \frac{11}{6} \div 6 = \frac{11}{6} \times \frac{1}{6} = \frac{11}{36} \text{ (L)}$$
➡ 한 컵에 담긴 양이 더 많은 것은 매실 주스입니다.

07 (만든 초록색 물감의 양)
$$= 15\frac{1}{7} + 15\frac{2}{7} = 30\frac{3}{7} \text{ (mL)}$$
(한 명이 가진 초록색 물감의 양)
$$= 30\frac{3}{7} \div 5 = \frac{213}{7} \div 5 = \frac{213}{7} \times \frac{1}{5}$$
$$= \frac{213}{35} \text{ (mL)}\left(= 6\frac{3}{35} \text{ mL}\right)$$

08 (4모둠에 나누어 준 묽은 염산의 양)
$$= \frac{35}{9} - \frac{7}{9} = \frac{28}{9} \text{ (L)}$$
(한 모둠에 준 묽은 염산의 양)
$$= \frac{28}{9} \div 4 = \frac{28}{9} \times \frac{1}{4} = \frac{28}{36} \text{ (L)}\left(= \frac{7}{9} \text{ L}\right)$$

09 (2) $\frac{8}{9} \div 7 \times 6 = \frac{8}{9} \times \frac{1}{7} \times 6 = \frac{8}{63} \times 6 = \frac{48}{63}\left(= \frac{16}{21}\right)$

10 $1\frac{5}{7} \times 3 \div 7 = \frac{12}{7} \times 3 \div 7 = \frac{36}{7} \div 7$
$$= \frac{36}{7} \times \frac{1}{7} = \frac{36}{49}$$

12 >를 =라 하면 $16\frac{1}{4} \div \square = 8$
➡ $16\frac{1}{4} \div 8 = \square$, $\square = 2\frac{1}{32}$
따라서 $\square < 2\frac{1}{32}$이어야 하므로 $\square$ 안에 들어갈 수 있는 자연수는 1, 2입니다.

13 몫이 가장 큰 나눗셈식을 만들려면 가장 작은 수를 나누는 수에 넣고, 나머지 수로 가장 큰 대분수를 만들어 나누어지는 수에 넣으면 됩니다.
➡ $9\frac{7}{8} \div 6 = \frac{79}{8} \div 6 = \frac{79}{8} \times \frac{1}{6} = \frac{79}{48}\left(= 1\frac{31}{48}\right)$

14 (사다리꼴의 넓이)$= \left(2\frac{1}{6} + 6\frac{5}{6}\right) \times \square \div 2 = 20\frac{1}{3}$,
$$9 \times \square \div 2 = 20\frac{1}{3}, \quad 9 \times \square = \frac{122}{3},$$
$$\square = \frac{122}{3} \div 9 = \frac{122}{3} \times \frac{1}{9} = \frac{122}{27}\left(= 4\frac{14}{27}\right)$$

STEP3 한번더 **서술형 해결하기** 07~08쪽

01 예 ❶ (크림빵 1개를 만드는 데 필요한 밀가루의 무게)
$$= 1\frac{1}{8} \div 4 = \frac{9}{8} \div 4 = \frac{9}{8} \times \frac{1}{4} = \frac{9}{32} \text{ (kg)}$$
▸3점
❷ (크림빵 3개를 만드는 데 필요한 밀가루의 무게)
$$= \frac{9}{32} \times 3 = \frac{27}{32} \text{ (kg)} \text{ ▸2점} \ / \ \frac{27}{32} \text{ kg}$$

02 예 ❶ (새우볶음밥 1인분을 만드는 데 필요한 새우의 무게)$= \frac{7}{10} \div 5 = \frac{7}{10} \times \frac{1}{5} = \frac{7}{50} \text{ (kg)}$ ▸3점
❷ (새우볶음밥 2인분을 만드는 데 필요한 새우의 무게)
$$= \frac{7}{50} \times 2 = \frac{14}{50} \text{ (kg)}\left(= \frac{7}{25} \text{ kg}\right) \text{ ▸2점}$$
$$/ \ \frac{14}{50} \text{ kg}\left(= \frac{7}{25} \text{ kg}\right)$$

03 예 ❶ (한 부분의 넓이)$= 3\frac{2}{5} \div 5 = \frac{17}{5} \div 5$
$$= \frac{17}{5} \times \frac{1}{5} = \frac{17}{25} \text{ (cm}^2) \text{ ▸3점}$$
❷ (색칠한 부분의 넓이)
$$= \frac{17}{25} \times 3 = \frac{51}{25} \text{ (cm}^2)\left(= 2\frac{1}{25} \text{ cm}^2\right) \text{ ▸2점}$$
$$/ \ \frac{51}{25} \text{ cm}^2\left(= 2\frac{1}{25} \text{ cm}^2\right)$$

04 예 ❶ (직사각형의 넓이)$= 5 \times 2\frac{1}{4} = \frac{45}{4} \text{ (cm}^2)$
(한 부분의 넓이)$= \frac{45}{4} \div 7 = \frac{45}{4} \times \frac{1}{7}$
$$= \frac{45}{28} \text{ (cm}^2) \text{ ▸3점}$$
❷ (색칠한 부분의 넓이)
$$= \frac{45}{28} \times 3 = \frac{135}{28} \text{ (cm}^2)\left(= 4\frac{23}{28} \text{ cm}^2\right) \text{ ▸2점}$$
$$/ \ \frac{135}{28} \text{ cm}^2\left(= 4\frac{23}{28} \text{ cm}^2\right)$$

05 예 ❶ 어떤 수를 $\square$라 하면 $\square \times 6 = 2\frac{1}{7}$이므로
$$\square = 2\frac{1}{7} \div 6 = \frac{15}{7} \times \frac{1}{6} = \frac{15}{42} \text{ ▸3점}$$

❷ $\dfrac{15}{42} \div 3 = \dfrac{15}{42} \times \dfrac{1}{3} = \dfrac{15}{126}\left(=\dfrac{5}{42}\right)$ ▶2점

/ $\dfrac{15}{126}\left(=\dfrac{5}{42}\right)$

06 예 ❶ 어떤 수를 □라 하면 □×5=$\dfrac{14}{3}$이므로

□=$\dfrac{14}{3} \div 5 = \dfrac{14}{3} \times \dfrac{1}{5} = \dfrac{14}{15}$ ▶3점

❷ $\dfrac{14}{15} \div 5 = \dfrac{14}{15} \times \dfrac{1}{5} = \dfrac{14}{75}$ ▶2점 / $\dfrac{14}{75}$

07 예 ❶ (작은 눈금 한 칸의 크기)=2÷5=$\dfrac{2}{5}$ ▶3점

❷ ■ = $\dfrac{2}{5} \times 2 = \dfrac{4}{5}$, ▲ = $\dfrac{2}{5} \times 4 = \dfrac{8}{5}\left(=1\dfrac{3}{5}\right)$

▶2점 / $\dfrac{4}{5}$, $\dfrac{8}{5}\left(=1\dfrac{3}{5}\right)$

08 예 ❶ (작은 눈금 한 칸의 크기)

$= \left(4\dfrac{2}{9} - 2\dfrac{1}{9}\right) \div 9 = 2\dfrac{1}{9} \div 9 = \dfrac{19}{9} \div 9$

$= \dfrac{19}{9} \times \dfrac{1}{9} = \dfrac{19}{81}$ ▶3점

❷ ㉮ = $2\dfrac{1}{9} + \dfrac{19}{81} \times 4 = 3\dfrac{4}{81}$ ▶2점 / $3\dfrac{4}{81}$

| **01** | 채점 기준 | ❶ 크림빵 1개를 만드는 데 필요한 밀가루의 무게 구하기 | 3점 |
| | | ❷ 크림빵 3개를 만드는 데 필요한 밀가루의 무게 구하기 | 2점 |

| **02** | 채점 기준 | ❶ 새우볶음밥 1인분을 만드는 데 필요한 새우의 무게 구하기 | 3점 |
| | | ❷ 새우볶음밥 2인분을 만드는 데 필요한 새우의 무게 구하기 | 2점 |

| **03** | 채점 기준 | ❶ 5등분한 것 중 한 부분의 넓이 구하기 | 3점 |
| | | ❷ 5등분한 것 중 색칠한 부분의 넓이 구하기 | 2점 |

| **04** | 채점 기준 | ❶ 7등분한 것 중 한 부분의 넓이 구하기 | 3점 |
| | | ❷ 7등분한 것 중 색칠한 부분의 넓이 구하기 | 2점 |

| **05** | 채점 기준 | ❶ 어떤 수 구하기 | 3점 |
| | | ❷ 어떤 수를 3으로 나누었을 때의 몫 구하기 | 2점 |

| **06** | 채점 기준 | ❶ 어떤 수 구하기 | 3점 |
| | | ❷ 바르게 계산했을 때의 몫 구하기 | 2점 |

| **07** | 채점 기준 | ❶ 수직선의 작은 눈금 한 칸의 크기 구하기 | 3점 |
| | | ❷ ■와 ▲에 알맞은 분수 각각 구하기 | 2점 |

| **08** | 채점 기준 | ❶ 수직선의 작은 눈금 한 칸의 크기 구하기 | 3점 |
| | | ❷ ㉮에 알맞은 분수 구하기 | 2점 |

2. 각기둥과 각뿔

STEP1 한번더 개념 완성하기 09쪽

1 면 ㄱㄴㄷㄹㅁㅂ, 면 ㅅㅇㅈㅊㅋㅌ

2 7 cm **3** (1) 선분 ㅈㅊ (2) 면 ㅋㅇㅈㅊ

4 (위에서부터) 9, 10, 15

5 (1) 면 ㄴㄷㄹㅁㅂㅅ (2) 6개 **6** 9개, 16개, 9개

1 서로 평행하고 합동인 두 면을 찾습니다.
➡ 면 ㄱㄴㄷㄹㅁㅂ, 면 ㅅㅇㅈㅊㅋㅌ

2 두 밑면 사이의 거리를 나타내는 모서리의 길이는 7 cm입니다.
➡ (높이)=7 cm

3 (1) 전개도를 접으면 점 ㄱ과 점 ㅈ, 점 ㅎ과 점 ㅊ이 만나므로 선분 ㄱㅎ과 선분 ㅈㅊ이 맞닿습니다.

4 각기둥의 전개도를 접었을 때 맞닿는 선분의 길이는 같습니다.

5 (2) 밑면과 만나는 면은 모두 6개입니다.

6 • 면: 밑면이 1개, 옆면이 8개이므로
　　　면은 모두 1+8=9(개)입니다.
• 모서리: 면과 면이 만나는 선분을 세어 보면 16개입니다.
• 꼭짓점: 모서리와 모서리가 만나는 점을 세어 보면 9개입니다.

STEP2 한번더 실력 다지기 10~12쪽

01 ㉡ **02** 가

03 ❶ ㉡ ▶2점
예 ❷ 옆면의 수는 한 밑면의 변의 수와 같습니다.
▶3점

04 예 밑면이 2개이고, 뿔 모양이 아니므로 각뿔이 아닙니다. ▶5점

05 3 cm

06 예 가는 밑면이 1개이고, 나는 밑면이 2개라는 점이야.

07 6개 **08** 나

09 (예)
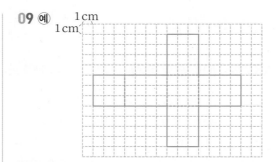

10 (위에서부터) ○, ○, × 　　**11** 18개, 27개

12 육각뿔, 7, 7, 12 　　　　**13** 18

14 ㉠, ㉣ 　　**15** 5개, 15개 　　**16** 4 cm

17 (예) ❶ 각기둥의 밑면이 정육각형이
므로 밑면의 한 변의 길이를
☐cm라 하면 각기둥에는 ☐cm
인 모서리가 12개, 4 cm인 모서리
가 6개 있습니다. ▶2점
❷ (모든 모서리의 길이의 합)
$=☐×12+4×6=60$ (cm),
$☐×12+24=60$, $☐×12=36$, $☐=3$
밑면의 한 변의 길이는 3 cm입니다. ▶3점 / 3 cm

01 각기둥의 밑면은 면 ㄱㄴㄷ과 면 ㄹㅁㅂ입니다.
높이는 두 밑면 사이의 거리이므로 높이를 잴 수 있
는 선분은 선분 ㄱㄹ, 선분 ㄴㅁ, 선분 ㄷㅂ입니다.

02 가 도형은 서로 평행하고 합동인 두 면이 없으므로 각
기둥이 아닙니다.

03
채점 기준	❶ 틀린 것의 기호 쓰기	2점
	❷ 이유 쓰기	3점

04
채점 기준	각뿔이 아닌 이유 쓰기	5점

05 (왼쪽 각뿔의 높이)$=10$ cm
(오른쪽 각뿔의 높이)$=13$ cm
➡ (높이의 차)$=13-10=3$ (cm)

06 다른 정답 가는 옆면의 모양이 삼각형이고, 나는 옆면
의 모양이 직사각형입니다.

07 면 가는 밑면입니다.
따라서 전개도를 접었을 때 면 가와 수직인 면은 옆
면으로 면 나, 면 다, 면 라, 면 마, 면 바, 면 사입니
다. ➡ 6개

08 나: 밑면의 모양은 사각형이지만 옆면은 3개 있으므
로 각기둥의 전개도가 아닙니다.

10 • (육각기둥의 면의 수)$=6+2=8$(개)
• (팔각기둥의 꼭짓점의 수)$=8×2=16$(개)
(사각기둥의 꼭짓점의 수)$=4×2=8$(개)
➡ $16÷8=2$(배)
• 각기둥의 한 밑면의 변의 수를 ☐개라 하면
(모서리의 수)$=☐×3=15$(개), $☐=5$
따라서 밑면의 모양이 오각형이므로
오각기둥입니다.

11 각기둥의 한 밑면의 변의 수를 ☐개라 하면
(면의 수)$=☐+2=11$(개), $☐=9$이므로
밑면의 모양은 구각형입니다.
➡ (꼭짓점의 수)$=9×2=18$(개)
(모서리의 수)$=9×3=27$(개)

12 밑면의 모양이 육각형이므로 육각뿔입니다.
(꼭짓점의 수)$=6+1=7$(개)
(면의 수)$=6+1=7$(개)
(모서리의 수)$=6×2=12$(개)

13 • 각뿔에서 면의 수와 꼭짓점의 수는 같으므로
(꼭짓점의 수)$=10$개 ➡ ㉠$=10$
• 각뿔의 밑면의 변의 수를 ☐개라 하면
(모서리의 수)$=☐×2=14$(개), $☐=7$이므로
밑면의 모양은 칠각형입니다.
(면의 수)$=7+1=8$(개) ➡ ㉡$=8$
따라서 ㉠$+$㉡$=10+8=18$입니다.

14 각 각뿔의 모서리와 꼭짓점의 수를 알아봅니다.

각뿔	모서리의 수(개)	꼭짓점의 수(개)
㉠ 오각뿔	10	6
㉡ 칠각뿔	14	8
㉢ 팔각뿔	16	9
㉣ 육각뿔	12	7

➡ 재료로 만들 수 있는 각뿔은 ㉠ 오각뿔, ㉣ 육각뿔
입니다.

15 밑면의 모양이 오각형이므로 전개도를 접으면 오각
기둥이 만들어집니다. 오각기둥의 옆면의 수는 한 밑
면의 변의 수와 같으므로 5개입니다.
(오각기둥의 모서리의 수)$=5×3=15$(개)

16 (사각기둥의 모서리의 수)$=4×3=12$(개)
(한 모서리의 길이)
$=$(모든 모서리의 길이의 합)$÷$(모서리의 수)
$=48÷12=4$ (cm)

| 17 | 채점
기준 | ❶ 각기둥에서 모서리의 길이의 구성 알아보기 | 2점 |
| | | ❷ 각기둥의 밑면의 한 변의 길이 구하기 | 3점 |

3. 소수의 나눗셈

1 ✕

2 3.13

3 2.12 L

4 (예) $9.36 \div 2 = \dfrac{936}{100} \div 2 = \dfrac{936 \div 2}{100} = \dfrac{468}{100} = 4.68$ /

$936 \div 2 = 468$ ➡ $9.36 \div 2 = 4.68$

5 ㉡

6 14.7 g

---

2 $939 \div 3 = 313$ ➡ $9.39 \div 3 = 3.13$

3 (병 한 개에 담아야 하는 우유의 양)
$= 8.48 \div 4 = 2.12$ (L)

5 ㉠ $42.6 \div 6 = 7.1$ ㉡ $5.67 \div 7 = 0.81$

다른 풀이 ㉠ $42.6 > 6$ ➡ 몫은 1보다 큽니다.
㉡ $5.67 < 7$ ➡ 몫은 1보다 작습니다.

중요 나누어지는 수가 나누는 수보다 작으면 몫은 1보다 작습니다.

6 (지우개 한 개의 무게)
$= 73.5 \div 5 = 14.7$ (g)

STEP3 한번더 서술형 해결하기 13쪽

01 (예) ❶ 색종이 4장을 옆면으로 하여 각기둥을 만들었으므로 옆면은 4개입니다.
한 밑면의 변의 수는 옆면의 수와 같습니다.
➡ 한 밑면의 변이 4개이므로 밑면의 모양은 사각형입니다. ▶3점
❷ 밑면의 모양이 사각형인 각기둥의 이름은 사각기둥입니다. ▶2점 / 사각기둥

02 (예) ❶ 밑면이 1개인 입체도형이므로 각뿔입니다.
각뿔의 옆면이 8개이므로 밑면의 변은 8개입니다.
➡ 밑면의 모양이 팔각형이므로 팔각뿔입니다. ▶3점
❷ (팔각뿔의 꼭짓점의 수)
$=$ (밑면의 변의 수)$+1 = 8+1 = 9$(개) ▶2점
/ 9개

03 (예) ❶ 사각기둥의 한 면은 한 변의 길이가 5 cm인 정사각형이고, 모든 면은 합동이므로 전개도의 각 선분의 길이는 5 cm입니다. ▶3점
❷ 전개도의 둘레에는 길이가 5 cm인 선분이 14개 있으므로 (전개도의 둘레)$= 5 \times 14 = 70$ (cm)입니다. ▶2점 / 70 cm

04 (예) ❶ 전개도를 접었을 때 맞닿는 선분의 길이는 같고, 밑면이 정칠각형이므로 색칠한 부분의 가로는 밑면의 한 변의 길이의 7배입니다.
(색칠한 부분의 가로)$= 3 \times 7 = 21$ (cm) ▶3점
❷ (색칠한 부분의 넓이)$= 21 \times 6 = 126$ (cm²)
▶2점 / 126 cm²

| 01 | 채점
기준 | ❶ 밑면의 모양 구하기 | 3점 |
| | | ❷ 만든 각기둥의 이름 구하기 | 2점 |

| 02 | 채점
기준 | ❶ 각뿔의 이름 구하기 | 3점 |
| | | ❷ 각뿔의 꼭짓점의 수 구하기 | 2점 |

| 03 | 채점
기준 | ❶ 전개도의 각 선분의 길이 구하기 | 3점 |
| | | ❷ 전개도의 둘레 구하기 | 2점 |

| 04 | 채점
기준 | ❶ 색칠한 부분의 가로 구하기 | 3점 |
| | | ❷ 색칠한 부분의 넓이 구하기 | 2점 |

STEP2 한번더 실력 다지기 15~17쪽

01 $1.52 \div 4$

02 ❶ (위에서부터) $\dfrac{1}{100}$ / 456, 4.56 / $\dfrac{1}{100}$ ▶2점

(예) ❷ $3192 \div 7 = 456$이고, 31.92는 3192의 $\dfrac{1}{100}$배이므로 $31.92 \div 7$의 몫은 456의 $\dfrac{1}{100}$배인 4.56입니다. ▶3점

03
$$\begin{array}{r} 3.2 \\ 9\overline{)2.88} \\ 2\ 7 \\ \hline 1\ 8 \\ 1\ 8 \\ \hline 0 \end{array}$$ /
$$\begin{array}{r} 0.32 \\ 9\overline{)2.88} \\ 2\ 7 \\ \hline 1\ 8 \\ 1\ 8 \\ \hline 0 \end{array}$$

04 4.37

05 은행나무

06

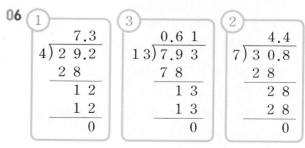

①
$$\begin{array}{r} 7.3 \\ 4\overline{)29.2} \\ 2\ 8 \\ \hline 1\ 2 \\ 1\ 2 \\ \hline 0 \end{array}$$

③
$$\begin{array}{r} 0.61 \\ 13\overline{)7.93} \\ 7\ 8 \\ \hline 1\ 3 \\ 1\ 3 \\ \hline 0 \end{array}$$

②
$$\begin{array}{r} 4.4 \\ 7\overline{)30.8} \\ 2\ 8 \\ \hline 2\ 8 \\ 2\ 8 \\ \hline 0 \end{array}$$

07 예 ❶ ㉠ $17.22 \div 7 = 2.46$ ㉡ $20.97 \div 9 = 2.33$
㉢ $30.4 \div 16 = 1.9$ ㉣ $18.48 \div 22 = 0.84$ ▶4점
❷ $0.84 < 1.9 < 2.33 < 2.46$이므로 몫이 가장 작은 나눗셈식은 ㉣입니다. ▶1점 / ㉣

08 13.26 kg **09** 1.63배 **10** 장난감

11 가 **12** 9.4 **13** ㉠

14 4.4, 4.5, 4.6 **15** 4개 **16** 2.19

17 0.67 m **18** ▲=4에 ×표

19 오전 9시 4분

02
채점 기준	❶ □ 안에 알맞은 수 써넣기	2점
	❷ 계산하는 방법 쓰기	3점

03 2는 9로 나눌 수 없으므로 몫의 일의 자리에 0을 쓰고 소수점을 찍어야 합니다.

04 $21.85 > 7 > 5.95 > 5$이므로 가장 큰 수는 21.85, 가장 작은 수는 5입니다.
➜ $21.85 \div 5 = 4.37$

05 ① $1.96 \div 2 = 0.98$(은) ② $18.4 \div 8 = 2.3$(행)
③ $45.75 \div 25 = 1.83$(나) ④ $54.6 \div 14 = 3.9$(무)
➜ 은행나무

07
채점 기준	❶ 나눗셈식의 몫 구하기	4점
	❷ 몫이 가장 작은 나눗셈식의 기호 쓰기	1점

08 (통나무 1 m의 무게)$=79.56 \div 6 = 13.26$ (kg)

09 $19.56 > 13.92 > 12$이므로 가장 많은 용액의 양은 19.56 mL이고, 가장 적은 용액의 양은 12 mL입니다. ➜ $19.56 \div 12 = 1.63$(배)

10 (장난감 한 개의 무게)$=7.84 \div 7 = 1.12$ (kg)
(인형 한 개의 무게)$=5.58 \div 6 = 0.93$ (kg)
➜ $1.12 > 0.93$이므로 한 개의 무게가 더 무거운 것은 장난감입니다.

11 (가 자동차가 연료 1 L로 갈 수 있는 거리)
$=275.2 \div 16 = 17.2$ (km)
(나 자동차가 연료 1 L로 갈 수 있는 거리)
$=473.2 \div 28 = 16.9$ (km)
➜ $17.2 > 16.9$이므로 연료 1 L로 더 멀리 갈 수 있는 자동차는 가입니다.

12 보이지 않는 부분의 소수를 □라 하면
$75.2 \div □ = 8$ ➜ $75.2 \div 8 = □$
$75.2 \div 8 = 9.4$이므로 보이지 않는 부분에 알맞은 소수는 9.4입니다.

13 ㉠ $□ \times 5 = 67.5$ ➜ $67.5 \div 5 = □$, $□ = 13.5$
㉡ $9 \times □ = 19.89$ ➜ $19.89 \div 9 = □$, $□ = 2.21$
㉢ $48.72 \div □ = 6$ ➜ $48.72 \div 6 = □$, $□ = 8.12$

14 $17.2 \div 4 = 4.3$, $32.9 \div 7 = 4.7$이므로
$4.3 < □ < 4.7$입니다.
따라서 □ 안에 들어갈 수 있는 소수 한 자리 수는 4.4, 4.5, 4.6입니다.

15 $5.13 \div 9 = 0.57$ ➜ $0.57 < 0.□$
따라서 □ 안에 들어갈 수 있는 수는 6, 7, 8, 9로 모두 4개입니다.

16 가장 큰 소수 두 자리 수를 만들어야 하므로 수 카드의 수 중 큰 수부터 차례로 3개를 골라 소수 두 자리 수를 만듭니다.
$8 > 7 > 6 > 4$이므로 만들 수 있는 가장 큰 소수 두 자리 수는 8.76입니다. ➜ $8.76 \div 4 = 2.19$

17 (정삼각형의 둘레)$=0.55 \times 3 = 1.65$ (m)
(정오각형을 만드는 데 사용한 철사의 길이)
$=5 - 1.65 = 3.35$ (m)
(정오각형의 한 변의 길이)$=3.35 \div 5 = 0.67$ (m)

18 • ▲$\times 1 = 3$, ▲$=3$
• ▲$\times 4 = 3 \times 4 = 1★$, ★$=2$
• ▲$\times ■ = 3 \times ■ = 15$, ■$=5$
• $2● - 21 = 0$, ●$=1$

19 (하루 동안 빨라지는 시간)$=22.4 \div 7 = 3.2$(분)
(20일 동안 빨라지는 시간)$=3.2 \times 20 = 64$(분)
시계는 20일 동안 64분=1시간 4분 빨라집니다.
➜ (20일 후 오전 8시에 시계가 가리키는 시각)
$=$오전 8시$+$1시간 4분$=$오전 9시 4분

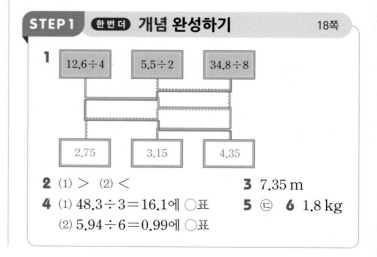

STEP 1 한번더 **개념 완성하기** 18쪽

1 | $12.6 \div 4$ | $5.5 \div 2$ | $34.8 \div 8$ |
2.75 3.15 4.35

2 (1) > (2) < **3** 7.35 m
4 (1) $48.3 \div 3 = 16.1$에 ○표 **5** ㉢ **6** 1.8 kg
(2) $5.94 \div 6 = 0.99$에 ○표

2 (1) $35.42 \div 7 = 5.06$ ➡ $5.06 > 5$
(2) $15.2 \div 5 = 3.04$ ➡ $3.04 < 4$

3 (한 명에게 준 색 테이프의 길이)
　$= 44.1 \div 6 = 7.35$ (m)

5 ㉠ $9 \div 2 = 4.5$　㉡ $36 \div 8 = 4.5$　㉢ $17 \div 4 = 4.25$
따라서 계산 결과가 다른 하나는 ㉢입니다.

6 (한 명이 가질 수 있는 귤의 무게) $= 9 \div 5 = 1.8$ (kg)

STEP2 한번더 **실력 다지기**　19~21쪽

01 1.3　　**02** 5.05 cm　**03** 4.75　　**04** 2.25배
05 $3.36 \div 8$, $3.4 \div 4$, $17.1 \div 18$에 색칠
06 상우　**07** 7.55 m　**08** 양배추　**09** 13.8분
10 예 ❶ (가로 방향으로 필요한 장판의 수)
　　　　$= 68 \div 5 = 13.6$(장)
　(세로 방향으로 필요한 장판의 수)
　　　　$= 60 \div 5 = 12$(장) ▸3점
　❷ 가로 방향으로 장판을 덮으려면 적어도 14장 필
　요하므로 장판은 $14 \times 12 = 168$(장) 필요합니다.
　▸2점 / 168장
11 선화　　**12** 1.75 mm　**13** 9.02 cm
14 1.2 m　　**15** 2.95 cm²　**16** 4.5
17 예 ❶ 어떤 수를 □라 하면 $□ \times 6 = 181.8$입니다.
　$□ \times 6 = 181.8$ ➡ $181.8 \div 6 = □$, $□ = 30.3$ ▸3점
　❷ $30.3 \div 6 = 5.05$ ▸2점 / 5.05
18
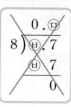
19 94.5 m　　**20** 0.25

02 (지은이네 모둠 학생들의 엄지 길이의 합)
　$= 4.9 + 5.1 + 5 + 5.2 = 20.2$ (cm)
　(평균) $= 20.2 \div 4 = 5.05$ (cm)

03 $4 \times □ = 19$ ➡ $19 \div 4 = □$, $□ = 4.75$

04 $54 \div 8 = 6.75$ ➡ $6.75 \div 3 = 2.25$(배)

05 나누어지는 수가 나누는 수보다 작으면 몫은 1보다
작습니다. 나누어지는 수가 나누는 수보다 작은 나눗
셈식을 찾으면 $3.36 \div 8$, $3.4 \div 4$, $17.1 \div 18$입니다.

---

07 (참나무의 높이) = (포플러의 높이) $\div 4$
　　　　　　$= 30.2 \div 4 = 7.55$ (m)

08 (양배추 한 개의 무게) $= 2.6 \div 4 = 0.65$ (kg)
　(무 한 개의 무게) $= 3.48 \div 6 = 0.58$ (kg)
　➡ 양배추 한 개의 무게가 더 무겁습니다.

10
채점 기준	❶ 가로 방향과 세로 방향으로 필요한 장판의 수 각각 구하기	3점
	❷ 필요한 장판의 수 구하기	2점

12 (동전 한 개의 두께) $= 105 \div 60 = 1.75$ (mm)

13 (사각뿔의 모서리의 수) = (밑면의 변의 수) $\times 2$
　　　　　　　　　　$= 4 \times 2 = 8$(개)
　(한 모서리의 길이) $= 72.16 \div 8 = 9.02$ (cm)

14 위와 아래에 있는 면이 서로 평행하고 합동인 기둥
모양의 입체도형이므로 각기둥이고, 밑면의 모양이
오각형이므로 오각기둥입니다.
　(오각기둥의 모서리의 수) = (한 밑면의 변의 수) $\times 3$
　　　　　　　　　　　　$= 5 \times 3 = 15$(개)
　(한 모서리의 길이) $= 18 \div 15 = 1.2$ (m)

15 (전체 직사각형의 넓이) $= 5.9 \times 6 = 35.4$ (cm²)
　(색칠한 부분의 넓이) $= 35.4 \div 12 = 2.95$ (cm²)

16 (큰 눈금 한 칸의 크기) $= 9 - 3 = 6$
　(작은 눈금 한 칸의 크기) $= 6 \div 8 = 0.75$
　➡ (화살표가 가리키는 곳의 소수)
　　　$= 3 + 0.75 \times 2 = 3 + 1.5 = 4.5$

17
채점 기준	❶ 어떤 수 구하기	3점
	❷ 바르게 계산했을 때의 몫 구하기	2점

18
$$\begin{array}{r} 0.6 \\ ㉠\overline{)4.8} \\ \underline{㉡\ ㉠} \\ 0 \end{array}$$
㉡㉠$=48$이므로 ㉠$=8$, ㉡$=4$입니다.
➡ ㉠$=8$, ㉡$=4$를 넣으면 주어진 나눗셈
식을 만족합니다.

$$\begin{array}{r} 0.9 \\ ㉢\overline{)㉣.7} \\ \underline{㉣\ 7} \\ 0 \end{array}$$
㉢$\times 9 =$㉣7에서 ㉢$\times 9$를 계산했을 때
일의 자리 숫자가 7인 경우는 ㉢$=3$일
때입니다. ㉢$\times 9 = 3 \times 9 =$㉣7에서
$3 \times 9 = 27$이므로 ㉣$=2$입니다.
➡ ㉢$=3$, ㉣$=2$를 넣으면 주어진 나눗
셈식을 만족합니다.

$$\begin{array}{r} 0.㉤ \\ 8\overline{)㉥.7} \\ \underline{㉥\ 7} \\ 0 \end{array}$$
$8 \times$㉤$=$㉥7에서 $8 \times$㉤을 계산했을 때 일
의 자리 숫자가 7인 경우는 없습니다.
➡ 기호에 알맞은 수를 구할 수 없습니다.

19 (간격 수)=17-1=16(군데)
→ (가로수와 가로수 사이의 거리)
=108÷16=6.75 (m)
따라서 15번째 가로수는 1번째 가로수로부터
6.75×14=94.5 (m) 떨어진 곳에 심어야 합니다.

20 나누어지는 수가 작을수록, 나누는 수가 클수록 몫이 작습니다.
해미: 만들 수 있는 수인 31과 13 중 더 작은 수 13을 나누어지는 수에 놓습니다.
소희: 만들 수 있는 수인 25와 52 중 더 큰 수 52를 나누는 수에 놓습니다.
→ 13÷52=0.25

STEP3 **한번더** 서술형 **해결하기** 22~23쪽

01 **예** ❶ (주연이가 1 cm²의 도화지를 칠하는 데 사용한 물감의 양)=63÷35=1.8 (mL)
(민성이가 1 cm²의 도화지를 칠하는 데 사용한 물감의 양)=69÷46=1.5 (mL) ▶4점
❷ 1.8>1.5이므로 1 cm²의 도화지를 칠하는 데 사용한 물감의 양이 더 많은 사람은 주연입니다. ▶1점
/ 주연

02 **예** ❶ (벽의 넓이)=9.6×7.5÷2=36 (m²) ▶2점
❷ (1 m²의 벽을 칠하는 데 사용한 페인트의 양)
=90÷36=2.5 (L) ▶3점 / 2.5 L

03 **예** ❶ (구슬 8개가 들어 있는 바구니의 무게)
=1.19 kg
(빈 바구니의 무게)=0.15 kg
(구슬 8개의 무게)=1.19-0.15=1.04 (kg) ▶2점
❷ (구슬 한 개의 무게)=1.04÷8=0.13 (kg) ▶3점
/ 0.13 kg

04 **예** ❶ (감 10개가 들어 있는 바구니의 무게)
=3 kg 800 g=3.8 kg
(감 4개가 들어 있는 바구니의 무게)
=1 kg 700 g=1.7 kg
(감 6개의 무게)=3.8-1.7=2.1 (kg) ▶2점
❷ (감 한 개의 무게)=2.1÷6=0.35 (kg) ▶3점
/ 0.35 kg

05 **예** ❶ (타일의 한 변의 길이)
=77.2÷4=19.3 (cm) ▶3점

❷ (타일의 넓이)
=19.3×19.3=372.49 (cm²) ▶2점
/ 372.49 cm²

06 **예** ❶ (직사각형 가의 둘레)
=(14.5+16.3)×2=61.6 (cm)
(정사각형 나의 한 변의 길이)
=61.6÷4=15.4 (cm) ▶3점
❷ (정사각형 나의 넓이)
=15.4×15.4=237.16 (cm²) ▶2점
/ 237.16 cm²

07 **예** ❶ (겹쳐진 부분의 길이의 합)
=3.19×3-8.45=1.12 (cm) ▶2점
❷ ■+■=1.12 cm이므로
■=1.12÷2=0.56 (cm) ▶3점 / 0.56 cm

08 **예** ❶ (겹쳐진 부분의 길이의 합)
=9×9+11×9-164.7=15.3 (cm) ▶2점
❷ 색 테이프 9+9=18(장)을 이어 붙였으므로 겹쳐진 부분은 18-1=17(군데)입니다.
따라서 색 테이프를 15.3÷17=0.9 (cm)씩 겹쳐서 이어 붙인 것입니다. ▶3점 / 0.9 cm

01	채점 기준	❶ 1 cm²의 도화지를 칠하는 데 사용한 물감의 양 각각 구하기	4점
		❷ 1 cm²의 도화지를 칠하는 데 사용한 물감의 양이 더 많은 사람의 이름 쓰기	1점
02	채점 기준	❶ 벽의 넓이 구하기	2점
		❷ 1 m²의 벽을 칠하는 데 사용한 페인트의 양 구하기	3점
03	채점 기준	❶ 구슬 8개의 무게 구하기	2점
		❷ 구슬 한 개의 무게 구하기	3점
04	채점 기준	❶ 감 6개의 무게 구하기	2점
		❷ 감 한 개의 무게 구하기	3점
05	채점 기준	❶ 타일의 한 변의 길이 구하기	3점
		❷ 타일의 넓이 구하기	2점
06	채점 기준	❶ 정사각형 나의 한 변의 길이 구하기	3점
		❷ 정사각형 나의 넓이 구하기	2점
07	채점 기준	❶ 겹쳐진 부분의 길이의 합 구하기	2점
		❷ ■에 알맞은 길이 구하기	3점
08	채점 기준	❶ 겹쳐진 부분의 길이의 합 구하기	2점
		❷ 색 테이프를 몇 cm씩 겹쳐서 이어 붙인 것인지 구하기	3점

4. 비와 비율

STEP 1 한번더 개념 완성하기 24쪽

1 예

2 예 남학생은 여학생보다 $15-6=9$(명) 더 많습니다.
/ 남학생 수는 여학생 수의 $15\div6=2.5$(배)입니다.

3 $\dfrac{210}{3}(=70)$ **4** $\dfrac{288000}{16}(=18000)$

5 $\dfrac{320}{800}\left(=\dfrac{2}{5}=0.4\right)$ **6** 15%

7 65% **8** 22%

3 (걸린 시간에 대한 달린 거리의 비율)
$=210\div3=\dfrac{210}{3}(=70)$

4 (넓이에 대한 인구의 비율)
$=288000\div16=\dfrac{288000}{16}(=18000)$

5 (매실 주스 양에 대한 매실 원액 양의 비율)
$=320\div800=\dfrac{320}{800}\left(=\dfrac{2}{5}=0.4\right)$

6 (할인율)$=\dfrac{3000}{20000}\times100=15\,(\%)$

7 (성공률)$=\dfrac{26}{40}\times100=65\,(\%)$

8 (소금물 양에 대한 소금 양의 비율)
$=\dfrac{110}{500}\times100=22\,(\%)$

STEP 2 한번더 실력 다지기 25~27쪽

01 3 / 8, 12, 18, 24 /
3 / 16, 17, 18, 19

02 예 현수는 귤 수와 감 수를 나눗셈으로 비교했고, 민아는 민아와 오빠 나이를 뺄셈으로 비교했습니다. ▶5점

03 예 전자계산기의 가로와 세로의 비는 9 : 15입니다.

04 ❶ 다릅니다. ▶2점
예 ❷ 15 : 19는 19를 기준으로 하여 15를 비교한 것이고, 19 : 15는 15를 기준으로 하여 19를 비교한 것입니다. ▶3점

05 예 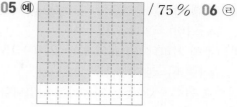 / 75 %   **06** ㉣

07 ㉡   **08** $\dfrac{4}{2000}\left(=\dfrac{1}{500}\right)$

09 $\dfrac{400}{25}(=16)$, $\dfrac{540}{30}(=18)$ **10** 나

11 하은   **12** 20 %   **13** 4 %

14 미연이네 반   **15** 희주   **16** 33 %

17 11 %, 15 %   **18** 784 cm²

19 예 ❶ 120 % ➡ 1.2
(확대한 사진의 가로)$=30\times1.2=36$ (cm)
(확대한 사진의 세로)$=25\times1.2=30$ (cm) ▶4점
❷ (확대한 사진의 둘레)$=(36+30)\times2$
$=66\times2=132$ (cm) ▶1점
/ 132 cm

02
채점 기준	차이점 쓰기	5점

03 다른 정답 • 달력의 가로와 세로의 비는 20 : 13입니다.

04
채점 기준	❶ 두 비가 같은지, 다른지 쓰기	2점
	❷ 이유 쓰기	3점

05 (모눈종이 한 칸의 넓이)$=800\div100=8$ (cm²)
➡ $600\div8=75$(칸)을 색칠합니다.
색칠한 부분은 100칸 중 75칸이므로 75 %입니다.

06 ㉠ 8 : 25 ➡ (비율)$=8\div25=0.32$
㉡ $\dfrac{17}{50}=0.34$ ㉢ 0.3   ㉣ 35 % ➡ 0.35
➡ ㉣ 0.35 > ㉡ 0.34 > ㉠ 0.32 > ㉢ 0.3

08 20 m $=2000$ cm
(지도에서의 거리) : (실제 거리)$=4 : 2000$
(축척)$=4\div2000=\dfrac{4}{2000}\left(=\dfrac{1}{500}\right)$

09 [영수] (달린 거리) : (걸린 시간)$=400 : 25$
➡ (비율)$=400\div25=\dfrac{400}{25}(=16)$
[진아] (달린 거리) : (걸린 시간)$=540 : 30$
➡ (비율)$=540\div30=\dfrac{540}{30}(=18)$

매 칭 북 한 번 더

10 [가 자동차] (주행 거리) : (연료의 양)=204 : 12
→ (연비)=204÷12=17
[나 자동차] (주행 거리) : (연료의 양)=270 : 15
→ (연비)=270÷15=18
17<18이므로 연비가 더 높은 자동차는 나입니다.

11 경석: (흰색 물감 양에 대한 검은색 물감 양의 비율)
=480÷150=3.2
하은: (흰색 물감 양에 대한 검은색 물감 양의 비율)
=700÷200=3.5
3.2<3.5이므로 회색 물감이 더 진한 사람은 하은입니다.

12 (할인한 금액)=25000−20000=5000(원)
(할인율)=$\frac{5000}{25000}$×100=20 (%)

13 (무효표 수)=600−378−198=24(표)
(무효표의 비율)=$\frac{24}{600}$×100=4 (%)

14 (은수네 반의 만족도)=$\frac{14}{20}$×100=70 (%)
(미연이네 반의 만족도)=$\frac{18}{24}$×100=75 (%)
70 %<75 %이므로 미연이네 반의 만족도가 더 높습니다.

16 (위인전 수)=400−60−112−96=132(권)
(위인전 수) : (전체 책 수)=132 : 400
→ (비율)=$\frac{132}{400}$=$\frac{33}{100}$ → 33 %

17 기준량: 현금으로 낼 때의 요금
비교하는 양: 할인받는 금액
• 일반 요금:
(할인받는 금액)=1400−1250=150(원)
(할인율)=$\frac{150}{1400}$×100=10.7……→ 11 %
• 청소년 요금:
(할인받는 금액)=1000−850=150(원)
(할인율)=$\frac{150}{1000}$×100=15 (%)

18 (비율)=(비교하는 양)÷(기준량)이므로
4=56÷(세로), (세로)=56÷4=14 (cm)
→ (넓이)=56×14=784 (cm²)

19
채점 기준	❶ 확대한 사진의 가로와 세로 각각 구하기	4점
	❷ 확대한 사진의 둘레 구하기	1점

STEP3 한번더 **서술형 해결하기**   28쪽

01 예 ❶ [연수네 모둠] 4 : 5 → (비율)=4÷5=0.8
[진주네 모둠] 6 : 8 → (비율)=6÷8=0.75 ▶3점
❷ 두 비율을 비교하면 0.8>0.75이므로 연수네 모둠이 더 좁게 느꼈을 것입니다. ▶2점

02 예 ❶ [진영이네 반] 전체 학생 수에 대한 만족하는 학생 수의 비 → 14 : 25 → (비율)=14÷25=0.56
[상호네 반] 전체 학생 수에 대한 만족하는 학생 수의 비 → 12 : 20 → (비율)=12÷20=0.6 ▶3점
❷ 0.56<0.6이므로 상호네 반이 체험 활동 장소에 대해 더 만족하였습니다. ▶2점

03 예 ❶ 마름모 가의 긴 대각선에 대한 짧은 대각선의 길이의 비 → 30 : 40
→ (비율)=30÷40=$\frac{30}{40}$=$\frac{3}{4}$ ▶2점
❷ 마름모 나의 긴 대각선에 대한 짧은 대각선의 길이의 비율은 $\frac{3}{4}$이므로
(짧은 대각선의 길이)÷(긴 대각선의 길이)=$\frac{3}{4}$,
(짧은 대각선의 길이)÷28=$\frac{3}{4}$입니다.
→ (짧은 대각선의 길이)=28×$\frac{3}{4}$=21 (cm) ▶3점
/ 21 cm

04 예 ❶ 장호의 키와 그림자 길이의 비 → 150 : 50
→ (비율)=150÷50=3 ▶2점
❷ 현수의 키와 그림자 길이의 비율은 3이므로
(현수의 키)÷(그림자 길이)=3,
144÷(그림자 길이)=3입니다.
→ (그림자 길이)=144÷3=48 (cm) ▶3점 / 48 cm

01
채점 기준	❶ 방의 정원에 대한 잠을 잔 사람 수의 비율 각각 구하기	3점
	❷ 두 비율을 비교하여 알 수 있는 점 쓰기	2점

02
채점 기준	❶ 전체 학생 수에 대한 만족하는 학생 수의 비율 각각 구하기	3점
	❷ 두 비율을 비교하여 알 수 있는 점 쓰기	2점

03
채점 기준	❶ 마름모 가의 긴 대각선에 대한 짧은 대각선의 길이의 비율 구하기	2점
	❷ 마름모 나의 짧은 대각선의 길이 구하기	3점

04
채점 기준	❶ 장호의 키와 그림자 길이의 비율 구하기	2점
	❷ 현수의 그림자 길이 구하기	3점

5. 여러 가지 그래프

STEP 1 한번더 개념 완성하기   29쪽

1 13000 t

2 4200, 2500, 3300 /

지역	가구 수
가 지역	
나 지역	
다 지역	
라 지역	

🏠1000가구 🏚100가구

3 20, 25, 30, 10, 15, 100

4
축구 (20%)	야구 (25%)	배드민턴 (30%)	기타 (15%)

줄넘기(10%)

5 띠그래프

2 가 지역: 3764가구 → 3800가구(🏠 3개, 🏚 8개)
나 지역: 4219가구 → 4200가구(🏠 4개, 🏚 2개)
다 지역: 2480가구 → 2500가구(🏠 2개, 🏚 5개)
라 지역: 3307가구 → 3300가구(🏠 3개, 🏚 3개)

STEP 2 한번더 실력 다지기   30~31쪽

01 ❶
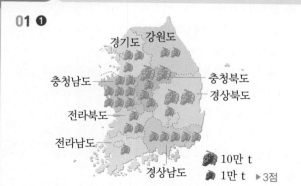

경기도 강원도
충청남도 충청북도
경상북도
전라북도
전라남도
경상남도
🍇10만 t
🍇1만 t ▶3점

(예) ❷ 포도 수확량이 가장 많은 지역은 충청북도이고, 가장 적은 지역은 전라남도입니다. ▶2점

02 3배   **03** 160명   **04** 5만 명

05 20, 250 /

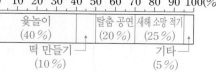

| 윷놀이 (40%) | 탈춤 공연 (20%) | 새해 소망 적기 (25%) | 기타 (5%) |

떡 만들기 (10%)

06 60, 40, 400 / 40, 35, 100 /

| 요리 (40%) | 노래 (35%) | 공예 (15%) | 기타 (10%) |

07 (예) ❶ 김치: $100-32-20-24-8=16$
→ 16% ▶2점
❷ 불고기를 좋아하는 학생 수의 백분율은 김치를 좋아하는 학생 수의 백분율의 $32÷16=2$(배)입니다.
(김치를 좋아하는 학생 수)=$80÷2=40$(명) ▶3점
/ 40명

08 135명

01
채점 기준	❶ 그림그래프로 나타내기	3점
	❷ 알 수 있는 내용 쓰기	2점

02 (가 동과 라 동의 재활용품 배출량을 더한 비율)
$=29+37=66$(%)
→ $66÷22=3$(배)

03 가장 많은 학생이 가고 싶은 장소는 놀이공원입니다.
(놀이공원에 가고 싶은 학생 수)$=500×\dfrac{32}{100}$
$=160$(명)

05 탈춤 공연: $\dfrac{200}{1000}×100=20$(%)
새해 소망 적기: $1000-400-100-200-50$
$=250$(명)

07
채점 기준	❶ 김치를 좋아하는 학생 수의 백분율 구하기	2점
	❷ 김치를 좋아하는 학생 수 구하기	3점

08 TV 시청 시간이 5시간 미만인 사람 수의 비율
→ $26+28=54$(%)
(TV 시청 시간이 5시간 미만인 사람 수)
$=250×\dfrac{54}{100}=135$(명)

STEP 1 한번더 개념 완성하기   32쪽

1 20, 15, 100

2
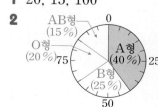

3 A형

4 3배

5 180그루

6 소나무, 은행나무

7 2배

3 차지하는 부분의 넓이가 가장 넓은 항목: A형

4 참나무: 12 %, 은행나무: 36 %
➡ 36÷12＝3(배)

6 2017년에 비해 2018년에 차지하는 부분의 길이가 줄어든 나무를 찾으면 소나무, 은행나무입니다.

STEP2 한번더 **실력 다지기** 33~34쪽

01 예 ❶ 가장 많은 학생은 초등학생입니다. ▶3점
❷ 초등학생 수는 고등학생 수의 2배입니다. ▶2점

02 14명

03 ❶ 원그래프 ▶2점
예 ❷ 각 항목이 차지하는 넓이를 이용하여 문화재별 학생 수의 비율을 비교할 수 있습니다. ▶3점

04 30, 10 /

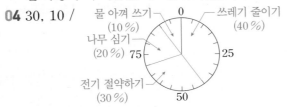

물 아껴 쓰기 (10 %) / 쓰레기 줄이기 (40 %) / 나무 심기 (20 %) / 전기 절약하기 (30 %)

05

0 10 20 30 40 50 60 70 80 90 100(%)

책 (15 %)	휴대 전화 (45 %)	신발 (15 %)	게임기 (20 %)	기타 (5 %)

06 예 자녀가 0명과 3명 이상인 가구 수는 변화가 컸고, 1명과 2명인 가구 수는 거의 변하지 않았습니다. 자녀가 0명인 가구 수는 23.4 %에서 35.7 %로 증가하였고, 3명 이상인 가구 수는 15.8 %에서 4.6 %로 감소하였습니다. ▶5점

07 400개

08

0 / 가 마을 (30 %) / 나 마을 (10 %) / 다 마을 (25 %) / 라 마을 (35 %)

01

채점 기준	❶ 알 수 있는 내용 쓰기	3점
	❷ 알 수 있는 내용을 한 가지 더 쓰기	2점

02 (제기차기를 좋아하는 학생 수)＝$200×\frac{33}{100}=66$(명)
(씨름을 좋아하는 학생 수)＝$200×\frac{26}{100}=52$(명)
➡ 66－52＝14(명)

03

채점 기준	❶ 가장 적당한 그래프 쓰기	2점
	❷ 이유 쓰기	3점

---

05 (책과 신발을 더한 비율)
＝100－45－20－5＝30 (%)
➡ (책의 비율)＝(신발의 비율)＝30÷2＝15 (%)

06

채점 기준	원그래프를 보고 기사문 쓰기	5점

07 (빨간색과 파란색을 더한 비율)＝12＋13＝25 (%)
100÷25＝4(배)이므로
(전체 공 수)＝100×4＝400(개)

STEP3 한번더 **서술형 해결하기** 35~36쪽

01 예 ❶ (덴마크의 인구)＝570만 명
(체코의 인구)＝570만＋490만＝1060만 (명) ▶2점
❷ (벨기에의 인구)＝1140만 명
(세 나라의 인구의 합)
＝1140만＋1060만＋570만＝2770만 (명) ▶3점
/ 2770만 명

02 예 ❶ (다 공장의 구리 생산량)＝223 kg
➡ (나 공장의 구리 생산량)
＝223＋76＝299 (kg) ▶2점
❷ 생산량이 가장 많은 공장은 나 공장으로 299 kg이고, 가장 적은 공장은 다 공장으로 223 kg입니다.
➡ 299＋223＝522 (kg) ▶3점 / 522 kg

03 예 ❶ 가을을 좋아하는 학생 수의 백분율을 ■ %라 하면 여름을 좋아하는 학생 수의 백분율은 (■×2) %입니다. ➡ 36＋■×2＋■＋13＝100 ▶3점
❷ ■＝17이므로
여름: 17×2＝34 (%), 가을: 17 % ▶2점
/ 34 %, 17 %

04 예 ❶ 자전거를 이용하는 사람 수의 백분율을 □ %라 하면 버스를 이용하는 사람 수의 백분율은 (□×3) %입니다.
□×3＋32＋22＋□＋10＝100, □＝9
➡ 자전거: 9 %, 버스: 9×3＝27 (%) ▶3점
❷ (버스를 이용하는 사람 수)
＝$4500×\frac{27}{100}=1215$(명) ▶2점 / 1215명

05 예 ❶ 만화책: 36 % ➡ $200×\frac{36}{100}=72$(권)
소설책: 16 % ➡ $200×\frac{16}{100}=32$(권) ▶3점
❷ 만화책은 72－12＝60(권), 소설책은 32＋12＝44(권) 구입하게 됩니다. ▶2점
/ 60권, 44권

06 예 ❶ 주택지의 넓이는 45 %이므로

(주택지의 넓이)$=40000 \times \dfrac{45}{100}=18000$ (m²)

주택지를 2000 m² 줄이고, 논을 2000 m² 늘리면
(주택지의 넓이)$=18000-2000=16000$ (m²)
이고, 전체 넓이는 변하지 않습니다. ▶3점

❷ 주택지: $\dfrac{16000}{40000} \times 100=40$ (%) ▶2점 / 40 %

07 예 ❶ (미술관에 입장한 초등학생 수)

$=400 \times \dfrac{45}{100}=180$(명) ▶3점

❷ (미술관에 입장한 6학년 학생 수)

$=180 \times \dfrac{35}{100}=63$(명) ▶2점 / 63명

08 예 ❶ (아파트에 거주하는 직원 수)

$=1500 \times \dfrac{42}{100}=630$(명) ▶3점

❷ (아파트에 거주하는 남자 직원 수)

$=630 \times \dfrac{40}{100}=252$(명) ▶2점 / 252명

01	채점 기준	❶ 체코의 인구 구하기	2점
		❷ 세 나라의 인구의 합 구하기	3점

02	채점 기준	❶ 나 공장의 구리 생산량 구하기	2점
		❷ 구리 생산량이 가장 많은 공장과 가장 적은 공장의 생산량의 합 구하기	3점

03	채점 기준	❶ 가을을 좋아하는 학생 수의 백분율을 ■ %라 하고 식 세우기	3점
		❷ 여름과 가을을 좋아하는 학생 수의 백분율 각 각 구하기	2점

04	채점 기준	❶ 버스를 이용하는 사람 수의 백분율 구하기	3점
		❷ 버스를 이용하는 사람 수 구하기	2점

05	채점 기준	❶ 처음 구입하려고 했던 만화책과 소설책 수 각 각 구하기	3점
		❷ 만화책과 소설책은 각각 몇 권을 구입하게 되 는지 구하기	2점

06	채점 기준	❶ 주택지의 넓이 구하기	3점
		❷ 주택지의 넓이는 전체의 몇 %가 되는지 구하기	2점

07	채점 기준	❶ 미술관에 입장한 초등학생 수 구하기	3점
		❷ 미술관에 입장한 6학년 학생 수 구하기	2점

08	채점 기준	❶ 아파트에 거주하는 직원 수 구하기	3점
		❷ 아파트에 거주하는 남자 직원 수 구하기	2점

6. 직육면체의 부피와 겉넓이

STEP 1 한번더 개념 완성하기   37쪽

1 (1) 32개, 27개 (2) 가   **2** 3, 2, 3 / 18
3 5, 3, 2 / 30   **4** 60 cm³   **5** (1) > (2) <
6 360 cm³

2~3 참고 (쌓기나무의 수)
   =(가로의 쌓기나무 수)×(세로의 쌓기나무 수)
     ×(높이의 쌓기나무 수)

4 (직육면체의 부피)$=5 \times 2 \times 6=60$ (cm³)

6 (필통의 부피)$=6 \times 20 \times 3=360$ (cm³)

STEP 2 한번더 실력 다지기   38~40쪽

01 다, 나, 가
02 ❶ 가, 다 / 나, 다 ▶2점

   예 ❷ 가와 다는 2 cm, 4 cm인 모서리의 길이가 같
   고, 나와 다는 6 cm, 2 cm인 모서리의 길이가 같으
   므로 부피를 직접 맞대어 비교할 수 있습니다. ▶3점

03 171 cm³   **04** 135 cm³   **05** 91 cm³
06 2197 cm³   **07** 민규
08 클립 상자, 초콜릿 상자, 큐브   **09** 1.68 m³
10 ㄹ, ㄷ, ㄴ, ㄱ   **11** 8 cm   **12** 12
13 3 cm   **14** 8 cm   **15** 2000개
16 108개   **17** 5가지   **18** 4배
19 80 cm³   **20** 4 cm

02	채점 기준	❶ 직접 맞대었을 때 부피를 비교할 수 있는 상 자끼리 짝 짓기	2점
		❷ 이유 쓰기	3점

03 (왼쪽 직육면체의 부피)$=4 \times 8 \times 3=96$ (cm³)
   (오른쪽 직육면체의 부피)$=3 \times 5 \times 5=75$ (cm³)
   ➡ (부피의 합)$=96+75=171$ (cm³)

04 직육면체의 세로를 □ cm라 하면
   (모든 모서리의 길이의 합)
   $=5 \times 4+□ \times 4+9 \times 4=68$ (cm), □=3
   (직육면체의 부피)$=5 \times 3 \times 9=135$ (cm³)

06 가장 큰 정육면체를 만들려면 한 모서리의 길이를 치
   즈의 가장 짧은 모서리인 13 cm로 해야 합니다.
   (가장 큰 정육면체의 부피)$=13 \times 13 \times 13$
               $=2197$ (cm³)

07 (현지가 만든 상자의 부피)$=8\times10\times9=720$ (cm³)
(민규가 만든 상자의 부피)$=9\times9\times9=729$ (cm³)
➡ 720 cm³<729 cm³

08 (큐브의 부피)$=5\times5\times5=125$ (cm³)
(클립 상자의 부피)$=8\times4\times2=64$ (cm³)
(초콜릿 상자의 부피)$=4\times6\times3=72$ (cm³)
➡ 64 cm³<72 cm³<125 cm³

09 70 cm$=0.7$ m
➡ (직육면체의 부피)$=1.5\times1.6\times0.7=1.68$ (m³)

10 ㉠ 22.5 m³   ㉡ 23000000 cm³$=23$ m³
㉢ (직육면체의 부피)$=6\times0.5\times8=24$ (m³)
㉣ (정육면체의 부피)$=4\times4\times4=64$ (m³)
➡ ㉣ 64 m³$>$ ㉢ 24 m³$>$ ㉡ 23 m³$>$ ㉠ 22.5 m³

11 정육면체의 한 모서리의 길이를 □cm라 하면
(정육면체의 부피)$=$□$\times$□$\times$□$=512$ (cm³)이고
$8\times8\times8=512$이므로 □$=8$입니다.

12 (정육면체의 부피)$=6\times6\times6=216$ (cm³)
(직육면체의 부피)$=$□$\times2\times9=216$ (cm³),
□$\times18=216$, □$=216\div18=12$

13 $9\times9\times9=729$이므로 만든 정육면체의 한 모서리의
길이는 9 cm입니다.
➡ (작은 정육면체의 한 모서리)$=9\div3=3$ (cm)

14 (블록의 부피)$=2\times2\times2=8$ (cm³)
➡ (만든 정육면체의 부피)$=8\times64=512$ (cm³)
만든 정육면체의 한 모서리의 길이를 □cm라 하면
□$\times$□$\times$□$=512$이고, $8\times8\times8=512$이므로 만
든 정육면체의 한 모서리의 길이는 8 cm입니다.

15 2 m$=200$ cm, 4 m$=400$ cm
상자를 가로와 세로로 각각 $200\div20=10$(개)씩,
높이에 $400\div20=20$(층)으로 쌓을 수 있습니다.
➡ (쌓을 수 있는 상자의 수)
$=10\times10\times20=2000$(개)

16 (가로로 쌓은 비누의 수)$=18\div6=3$(개)
(세로로 쌓은 비누의 수)$=27\div3=9$(개)
(높이에 쌓은 비누의 수)$=8\div2=4$(개)
➡ (쌓은 비누의 수)$=3\times9\times4=108$(개)

17 (가로)$\times$(세로)$\times$(높이)가 30인 경우를 찾습니다.
(가로, 세로, 높이) ➡ $(1, 1, 30)$, $(1, 2, 15)$,
$(1, 3, 10)$, $(1, 5, 6)$, $(2, 3, 5)$

18 (직육면체의 부피)$=$(가로)$\times$(세로)$\times$(높이)이므로
직육면체의 가로와 높이를 각각 2배로 늘리면 부피
는 처음 부피의 $2\times2=4$(배)가 됩니다.

19 큰 정육면체의 부피에서 가운데 비어 있는 직육면체
의 부피를 뺍니다.
(큰 정육면체의 부피)$=5\times5\times5=125$ (cm³)
(비어 있는 직육면체의 부피)$=3\times3\times5=45$ (cm³)
➡ (입체도형의 부피)$=125-45=80$ (cm³)

20 (늘어나는 물의 부피)$=$(돌의 부피)$=640$ cm³
높아지는 물의 높이를 □cm라 하면
(늘어나는 물의 부피)$=16\times10\times$□$=640$ (cm³),
$160\times$□$=640$, □$=4$

STEP1 한번더 **개념 완성하기** 41쪽

1 $15, 12, 20, 12, 20, 15$ /
예 방법 **1** (여섯 면의 넓이의 합)
$=15+12+20+12+20+15$
$=94$ (cm²)
방법 **2** (한 꼭짓점에서 만나는 세 면의 넓이의 합)$\times2$
$=(15+12+20)\times2=94$ (cm²)
방법 **3** (한 밑면의 넓이)$\times2+$(옆면의 넓이)
$=15\times2+(12+20+12+20)$
$=94$ (cm²)
2 210 cm² **3** 726 cm² **4** 136 cm²   **5** 54 cm²

2 (직육면체의 겉넓이)
$=(5\times5+5\times8+5\times8)\times2$
$=105\times2=210$ (cm²)

3 (주사위의 겉넓이)$=11\times11\times6=726$ (cm²)

4 (직육면체의 겉넓이)
$=(6\times2+6\times7+2\times7)\times2=68\times2=136$ (cm²)

5 (정육면체의 겉넓이)$=3\times3\times6=54$ (cm²)

STEP2 한번더 **실력 다지기** 42~43쪽

01 78 cm²
02 예 ❶ (직육면체의 높이)$=15\div5=3$ (cm) ▶2점
❷ (직육면체의 겉넓이)
$=(5\times9+5\times3+9\times3)\times2$
$=87\times2=174$ (cm²) ▶3점 / 174 cm²

03 600 cm^2　　**04** 576 cm^2　　**05** 1, 2, 3

06 ㉠　　　　　　**07** 1014 cm^2　　**08** 6

09 예 ❶ (직육면체의 겉넓이)
$$=(6\times18+6\times8+18\times8)\times2$$
$$=300\times2=600 \text{ (cm}^2) \blacktriangleright \text{2점}$$
❷ 정육면체의 한 모서리의 길이를 □ cm라 하면
(정육면체의 겉넓이)$=\square\times\square\times6=600 \text{ (cm}^2)$,
$\square\times\square=100$, $\square=10$입니다. 따라서 정육면체의
한 모서리의 길이는 10 cm입니다. ▶3점 / 10 cm

10 16　　　　**11** 9배　　　　**12** 556 cm^2

---

01 (정민이가 만든 상자의 겉넓이)
$$=(7\times6+7\times8+6\times8)\times2=146\times2$$
$$=292 \text{ (cm}^2)$$
(하은이가 만든 상자의 겉넓이)
$$=(9\times10+9\times5+10\times5)\times2=185\times2$$
$$=370 \text{ (cm}^2)$$
➡ (겉넓이의 차)$=370-292=78 \text{ (cm}^2)$

02

채점 기준		점수
❶	직육면체의 높이 구하기	2점
❷	직육면체의 겉넓이 구하기	3점

03 (정육면체의 겉넓이)$=$(한 면의 넓이)$\times6$
$$=10\times10\times6=600 \text{ (cm}^2)$$

04 두부를 똑같이 4조각으로 잘랐을 때 자른 단면의 넓이의 합은 똑같이 2조각으로 잘랐을 때 자른 단면의 넓이의 합의 2배입니다.
따라서 두부 4조각의 겉넓이의 합은 처음 두부의 겉넓이보다 $288\times2=576 \text{ (cm}^2)$ 늘어납니다.

05 (왼쪽 직육면체의 겉넓이)
$$=(7\times3)\times2+(7+3+7+3)\times4$$
$$=42+80=122 \text{ (cm}^2)$$
(가운데 직육면체의 겉넓이)
$$=(4\times2)\times2+(4+2+4+2)\times8$$
$$=16+96=112 \text{ (cm}^2)$$
(오른쪽 정육면체의 겉넓이)
$$=4\times4\times6=96 \text{ (cm}^2)$$
➡ $122 \text{ cm}^2 > 112 \text{ cm}^2 > 96 \text{ cm}^2$

06 (㉠의 겉넓이)$=(3\times11+3\times4+11\times4)\times2$
$$=89\times2=178 \text{ (cm}^2)$$
(㉡의 겉넓이)$=5\times5\times6=150 \text{ (cm}^2)$
➡ $178 \text{ cm}^2 > 150 \text{ cm}^2$

07 정육면체는 모든 모서리의 길이가 같으므로
(한 모서리의 길이)$=39\div3=13 \text{ (cm)}$
➡ (정육면체의 겉넓이)
$$=13\times13\times6=1014 \text{ (cm}^2)$$

08 (직육면체의 겉넓이)
$$=(5\times8)\times2+(5+8+5+8)\times\square=236 \text{ (cm}^2),$$
$40\times2+26\times\square=236$, $80+26\times\square=236$,
$26\times\square=156$, $\square=6$

09

채점 기준		점수
❶	직육면체의 겉넓이 구하기	2점
❷	정육면체의 한 모서리의 길이 구하기	3점

10 전개도를 접어서 만들 수 있는 정육면체의 한 모서리의 길이를 □ cm라 하면
(정육면체의 겉넓이)$=\square\times\square\times6=384 \text{ (cm}^2)$,
$\square\times\square=64$입니다. $8\times8=64$이므로 $\square=8$입니다.
㉠$=\square\times2=8\times2=16$

11 (규호가 만든 카스텔라의 겉넓이)
$$=(4\times3)\times2+(4+3+4+3)\times3$$
$$=24+42=66 \text{ (cm}^2)$$
선미가 만들려는 카스텔라의 가로, 세로, 높이는 각각
12 cm, 9 cm, 9 cm입니다.
(선미가 만들려는 카스텔라의 겉넓이)
$$=(12\times9)\times2+(12+9+12+9)\times9$$
$$=216+378=594 \text{ (cm}^2)$$
➡ $594\div66=9$(배)

중요 직육면체의 모든 모서리의 길이를 ■배로 늘이면 겉넓이는 처음 겉넓이의 (■×■)배가 됩니다.

12 입체도형의 각 모서리의 길이는 다음과 같습니다.

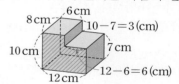

(빗금 친 부분의 넓이)
$$=12\times10-6\times3$$
$$=120-18=102 \text{ (cm}^2)$$
(빗금 친 부분과 수직인 면의 넓이의 합)
$$=10\times8+12\times8+7\times8+6\times8+3\times8+6\times8$$
$$=352 \text{ (cm}^2)$$
➡ (입체도형의 겉넓이)
$$=102\times2+352=556 \text{ (cm}^2)$$

참고 (입체도형의 겉넓이)
$=$(빗금 친 부분의 넓이)$\times2$
$\quad+$(빗금 친 부분과 수직인 면의 넓이의 합)

STEP3 한번더 **서술형 해결하기** 44~45쪽

01 (예) ❶ (가로)=15+15+15=45 (cm),
(세로)=14 cm, (높이)=15 cm ▸2점
❷ (필요한 포장지의 넓이)
　=(45×14+45×15+14×15)×2
　=1515×2=3030 (cm²) ▸3점
/ 3030 cm²

02 (예) ❶ 새로 만든 직육면체의 가로, 세로, 높이를 각각 구하면
(가로)=10+10=20 (cm)
(세로)=10 cm
(높이)=10+10=20 (cm) ▸2점
❷ (새로 만든 직육면체의 겉넓이)
　=(20×10+20×20+10×20)×2
　=800×2=1600 (cm²) ▸3점 / 1600 cm²

03 (예) ❶ 길이와 부피의 단위를 각각 cm, cm³로 나타내면 (가로)=4.5 m=450 cm,
(부피)=9 m³=9000000 cm³ ▸2점
❷ (직육면체의 부피)=450×200×■
　　　　　　　　　=9000000 (cm³),
90000×■=9000000, ■=100 ▸3점
/ 100

04 (예) ❶ (직육면체의 부피)=32000000 cm³
　　　　　　　　　=32 m³ ▸2점
❷ 직육면체에서 밑면은 정사각형이므로
밑면의 한 변의 길이를 □m라 하면
(직육면체의 부피)=□×□×2=32 (m³),
□×□=16입니다. 4×4=16이므로 □=4
따라서 밑면의 한 변의 길이는 4 m입니다. ▸3점
/ 4 m

05 (예) ❶ 정육면체의 전개도이므로 모든 선분의 길이는 같습니다. 전개도에서 선분 2개의 길이의 합이 20 cm이므로
(정육면체의 한 모서리의 길이)
　=20÷2=10 (cm) ▸3점
❷ (정육면체의 부피)=10×10×10
　　　　　　　　　=1000 (cm³) ▸2점
/ 1000 cm³

06 (예) ❶ 직육면체에서 서로 다른 세 모서리 중 길이를 모르는 모서리의 길이를 □cm라 하면 전개도의 둘레에는 2 cm인 선분이 8개, 5 cm인 선분이 4개, □cm인 선분이 2개 있습니다.

(전개도의 둘레)=2×8+5×4+□×2
　　　　　　　=48 (cm),
16+20+□×2=48, □×2=12, □=6
➡ 만들어지는 직육면체의 서로 다른 세 모서리는 2 cm, 5 cm, 6 cm입니다. ▸3점
❷ (직육면체의 부피)=2×5×6=60 (cm³) ▸2점
/ 60 cm³

07 (예) ❶ 정육면체의 모든 모서리의 길이는 같으므로 한 모서리의 길이를 ●cm라 하면
(빗금 친 면의 넓이)=●×●=121 (cm²),
11×11=121이므로 ●=11 ▸3점
❷ (정육면체의 부피)
　=(빗금 친 면의 넓이)×(높이)
　=121×11=1331 (cm³) ▸2점 / 1331 cm³

08 (예) ❶ 직육면체의 높이를 □cm라 하면
(직육면체의 겉넓이)
　=(9×3)×2+(9+3+9+3)×□=222 (cm²),
54+24×□=222, 24×□=168, □=7 ▸3점
❷ (직육면체의 부피)=9×3×7=189 (cm³) ▸2점
/ 189 cm³

01	채점기준	❶ 상자 3개를 면끼리 꼭맞게 붙였을 때 가로, 세로, 높이 각각 구하기	2점
		❷ 필요한 포장지의 넓이 구하기	3점

02	채점기준	❶ 새로 만든 직육면체의 가로, 세로, 높이 각각 구하기	2점
		❷ 새로 만든 직육면체의 겉넓이 구하기	3점

03	채점기준	❶ 길이와 부피의 단위를 한 가지로 나타내기	2점
		❷ ■에 알맞은 수 구하기	3점

04	채점기준	❶ 직육면체의 부피를 m³로 나타내기	2점
		❷ 밑면의 한 변의 길이 구하기	3점

05	채점기준	❶ 만들어지는 정육면체의 한 모서리의 길이 구하기	3점
		❷ 만들어지는 정육면체의 부피 구하기	2점

06	채점기준	❶ 직육면체의 서로 다른 세 모서리의 길이 구하기	3점
		❷ 직육면체의 부피 구하기	2점

07	채점기준	❶ 정육면체의 한 모서리의 길이 구하기	3점
		❷ 정육면체의 부피 구하기	2점

08	채점기준	❶ 직육면체의 높이 구하기	3점
		❷ 직육면체의 부피 구하기	2점

단원 평가

매칭북 46~63쪽

1. 분수의 나눗셈

46~48쪽

01 예 $\quad$ / $\dfrac{1}{5}$

02 $\dfrac{1}{4}$, 5, $\dfrac{5}{4}$, $1\dfrac{1}{4}$ $\qquad$ **03** 2, $\dfrac{3}{7}$

04 $\dfrac{8}{11}$ $\qquad\qquad$ **05** $\dfrac{7}{80}$

06 예 $\dfrac{7}{9}\div3=\dfrac{21}{27}\div3=\dfrac{21\div3}{27}=\dfrac{7}{27}$ 이야.

07 $\dfrac{15}{18}\left(=\dfrac{5}{6}\right)$ $\quad$ **08** $\cdot\diagdown\diagup\cdot$ $\quad$ **09** $>$

10 2

11 $5\dfrac{1}{7}\div9=\dfrac{36}{63}\left(=\dfrac{4}{7}\right)$ / $\dfrac{36}{63}$ m$^2\left(=\dfrac{4}{7}$ m$^2\right)$

12 $\dfrac{19}{4}$ m$^2\left(=4\dfrac{3}{4}$ m$^2\right)$ $\quad$ **13** $\dfrac{55}{27}$ cm$\left(=2\dfrac{1}{27}$ cm$\right)$

14 나 $\qquad$ **15** $\dfrac{2}{7}\div3\left($또는 $\dfrac{2}{3}\div7\right)$ / $\dfrac{2}{21}$

16 $\dfrac{19}{56}$ kg $\qquad$ **17** $\dfrac{65}{54}$ m$\left(=1\dfrac{11}{54}$ m$\right)$

18 예 ❶ $7>\dfrac{3}{8}$ → 작은 수: $\dfrac{3}{8}$, 큰 수: 7 ▶2점

$\quad$ ❷ $\dfrac{3}{8}\div7=\dfrac{3}{8}\times\dfrac{1}{7}=\dfrac{3}{56}$ ▶3점 / $\dfrac{3}{56}$

19 예 ❶ $\dfrac{35}{6}\div2=\dfrac{35}{6}\times\dfrac{1}{2}=\dfrac{35}{12}$ ▶2점

$\quad$ ❷ $\square\times4=\dfrac{35}{12}$, $\square=\dfrac{35}{12}\div4=\dfrac{35}{12}\times\dfrac{1}{4}=\dfrac{35}{48}$

$\quad$ ▶3점 / $\dfrac{35}{48}$

20 예 ❶ 어떤 분수를 $\square$라 하면 $\square\times6=1\dfrac{2}{3}$이므로

$\quad\square=1\dfrac{2}{3}\div6=\dfrac{5}{3}\div6=\dfrac{5}{3}\times\dfrac{1}{6}=\dfrac{5}{18}$입니다. ▶3점

$\quad$ ❷ $\dfrac{5}{18}\div6=\dfrac{5}{18}\times\dfrac{1}{6}=\dfrac{5}{108}$ ▶2점 / $\dfrac{5}{108}$

05 $\dfrac{7}{10}\div8=\dfrac{7}{10}\times\dfrac{1}{8}=\dfrac{7}{80}$

07 $\dfrac{15}{2}\div9=\dfrac{15}{2}\times\dfrac{1}{9}=\dfrac{15}{18}\left(=\dfrac{5}{6}\right)$

08 (1) $4\dfrac{1}{2}\div5=\dfrac{9}{10}$ $\qquad$ (2) $2\dfrac{5}{8}\div8=\dfrac{21}{64}$

09 $\dfrac{7}{9}\div2=\dfrac{7}{18}$, $\dfrac{5}{3}\div6=\dfrac{5}{18}$ → $\dfrac{7}{18}>\dfrac{5}{18}$

10 $5\dfrac{3}{4}\div2=\dfrac{23}{4}\div2=\dfrac{23}{4}\times\dfrac{1}{2}=\dfrac{23}{8}=2\dfrac{7}{8}$이고

$2\dfrac{7}{8}>\square$이므로 $\square$ 안에 들어갈 수 있는 가장 큰 자연수는 2입니다.

11 (페인트 한 통으로 칠한 벽면의 넓이)

$=5\dfrac{1}{7}\div9=\dfrac{36}{7}\div9=\dfrac{36}{7}\times\dfrac{1}{9}$

$=\dfrac{36}{63}$ (m^2)$\left(=\dfrac{4}{7}$ m$^2\right)$

12 $19\div4=\dfrac{19}{4}$ (m^2)$\left(=4\dfrac{3}{4}$ m$^2\right)$

13 (높이)$=6\dfrac{1}{9}\div3=\dfrac{55}{9}\div3=\dfrac{55}{9}\times\dfrac{1}{3}$

$=\dfrac{55}{27}$ (cm)$\left(=2\dfrac{1}{27}$ cm$\right)$

14 병 가: $1\div2=\dfrac{1}{2}$ (L), 병 나: $3\div5=\dfrac{3}{5}$ (L)

→ $\dfrac{1}{2}\left(=\dfrac{5}{10}\right)<\dfrac{3}{5}\left(=\dfrac{6}{10}\right)$

15 나누어지는 수가 작을수록, 나누는 수가 클수록 계산 결과가 작습니다.

$\dfrac{2}{7}\div3=\dfrac{2}{7}\times\dfrac{1}{3}=\dfrac{2}{21}$

$\left($또는 $\dfrac{2}{3}\div7=\dfrac{2}{3}\times\dfrac{1}{7}=\dfrac{2}{21}\right)$

16 (감 8개의 무게)$=3\dfrac{2}{7}-\dfrac{4}{7}=2\dfrac{9}{7}-\dfrac{4}{7}=2\dfrac{5}{7}$ (kg)

(감 한 개의 무게)$=2\dfrac{5}{7}\div8=\dfrac{19}{7}\div8$

$=\dfrac{19}{7}\times\dfrac{1}{8}=\dfrac{19}{56}$ (kg)

17 (정오각형의 둘레)$=\dfrac{13}{9}\times5=\dfrac{65}{9}$ (m)

(정육각형의 한 변의 길이)

$=\dfrac{65}{9}\div6=\dfrac{65}{9}\times\dfrac{1}{6}=\dfrac{65}{54}$ (m)$\left(=1\dfrac{11}{54}$ m$\right)$

18

채점 기준		
❶ 작은 수와 큰 수 찾기		2점
❷ 작은 수를 큰 수로 나눈 몫 구하기		3점

19

채점 기준		
❶ $\dfrac{35}{6}\div2$의 몫 구하기		2점
❷ $\square$ 안에 알맞은 분수 구하기		3점

20

채점 기준		
❶ 어떤 분수 구하기		3점
❷ 바르게 계산했을 때의 몫 구하기		2점

2. 각기둥과 각뿔

01 다, 사

02 가, 마, 아

03
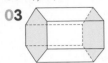

04 (위에서부터) 각뿔의 꼭짓점, 옆면, 높이, 밑면

05 (1) 삼각뿔 (2) 오각뿔

06

07 ⓒ

08 예
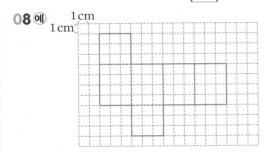

09 ⓒ, ⓔ

10 12, 8, 18 / 18, 11, 27

11 ①, ③

12 선분 ㅋㅊ

13 면 ㅊㅅㅇㅈ

14 42 cm

15 구각뿔

16 5 cm

17 49 cm

18 예 두 밑면이 서로 합동이 아니므로 각기둥이 아닙니다. ▶5점

19 예 ❶ 밑면의 모양이 육각형이므로 육각기둥이 만들어집니다. ▶2점

❷ 육각기둥의 한 밑면의 변은 6개이므로 꼭짓점은 $6 \times 2 = 12$(개)입니다. ▶3점 / 12개

20 예 ❶ 팔각뿔의 밑면의 변은 8개입니다.
(꼭짓점의 수)=(밑면의 변의 수)+1
$\qquad = 8+1 = 9$(개)
(면의 수)=(밑면의 변의 수)+1=8+1=9(개)
(모서리의 수)=(밑면의 변의 수)×2
$\qquad\qquad = 8 \times 2 = 16$(개) ▶4점

❷ ㉠=9, ㉡=9, ㉢=16이므로
㉠+㉡-㉢=9+9-16=2입니다. ▶1점 / 2

---

04 • 밑면: 밑에 놓인 면
• 옆면: 밑면과 만나는 면
• 각뿔의 꼭짓점: 꼭짓점 중에서도 옆면이 모두 만나는 점
• 높이: 각뿔의 꼭짓점에서 밑면에 수직인 선분의 길이

05 (1) 밑면의 모양이 삼각형인 각뿔은 삼각뿔입니다.
(2) 밑면의 모양이 오각형인 각뿔은 오각뿔입니다.

06 입체도형의 겨냥도를 그릴 때 보이는 모서리는 실선으로, 보이지 않는 모서리는 점선으로 나타냅니다.

07 ⓒ 밑면의 모양은 오각형입니다.

08 주의 서로 맞닿는 선분의 길이가 같고, 겹치는 면이 없도록 주의하여 그립니다.

09 ⓒ과 ⓔ은 전개도를 접었을 때 서로 겹치는 면이 있으므로 사각기둥의 전개도가 아닙니다.

10 • 육각기둥: (한 밑면의 변의 수)=6개
➡ (꼭짓점의 수)=$6 \times 2 = 12$(개)
(면의 수)=$6+2=8$(개)
(모서리의 수)=$6 \times 3 = 18$(개)
• 구각기둥: (한 밑면의 변의 수)=9개
➡ (꼭짓점의 수)=$9 \times 2 = 18$(개)
(면의 수)=$9+2=11$(개)
(모서리의 수)=$9 \times 3 = 27$(개)

13 전개도를 접었을 때 면 ㅍㅎㅁㅌ과 평행한 면 ㅊㅅㅇㅈ을 제외한 나머지 면들은 모두 면 ㅍㅎㅁㅌ과 만납니다.

14 (삼각뿔의 모서리의 수)=$3 \times 2 = 6$(개)
(모든 모서리의 길이의 합)=$7 \times 6 = 42$ (cm)

15 각뿔의 밑면의 변의 수를 □개라 하면
(면의 수)=□+1=10(개),
□=9이므로 밑면의 모양은 구각형입니다.
따라서 밑면의 모양이 구각형인 각뿔은 구각뿔입니다.

16 각기둥의 옆면이 모두 합동이므로 밑면의 모양은 정오각형입니다.
밑면의 한 변의 길이를 □cm라 하면
(각기둥의 모든 모서리의 길이의 합)
=□×10+7×5=85 (cm), □×10=50, □=5
따라서 밑면의 한 변의 길이는 5 cm입니다.

17 만든 각뿔은 오른쪽과 같은 칠각뿔입니다.
(모든 모서리의 길이의 합)
=$4 \times 7 + 3 \times 7 = 28 + 21 = 49$ (cm)

18	채점 기준	각기둥이 아닌 이유 쓰기	5점

19	채점 기준	❶ 만들어지는 각기둥의 이름 알아보기	2점
		❷ 각기둥의 꼭짓점의 수 구하기	3점

20	채점 기준	❶ 팔각뿔의 꼭짓점, 면, 모서리의 수 각각 구하기	4점
		❷ ㉠+㉡-㉢의 값 구하기	1점

3. 소수의 나눗셈
52~54쪽

01 1395, 1395, 465, 4.65

02 525, 5.25

03 예 18, 3 / 3□0□2

04 2.05

05
$$
\begin{array}{r}
0.5\,5 \\
7\,)\overline{3.8\,5} \\
\underline{3\ 5} \\
3\ 5 \\
\underline{3\ 5} \\
0
\end{array}
$$

06 4.76, 2.55

07 20.86÷7=2.98에 ○표

08 (위에서부터)
4.5, 2.25, 0.75, 1.5

09 6.04

10 2, 1, 3

11 ㉠, ㉢

12 4.35

13 0.54 L

14 0.17

15 6.4 cm

16 0.35 kg

17 205.6 km

18 ❶ 28.6÷2 ▶2점

예 ❷ 계산한 값이 286÷2의 $\frac{1}{10}$배가 되려면 나누어지는 수는 286의 $\frac{1}{10}$배인 28.6이어야 합니다.
→ 28.6÷2 ▶3점

19 예 ❶ 17.2÷8=2.15, 38.75÷5=7.75이므로 2.15<□<7.75입니다. ▶4점
❷ 따라서 □ 안에 들어갈 수 있는 자연수는 3, 4, 5, 6, 7로 모두 5개입니다. ▶1점 / 5개

20 예 ❶ 간격 수는 나무 수보다 1 작으므로 나무와 나무 사이의 간격은 10−1=9(군데)입니다. ▶2점
❷ (나무와 나무 사이의 간격)
=63.45÷9=7.05 (m) ▶3점 / 7.05 m

02 나누어지는 수가 $\frac{1}{100}$배가 되면 몫도 $\frac{1}{100}$배가 됩니다.

04 16.4÷8=2.05

05 나눗셈의 몫의 소수점을 잘못 찍었습니다.

06 28.56÷6=4.76, 15.3÷6=2.55

07 20.86÷7을 21÷7로 어림하면 몫이 약 3이므로 20.86÷7=2.98입니다.

08 9÷2=4.5, 9÷4=2.25,
9÷12=0.75, 9÷6=1.5

09 정오각형은 5개의 변의 길이가 모두 같으므로
□=30.2÷5=6.04입니다.

10 7.6÷4=1.9, 12.84÷6=2.14, 10.8÷8=1.35
→ 2.14>1.9>1.35

11 나누어지는 수가 나누는 수보다 크면 몫이 1보다 큽니다.
㉠ 5.05>5, ㉡ 2.88<3, ㉢ 5.22<6, ㉣ 4.84>4
이므로 몫이 1보다 큰 나눗셈식은 ㉠, ㉣입니다.

다른 풀이 ㉠ 5.05÷5=1.01 ㉡ 2.88÷3=0.96
㉢ 5.22÷6=0.87 ㉣ 4.84÷4=1.21
→ 몫이 1보다 큰 나눗셈식은 ㉠, ㉣입니다.

중요 (나누어지는 수)>(나누는 수) → (몫)>1
(나누어지는 수)<(나누는 수) → (몫)<1

12 □×6=26.1 → □=26.1÷6=4.35

13 (전체 우유의 양)=2.38+1.4=3.78 (L)
(하루에 마셔야 하는 우유의 양)=3.78÷7=0.54 (L)

14 가장 작은 소수 두 자리 수를 만들어야 하므로 높은 자리부터 작은 수를 차례로 쓰면 1.36입니다.
→ 1.36÷8=0.17

15 (마름모의 넓이)
=(한 대각선의 길이)×(다른 대각선의 길이)÷2
→ (다른 대각선의 길이)
=(마름모의 넓이)×2÷(한 대각선의 길이)
=28.8×2÷9
=57.6÷9=6.4 (cm)

16 (배 한 봉지의 무게)=7÷4=1.75 (kg)
(배 한 개의 무게)=1.75÷5=0.35 (kg)

17 (㉮ 자동차가 1분 동안 달리는 거리)
=7.5÷6=1.25 (km)
(㉮ 자동차가 1시간 20분 동안 달리는 거리)
=1.25×80=100 (km)
(㉯ 자동차가 1분 동안 달리는 거리)
=11.88÷9=1.32 (km)
(㉯ 자동차가 1시간 20분 동안 달리는 거리)
=1.32×80=105.6 (km)
→ (㉮와 ㉯ 자동차 사이의 거리)
=100+105.6=205.6 (km)

18

채점 기준		
❶ 조건을 모두 만족하는 나눗셈식 만들기		2점
❷ 이유 쓰기		3점

19

채점 기준		
❶ □ 안에 들어갈 수 있는 수의 범위 구하기		4점
❷ □ 안에 들어갈 수 있는 자연수의 개수 구하기		1점

20

채점 기준		
❶ 나무와 나무 사이의 간격 수 구하기		2점
❷ 나무와 나무 사이의 간격 구하기		3점

매칭북
단원 평가지

4. 비와 비율

01 (1) 3 (2) 2   **02** 5, 9   **03** ㉡

04 40 %, 40 퍼센트

05 8, 15, $\dfrac{8}{15}$ / 7, 12, $\dfrac{7}{12}$

06 $\dfrac{26}{39}\left(=\dfrac{2}{3}\right)$ **07** 0.4   **08** 55 %

09 40 : 60   **10** (   )(○)

11 30 %   **12** 6000원

13 $\dfrac{7000}{5}(=1400)$, $\dfrac{7200}{6}(=1200)$ / 사랑 마을

14 가 영화

15 $\dfrac{150}{250}\left(=\dfrac{3}{5}=0.6\right)$, $\dfrac{360}{450}\left(=\dfrac{4}{5}=0.8\right)$ / 철민

16 곰 인형, 450원   **17** 128 cm

18 ❶ 다릅니다. ▶2점

  ㉖ ❷ 4 : 10은 10을 기준으로 하여 4를 비교한 것이고, 10 : 4는 4를 기준으로 하여 10을 비교한 것이기 때문입니다. ▶3점

19 ㉖ ❶ (인구)=1580+2020=3600(명) ▶2점

  ❷ (넓이에 대한 인구의 비율)

    $=3600\div4=\dfrac{3600}{4}(=900)$ ▶3점

  / $\dfrac{3600}{4}(=900)$

20 ㉖ ❶ • 수아의 골 성공률: $\dfrac{17}{25}\times100=68$ (%)

    • 민수의 골 성공률: $\dfrac{13}{20}\times100=65$ (%) ▶4점

  ❷ 68 %>65 %이므로 수아의 골 성공률이 더 높습니다. ▶1점 / 수아

---

03 ㉡ 5에 대한 8의 비 ➡ 8 : 5

04 $\dfrac{2}{5}$ ➡ $\dfrac{2}{5}\times100=40$ (%) ➡ 40 퍼센트

06 긴 쪽에 대한 짧은 쪽의 길이의 비 ➡ 26 : 39

  ➡ (비율)=26÷39=$\dfrac{26}{39}\left(=\dfrac{2}{3}\right)$

07 동전을 던진 횟수에 대한 그림 면이 나온 횟수의 비

  ➡ 4 : 10 ➡ (비율)=4÷10=$\dfrac{4}{10}$=0.4

08 전체 20칸 중에서 11칸을 색칠했으므로

  $\dfrac{11}{20}\times100=55$ (%)입니다.

10 $\dfrac{13}{25}$ ➡ $\dfrac{13}{25}\times100=52$ (%) ➡ 52 %<58 %

11 소금물 양에 대한 소금 양의 비 ➡ 90 : 300

  ➡ (비율)=$\dfrac{90}{300}\times100=30$ (%)

12 4 % ➡ 0.04

  (이자)=150000×0.04=6000(원)

13 • 사랑 마을: 7000÷5=$\dfrac{7000}{5}(=1400)$

  • 행복 마을: 7200÷6=$\dfrac{7200}{6}(=1200)$

  ➡ 1400>1200이므로 인구가 더 밀집한 곳은 사랑 마을입니다.

14 나 영화의 좌석 수에 대한 관객 수의 비율은

  $\dfrac{225}{300}\times100=75$ (%)입니다.

  ➡ 80 %>75 %이므로 인기가 더 많은 영화는 가 영화입니다.

15 매실 주스 양에 대한 매실 원액 양의 비율을 각각 구하면 소희는 $\dfrac{150}{250}\left(=\dfrac{3}{5}=0.6\right)$, 철민이는

  $\dfrac{360}{450}\left(=\dfrac{4}{5}=0.8\right)$입니다.

  ➡ $\dfrac{3}{5}<\dfrac{4}{5}$이므로 철민이가 만든 매실 주스가 더 진합니다.

16 곰 인형의 할인 금액: 7500×0.1=750(원)

  곰 인형의 가격: 7500-750=6750(원)

  토끼 인형의 할인 금액: 9000×0.2=1800(원)

  토끼 인형의 가격: 9000-1800=7200(원)

  ➡ 곰 인형이 7200-6750=450(원) 더 쌉니다.

17 하영이의 키에 대한 그림자 길이의 비율은

  $\dfrac{96}{120}\left(=\dfrac{4}{5}\right)$입니다.

  은수의 그림자 길이를 □ cm라 하면 은수의 키에 대한 그림자 길이의 비율은 $\dfrac{□}{160}=\dfrac{4}{5}$이므로 은수의 그림자 길이는 128 cm입니다.

| 18 | 채점 기준 | ❶ 두 비가 같은지, 다른지 쓰기 | 2점 |
| | | ❷ 이유 쓰기 | 3점 |

| 19 | 채점 기준 | ❶ 마을의 인구 구하기 | 2점 |
| | | ❷ 마을의 넓이에 대한 인구의 비율 구하기 | 3점 |

| 20 | 채점 기준 | ❶ 수아와 민수의 골 성공률 각각 구하기 | 4점 |
| | | ❷ 골 성공률이 더 높은 사람 구하기 | 1점 |

5. 여러 가지 그래프

58~60쪽

01 10만 t, 1만 t **02** 11만 t

03 대전 · 세종 · 충청

04 예 그림의 크기로 수량의 많고 적음을 알 수 있습니다.

05 45 % **06** 300 m²

07 120 / 30, 20

08
점심시간에 하는 활동별 학생 수

0 10 20 30 40 50 60 70 80 90 100(%)

| 운동
(35 %) | 독서
(30 %) | 게임
(20 %) | 기타
(15 %) |

09 500, 2000 / 20, 40

10
마을별 쓰레기 배출량

0 10 20 30 40 50 60 70 80 90 100(%)

| 가 마을
(15 %) | 나 마을
(25 %) | 다 마을
(20 %) | 라 마을
(40 %) |

11 띠그래프 **12** 3, 30 / 40, 20, 10

13
좋아하는 피자별 학생 수

14 ㉠

15 2배

16 64, 32, 10, 200 / 32, 16, 5, 100

17 84명

18 예 ❶ 저축의 백분율은 전체의 23 %입니다. ▶3점
❷ 가장 높은 비율을 차지하는 쓰임새는 식비입니다. ▶2점

19 예 ❶ 식비: 40 %, 교육비: 20 %
➡ 교육비는 식비의 $20 \div 40 = \frac{1}{2}$(배)입니다. ▶3점
❷ (교육비)$= 120만 \times \frac{1}{2} = 60만$ (원) ▶2점
/ 60만 원

20 예 ❶ 다 신문을 구독하는 가구의 백분율을 □ %라 하면 가 신문을 구독하는 가구의 백분율은 (□×3) %입니다. 백분율의 합계는 100 %이므로
□×3+32+□+28=100, □×4=40,
□=10입니다. ▶3점
❷ (가 신문을 구독하는 가구의 백분율)
$= 10 \times 3 = 30$ (%) ▶2점 / 30 %

02 10만 t을 나타내는 그림이 1개, 1만 t을 나타내는 그림이 1개이므로 11만 t입니다.

05 $100 - 25 - 20 - 10 = 45$ (%)

다른 풀이 ▶ 띠그래프에서 작은 눈금 한 칸의 크기는 5 % 이므로 배추를 심은 밭의 넓이는 전체의
$5 \times 9 = 45$ (%)입니다.

06 전체 밭의 넓이(100 %)는 고추를 심은 밭의 넓이 (25 %)의 $100 \div 25 = 4$(배)이므로
전체 밭의 넓이는 $75 \times 4 = 300$ (m²)입니다.

09 (나 마을의 쓰레기 양)=500 kg
(합계)$= 300 + 500 + 400 + 800 = 2000$ (kg)
다 마을: $\frac{400}{2000} \times 100 = 20$ (%)
라 마을: $\frac{800}{2000} \times 100 = 40$ (%)

12 치즈 피자: $\frac{12}{30} \times 100 = 40$ (%)
고구마 피자: $\frac{6}{30} \times 100 = 20$ (%)
기타: $\frac{3}{30} \times 100 = 10$ (%)

13 각 항목의 백분율만큼 원을 나누고, 나눈 원 위에 각 항목의 내용과 백분율을 씁니다.

14 ㉠ 시간이 지남에 따라 연속적으로 변하는 양을 나타 내기에 알맞은 그래프는 꺾은선그래프입니다.

15 경주: 32 %, 부산: 16 % ➡ $32 \div 16 = 2$(배)

16 경주: $200 \times \frac{32}{100} = 64$(명)
부산: $200 \times \frac{16}{100} = 32$(명)
기타: $200 \times \frac{5}{100} = 10$(명)

17 (외교관이 되고 싶은 학생 수)$= 600 \times \frac{20}{100} = 120$(명)
외교관이 되고 싶은 학생의 30 %가 남학생이므로
$100 - 30 = 70$ (%)가 여학생입니다.
➡ (외교관이 되고 싶은 여학생 수)
$= 120 \times \frac{70}{100} = 84$(명)

18
채점 기준	❶ 알 수 있는 내용 한 가지 쓰기	3점
	❷ 알 수 있는 내용 한 가지 더 쓰기	2점

19
채점 기준	❶ 교육비는 식비의 몇 배인지 구하기	3점
	❷ 교육비 구하기	2점

20
채점 기준	❶ 다 신문을 구독하는 가구의 백분율 구하기	3점
	❷ 가 신문을 구독하는 가구의 백분율 구하기	2점

매칭북
단원 평가지

6. 직육면체의 부피와 겉넓이

61~63쪽

01 12   **02** 예 21, 18, 42 / 162
03 나   **04** 150 cm²
05 (1) 5000000 (2) 1.4   **06** 48 cm³
07 148 cm²   **08** 1.08, 1080000
09 512 cm³   **10** ©, ©, ⊙, @
11 10 cm   **12** 14 cm²   **13** 320 cm²
14 27배   **15** 6000개   **16** 6 m
17 16 cm
18 예 ❶ 한 꼭짓점에서 만나는 세 면의 넓이의 합을 2배 해야 하는데 세 면의 넓이의 합만 구했으므로 잘못되었습니다. ▶3점
   ❷ $(70+40+28) \times 2 = 276$ (cm²) ▶2점
19 예 ❶ (정육면체의 한 모서리의 길이)
     $= 24 \div 3 = 8$ (cm) ▶2점
   ❷ (정육면체의 겉넓이) $= 8 \times 8 \times 6 = 384$ (cm²)
   ▶3점 / 384 cm²
20 예 ❶ 큰 직육면체의 부피에서 작은 직육면체의 부피를 뺍니다. ▶2점

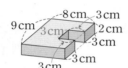

   ❷ $8 \times 9 \times 2 - 3 \times 3 \times 2$
     $= 144 - 18 = 126$ (cm³) ▶3점 / 126 cm³

03 (가 상자에 담을 수 있는 쌓기나무 수)
   $= 3 \times 3 \times 3 = 27$(개)
   (나 상자에 담을 수 있는 쌓기나무 수)
   $= 4 \times 2 \times 4 = 32$(개)
   ➔ 27개 < 32개

04 (정육면체의 겉넓이) $= 5 \times 5 \times 6 = 150$ (cm²)

06 (직육면체의 부피) $= 3 \times 8 \times 2 = 48$ (cm³)

07 (직육면체의 겉넓이)
   $= (5 \times 4 + 4 \times 6 + 5 \times 6) \times 2$
   $= (20 + 24 + 30) \times 2 = 74 \times 2 = 148$ (cm²)

08 80 cm = 0.8 m
   (직육면체의 부피) $= 0.9 \times 0.8 \times 1.5 = 1.08$ (m³)
   ➔ 1080000 cm³

09 가장 큰 정육면체 모양을 만들려면 한 모서리의 길이를 두부의 가장 짧은 모서리인 8 cm로 해야 합니다.
   ➔ (만들 수 있는 가장 큰 정육면체의 부피)
     $= 8 \times 8 \times 8 = 512$ (cm³)

10 ⊙ 4.8 m³ = 4800000 cm³
   © 13000000 cm³
   © $300 \times 300 \times 300 = 27000000$ (cm³)
   @ $70 \times 60 \times 500 = 2100000$ (cm³)

11 정육면체의 한 모서리의 길이를 □ cm라 하면
   (겉넓이) $= □ \times □ \times 6 = 600$ (cm²), $□ \times □ = 100$,
   $10 \times 10 = 100$이므로 $□ = 10$입니다.

12 (왼쪽 상자의 겉넓이) $= (45 + 90 + 50) \times 2$
           $= 185 \times 2 = 370$ (cm²)
   (오른쪽 상자의 겉넓이) $= (48 + 108 + 36) \times 2$
           $= 192 \times 2 = 384$ (cm²)
   ➔ (겉넓이의 차) $= 384 - 370 = 14$ (cm²)

13 비누를 똑같이 4조각으로 잘랐을 때 자른 단면의 넓이의 합은 똑같이 2조각으로 잘랐을 때 자른 단면의 넓이의 합의 2배입니다.
   따라서 비누를 똑같이 4조각으로 자르면 비누 4조각의 겉넓이의 합은 처음 비누의 겉넓이보다
   $160 \times 2 = 320$ (cm²) 늘어납니다.

15 6 m = 600 cm, 4 m = 400 cm, 2 m = 200 cm
   한 모서리의 길이가 20 cm인 정육면체 모양의 상자를 가로로 $600 \div 20 = 30$(개),
   세로로 $400 \div 20 = 20$(개),
   높이에 $200 \div 20 = 10$(층)으로 쌓을 수 있으므로
   모두 $30 \times 20 \times 10 = 6000$(개) 쌓을 수 있습니다.

16 (직육면체의 부피) $= 9 \times 3 \times 8 = 216$ (m³)
   정육면체의 한 모서리의 길이를 □ m라 하면
   (정육면체의 부피) $= □ \times □ \times □ = 216$ (m³)입니다.
   $6 \times 6 \times 6 = 216$이므로 $□ = 6$입니다.

17 늘어난 물의 부피는 돌의 부피와 같습니다.
   돌을 넣은 후 물의 높이가 □ cm만큼 늘어났다고 하면 $50 \times 25 \times □ = 5000$, $1250 \times □ = 5000$,
   $□ = 4$입니다.
   돌을 넣은 후 물의 높이는 $12 + 4 = 16$ (cm)가 됩니다.

18
채점 기준		
❶ 잘못된 이유 쓰기		3점
❷ 바르게 구하기		2점

19
채점 기준		
❶ 만들 수 있는 정육면체의 한 모서리의 길이 구하기		2점
❷ 만들 수 있는 정육면체의 겉넓이 구하기		3점

20
채점 기준		
❶ 입체도형의 부피 구하는 방법 알아보기		2점
❷ 입체도형의 부피 구하기		3점

독해의 핵심은 비문학

지문 분석으로 독해를 깊이 있게!

비문학 독해 | 1~6단계

올바른 문학 독서법

문학 갈래별 작품 이해를 풍성하게!

문학 독해 | 1~6단계

2023 NEW

결국은 어휘력

비문학 독해로 어휘 이해부터 어휘 확장까지!

어휘 X 독해 | 1~6단계

초등 문해력의 **빠른시작** 빠작

[동아출판

큐브
수학
실력

개념부터 응용문제 학습까지 딱 1권으로 완료!

개념만 하기에는 너무 쉽거나 부족할 것 같은데 그렇다고 심화를 하기엔 두 권을 풀어 내는 게 역부족이다 싶을 때 정말 딱 괜찮은 책! 개념부터 약간의 응용까지 건드려줘서 아이도 한 권이라 부담이 덜하고 엄마 입장에서도 너무 어렵지 않은 문제를 고루 만날 수 있다는 게 가장 큰 장점이에요. 개념부터 응용까지 폭넓게 다루는 교재는 큐브수학 개념응용밖에 없어요.

닉네임
종***

다양한 난이도 문제로 수학 자신감 UP!

세분화된 개념으로 개념을 꽉 잡을 수 있고, 문제는 간단한 기본문제부터 응용문제까지 난이도와 유형이 다양하게 구성되어 있어 단조롭지 않더라고요. 서술형 문제도 꼼꼼히 살펴보았는데 역시 짧은 서술형 문제부터 좀 더 사고를 요하는 긴 문장의 문제까지 갖춰져 있어서 지루하지 않았어요. 제대로 개념을 이해하면서, 시간이 걸리더라도 다양한 문제를 마주하고 익힐 수 있는 책이에요.

닉네임
유*

개념응용

서술형 문제 집중 훈련이 필요할 땐! 큐브수학 실력

서술형 코너는 연습→단계→실전의 3단계 학습으로 구성되어 있어요. 저는 이 부분이 가장 좋았어요. '연습'은 풀이 과정을 자연스럽게 익히면서 스스로 풀 수 있을만큼 쉽게 느껴졌고, '단계'는 연습의 복습, '실전'은 혼자 푸는 건데도 두 번의 연습으로 완벽하게 풀 수 있어 서술형 문제를 내 것으로 만든다는 느낌이 강하게 들었습니다. 답안 쓰기 훈련을 완벽하게 할 수 있어요.

닉네임
삼**

반복 학습으로 모든 유형을 제대로 익히기!

다양한 유형 문제가 있고, 문제마다 유형-확인-강화 순으로 반복 학습이 가능해요. 유사 유형의 문제를 반복적으로 풀어 볼 수 있으니 실력 향상에 도움이 많이 됩니다. 또 서술형도 3단계 학습으로 답안 쓰기 훈련이 정말 잘 됩니다. 그리고 해설지도 문제에 따라 약점 포인트, 정답률까지 나와 있어서 참고하기 너무 편하게 되어 있더라고요.

닉네임
슈****

실력

상위권 도전 첫 교재로 강력 추천!

개념과 유형 문제집까지 다 끝냈는데 심화를 안 풀고 넘어갈 수는 없잖아요? 심화 문제 집도 아이에게 맞는 난이도를 선택하는 것이 무엇보다 중요한데요. 군더더기 없고 깔끔한 문제 구성과 적절하게 나누어진 난이도 덕분에 심화 시작 교재로 강력 추천합니다.

닉네임
블***

심화

유아부터-초등까지 키우자 공부힘!

더 많은 정보, 동아맘 카페에서 확인하세요!
cafe.naver.com/dongamom

· 동아출판 초등 교재 체험! 서포터즈 도전
· 초등 공부 습관 쌓는 학습단 참여 기회
· 초등 교육 학습 자료와 최신 학습 정보
· 즐겁고 풍성한 선물이 함께하는 이벤트

동아맘 카페
바로가기!

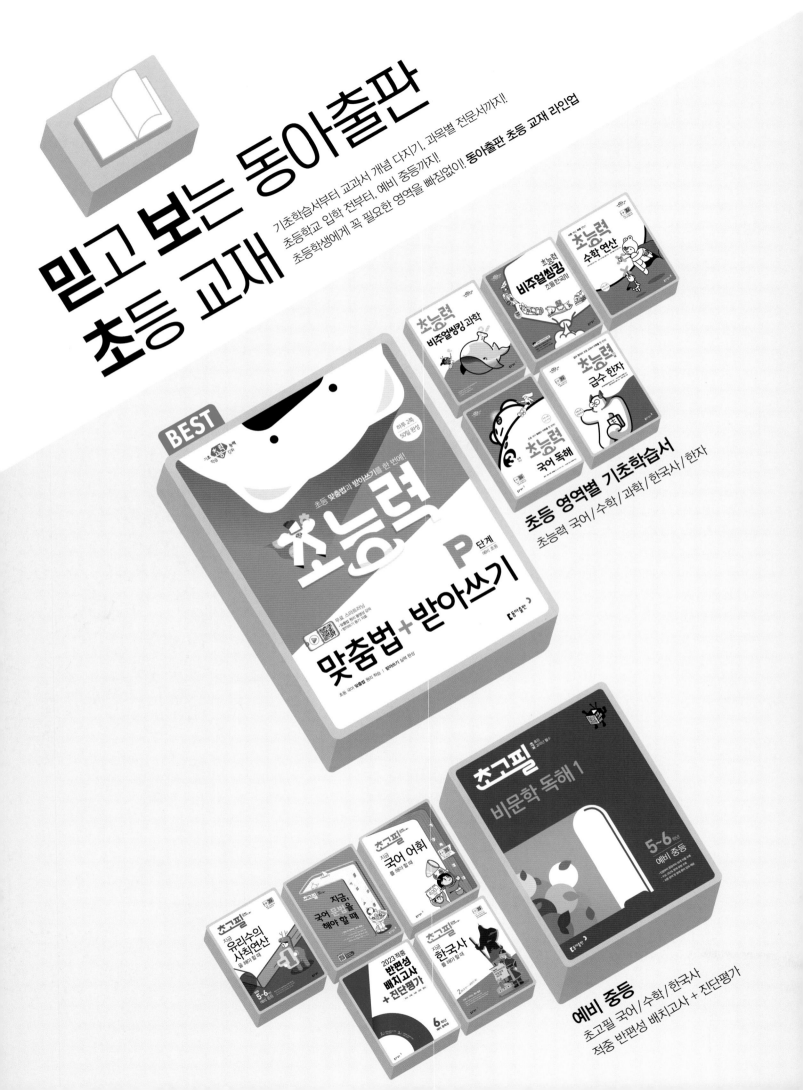